谨以此书献给

我的父母

——比尔·盖茨

未 来 之 路

[美] 比尔·盖茨 著
内森·迈哈沃德
彼得·里尼尔森

辜 正 坤　主译

北京大学出版社

·北　京·

本书插图：

> 第 3 页：由湖滨中学提供
>
> 第 17 页：经英特尔公司许可复制，版权归英特尔公司所有
>
> 第 21 页：取自 1975 年 1 月号《大众电子学》杂志，版权归齐·戴维斯出版公司所有
>
> 第 33、34 页：由凯里、凯勒、安德森提供
>
> 第 37 页：由 UPI/贝特曼公司提供
>
> 第 42 页：经英特尔公司许可复制，版权归英特尔公司所有
>
> 第 66 页：由 IBM 公司提供
>
> 第 70、72、99、149、272 页：由微软公司提供
>
> 第 73 页：由苹果公司提供
>
> 第 94 页：版权归美国华盛顿州西雅图戴维斯·弗里曼所有
>
> 第 95 页：由亚特兰大科学公司提供
>
> 第 98 页：由 DEC 公司提供
>
> 第 267、270 页：由英特图形公司提供

封面摄影： 安妮·莱伯维兹

目录

致谢

要把一个重要的软件项目推向市场，有时需要集中成百上千人的才智。本书的写作虽未有很多人直接参与，但如果由我单枪匹马地做，当然是难以成书的。假如由于我的疏忽，下面没有提到某位应该予以致谢的先生，那么我感到由衷的歉意，并专此谨表谢忱。

首先要感谢的是乔纳森·拉扎勒斯和他的研究组成员，他们是：凯利·哲罗姆、玛丽·恩格斯特、温迪·兰格及德比·沃克尔。感谢他们从构思到市场销售以及为写作过程中若干阶段所做的一切。没有乔纳森的指导和他的坚持，这本书绝不会产生。

特别要感谢的是特伦·格里芬、罗格·麦克纳米、玛丽莎·瓦格纳和安·温布兰达。感谢他们在整个写作过程中所给予的许多有益的建议。

　　此外要感谢的是：斯蒂芬·阿诺德、斯蒂夫·鲍尔默、哈威·伯格、玻尔·卡隆、麦克·德尔曼、金伯利·埃利文格、拜恩·弗莱明、老比尔·盖茨、梅琳达·盖茨、伯尼·吉福德、鲍伯·古姆金维茨、玛格丽特·格里菲尔德、考林斯·海明威、杰克·希特、丽达·达科布丝、艾瑞克·兰斯蒂丝、麦考·马休斯、斯科特·米勒、克里格·曼迪、里克·雷希德、约·谢利、麦克·蒂潘、温迪·沃尔夫、叶民和马克·泽比克维斯基。感谢他们的深刻精到的评论。

　　在研究、录入、查询资料方面，我要感谢克里·卡那汉、伊娜·张、佩吉·冈诺、克里斯蒂娜·商农、肖·谢里丹以及艾米、邓·斯蒂芬森。我还要感谢埃尔顿·韦尔克和他的微软出版社的能干的职员们，包括克里斯·班克斯、朱迪恩·布劳克、吉姆·布朗、萨莉·布鲁斯曼、玛丽·德琼、吉姆·法克斯、小戴尔·玛吉、埃瑞恩·奥康纳、琼安妮·伍德科克以及马克·杨。

　　我也感谢发行拙作英文版的出版社——维京企鹅出版社——的诸位先生，谢谢他们的帮助与耐心。特别要感谢的有彼得·马耶尔、马文·布朗、芭芭拉·格罗斯曼、帕米拉·多曼、辛迪·阿卡尔、凯特·格里格斯、里奥多·罗森鲍姆、苏姗·汉斯·奥康纳和米切尔·哈达特。

　　对于南希·尼古拉斯和南·格拉汉姆在本书编辑方面给予我的帮助，亦表谢意。

　　我最后要专表谢意的是本书的两位合作者彼得·里尼尔森和内森·迈哈沃德。

前言

过去的 20 年对我来说是一个令人难以置信的冒险过程。在这个过程最初开始的那个日子，我还是一个大学二年级学生，那天，我和我的朋友保罗·艾伦正站在哈佛大学广场上忘情地阅读《大众电子学》杂志上有关一台小计算机的描述文章。在保罗和我兴奋地阅读这篇有关第一部真正的个人计算机的文章时，我们还不大清楚这种计算机会得到怎样的具体应用。但我们确信，它将会改变我们和整个计算世界。我们那时的想法是对的。个人计算机革命发生了，它影响了亿万人的生活，把我们引导到从前连想都想不到的地方。

而现在，我们又要开始另一次伟大的旅程。我们同样不清楚这一次旅程会将我们引导到何处，但我们同样确信，这场革命将触动更多的人的生活，并将我们引导到更远的地方。即将来临的重大变化将与人们的通信方式相关。这场未来通信革命带来的好处和难题将比上次个人计算机革命造成的好处和难题大得多。

对于尚未开拓的领土，绝不可能有一幅可靠的地图。但是，我们可以从价值 1200 亿美元的个人计算机行业发生演变的过程中学习到许多重要的教训。个人计算机——包括其所涉及的硬件、商业应用软件、联机系统、网络连接、电子邮件、多媒体产品、写作工具以及游戏等——构成下一次革命的基础。

在个人计算机行业发展的初期，大众传播媒介对于这一崭新行业中的发展极少加以关注。我们对于计算机及其潜在的种种发展前途如痴如醉，然而除了我们自己圈子里的人，没有人注意到我们这群人，我们完全被看成是不合潮流的人。

但是这一次的通往所谓信息高速公路的旅程，却成了热门话题，报章杂志竞相撰文，电台电视群起喧声，还有大小会议和漫无边际的臆测，真可谓无休无止。近几年来，不论在计算机行业内外，人们对这个题目一直表现出令人难以置信的兴趣。这种兴趣所到达的范围，不仅已超越发达国家，甚至超越了数量庞大的个人计算机用户。

成千上万知情的和不知情的人现在都公开地揣度着信息高速公路问题。对于这一技术及其可能的缺陷所产生的大量误解使我感到吃惊。有些人认为信息高速公路——亦称网络——就是今天的 Internet（国际互联网络）或 500 条电视信道同时传输。有些人则认为这将要创造出像人类一样聪明的计算机，并对此充满希望或感到恐惧。这样的东西是会产生的，然而它们还不是信息高速公路。

这场通信领域的革命才刚刚开始。其过程将要延续好几十年，推动它们发展的将是一些新的"应用软件"——通常是那些能满足目前还难以预知的需求的新工具。在今后的几年内，重大的决策将必须由政府、公司和个人来做出。这些决策将影响到信息高速公路铺开的方式，影响到这些决策会带来多大的好处。一个至关重要的问题是：广大群众——不仅仅是技术人员或碰巧在计算机行业工作的人——都应该参与进来，讨论这一技术应该怎样形成。假如这一点办到了的话，则信息高速公路就会为用户所要求的目的服务。这样一来，它才会获得广泛接受，并成为现实。

我现在写这本书，就算是我对这场辩论所作的部分贡献。这诚然不是一件轻松的差事，但我希望它能成为未来旅程的旅行指南。我这样做的时候未免有些诚惶诚恐。我们都嘲弄过从前那些在今天看来已显得可笑的预言。你可以浏览过去陈旧的《大众科学》杂志，读一读有关所谓未来简便工具的预测，例如家庭直升飞机，和"便宜无比"的核能源等。历史充满了现在看来带讽刺意味的例证——1878年，一位牛津大学教授把电灯看作是骗人的玩艺儿；1899年，美国专利局的某位委员下令拆毁他的办公室，原因是"天底下发明得出来的东西都已经发明完了"。但是本书却是一本态度严肃的书，尽管十年后它未必还显得有严肃性。如果我说过的话后来被验证了，则有人会认为那本来就是显而易见的东西；

但如果我说错了，则他们就会认为我的话是多么滑稽可笑。

我相信信息高速公路的创建过程将在许多方面反映出个人计算机行业的发展史。我在本书中也稍带讲讲我本人的历史——是的，我也谈到那所房子①——以及一般意义上的计算的历史，这样有助于解释过去的某些概念和教训。要是有人指望我这本书是一部讲我自己如何福星高照、鸿运亨通的自传或论著的话，那他是会感到失望的。那样一本书可能要到我退休的时候我才会去写。而本书主要志在展望未来。

希望这是一本技术性论著的读者也会感到失望。每个人都会和信息高速公路发生接触，每个人都应该能够明白它意味着什么。所以我的初始目标是要写一本让尽可能多的人读得懂的书。

构思和写作《未来之路》的过程超过我原来预期的时间。事实证明，要估计出它所花的时间，和规划一项重大软件项目的开发草案一样的困难。虽然有彼得·里尼尔森和内森·迈哈沃德的鼎力相助，写作本书仍然是一项非同小可的劳作。唯一轻松的部分是由安妮·莱伯维兹摄制的封面照，那东西我们早就提前完成了。我喜欢草拟讲演稿，原以为写一本书和草拟讲演稿差不多。我天真地想象，写作书中的一章就等于草拟一篇讲演稿。我这种荒唐的想法和软件开发者们常常遇到的荒唐想法差不多——写一个比源程序长十倍的程序，其复杂程度超过 100 倍以上。我本该学聪明一点的。为了完成此书，我不得不腾出时间，在我的避暑小屋中与世隔

---

① 比尔·盖茨打算修建的一所房子，可参阅本书第十章的有关内容。——译者注

绝地和我的个人计算机呆在一起。

　　现在书已出版了。究竟我们如何才能利用在未来的年代必然要发生的一切？我希望本书能够在这方面起到促进理解、思考及扩展思路的作用。

第一章

一场革命开始了

我十三岁的时候编写出了我的第一个软件程序，目的是为了玩三连棋。我那时使用的那台计算机庞大、笨重、速度慢，但绝对是令人心荡神迷的。

使一帮十几岁的少年迷恋于一台计算机，这原是湖滨中学母亲俱乐部的主意，那时我正在该私立学校上中学。这些母亲们决定，应该把一次义卖捐献物所得的钱用来为学生们安装一台终端机，并为他们付计算机机时费。还在 60 年代末的西雅图，就让学生使用计算机，这是一种相当令人惊讶的作法——对此，我将永远怀抱感激之情。

这台计算机终端没有屏幕。为了下棋，我们在一个打字机式的键盘上输进我们的棋路着法，然后坐在周围等候一个噪音很大的打印机咔嗒咔嗒地把结果打印在一张纸上。于是我们便冲过去看谁赢了，或是决定下一轮走法。本来玩一盘三连棋只需一张纸、一支铅笔和大约 30 秒钟就够了，而这样一来，我们就多半会把大部分吃午饭的时间都搭进去。可这有什么关系呢？要紧的是这台机器有那么一点妙不可言的地方。

后来我意识到，这种计算机魅力产生的原因部分在于：面对一台庞大的、昂贵的、成熟的机器，而我们这些小家伙居然可以控制它。我们太年轻了，不能开车或是进行别的寻欢作乐的成人活动。但我们却可以对这台机器发号施令，而它总是唯命是从。计算机太伟大了，你一旦操作它，就可以立刻得到结果，让你知道你的程序是不是在起作用。从别的许多事情上你得不到这种反馈。这就是我迷恋计算机的开始。简单程序产生的反馈尤其一目了然。就是到了今天，一想到无论什么时候只要我的程序正确，机器就会不折不扣地遵从我的指令去工作，我就激动不已。

当我和我的朋友有了信心的时候，我们开始在计算机上折腾起来，例如一有可能就加快程序的运行速度，或是想法增加游戏本身的难度。湖滨俱乐部的一个朋友用 BASIC 语言开发了一个程序，用来模拟强手棋游戏。BASIC 语言（初学者通用符号指令代码：Beginner's All Purpose Symbolic Instruction Code 的缩写），正如其缩写名称所示，是我们用来开发日益复杂程序的比较容易学习的编程语言。他想出了个招法，可以让计算机以飞快的速度玩成百上千的游戏。我们为它增加一些指令，实验出了各式各样的游戏方法。我们

1968年,比尔·盖茨(站立者)与保罗·艾伦在湖滨中学的计算机终端上工作

想发现究竟什么样的技巧最容易获胜。而这台咔嗒咔嗒的计算机告诉了我们答案。

　　跟所有的儿童一样,我们不仅胡乱鼓捣我们的玩具,我们也改变它们。如果你曾观察过某个儿童用纸板卡通和一箱蜡笔创造出一艘带冷温控制仪表的太空船,或是听到他们即兴制订一些规则,诸如"红色小车可以超越所有别的车"等的话,你就知道这种要求一个玩具具有更多功能的冲动存在于创见性儿童游戏的核心。这也是创造性活动的本质。

当然，我们那时只是在胡乱折腾而已，至少我们自己是这样认为的。但我们拥有这样一种玩具——嗨，一种最后变得非同小可的玩具。我们湖滨中学的一些同学拒绝放弃玩计算机。在学校的许多人心目中，我们已经和计算机连体，或者说计算机已经与我们连体。一位教员请我协助教授计算机程序设计，这对大家来说似乎是理所当然的事情。但是当我在校园剧目《黑色喜剧》中担任主角时，却听到一些同学在小声议论，"他们为什么选中了这么个计算机迷？"可见人们仍然是以这种方式来认识我的。

在全世界的范围内，似乎有整整一代像我们这样的人，伴随着各自喜爱的计算机玩具步入了成年阶段。我们的这种作法引起了一场革命，虽说基本上是静悄悄地发生的——现在，计算机已占据了我们的办公室和家庭。计算机的体积越来越小，功能却越来越强，同时价格也戏剧性地降低。这一切都发生在很短的时间内，虽说发生得不像我想象的那么快，但仍然要算相当的快。廉价的计算机芯片现在已经用于引擎、手表、反向刹车、复印机、电梯、油泵、照相机、恒温器、脚踏车、自动售货机、报警器等，甚至用于语音问候卡里。今天学校里的少年正在用个人计算机做一些令人惊讶的事情。这些计算机还没有课本大，但其功能却比上一代最大的计算机还要强大。

既然使用计算机异乎寻常的便宜，而计算机又占据了我们生活的每个角落，所以可以说我们正处于一场革命的前夜。这场革命将使得通信价格降低到前所未有的程度，而且所有的计算机都将连为一体，为我们而存在，并和我们交流。

将这些计算机在全球范围内连接起来，它们就将形成一个网络，人们正在把这些网络称为"信息高速公路"。这方面的直接表现就是目前的计算机国际互联网络（Internet），该网络使用最新技术，将一大片计算机连接起来交换信息。

建成、使用这一新的网络，它的好处以及危害，是这本书的主题。

将要发生的方方面面似乎都是令人激动的。当我19岁时，我展望了一次未来，把我所看到的一切作为我理想生活的基础，结果事实证明我是正确的。但19岁的比尔·盖茨所处的地位与现在的比尔·盖茨所处的位置是大不相同的，在那些日子里，我不仅拥有作为一个机灵的少年人所拥有的一切自信力，而且具有不受任何人注意的有利条件，即使我失败了——那又算得了什么呢？今天，和70年代的计算机巨人们相比，我却具有更显著的地位，但我认为他们曾使我获益匪浅。

我曾一度想去大学攻读经济学，最终我还是改变了主意。从某种意义上讲，我在计算机行业的全部经历就是一系列经济学课程。我亲睹了正螺旋线效应和古板的商业模式。我观察了工业标准演变的方式。我看到了技术上相互兼容的重要性，看到了反馈和不断创新的重要性。我想，我们就快要看到亚当·斯密的理想市场的最终实现了。

但是我不是仅仅想使用这些教训来探讨未来——我是在拿未来打赌。还在我十几岁的时候，我就预见到了低成本计算机可能会具有的冲击性影响。"让每一个家庭，每一张桌子上都有一台计算机"成为微软公司的使命，为了完成这一使命，我已经做了很多工作。现在，这些计算机正被连接起来，而我们正在同时制造软件——即告诉计算机硬件如何运作的指令——这将使个人从这一相互连接的通信动力系统中获得益处。不可能完全精确地预见到使用网络时的情形。我们将利用各种不同的设施进行相互联络，包括一些看起来像电视机、像今天的个人计算机、或像电话机的设置，有些东西可能与一个钱包的大小与形状相似。在它们的核心都将有一台功能强大的计算机，无形地与成百万的其他计算机连接在一起。

不久的将来，会有这么一天，你可能不必离开你的书桌或扶手椅，就可以办公、学习、探索这个世界和它的各种文化，进行各种娱乐，交朋友，逛附近的商场，向远方的亲戚展示照片等等。你不会忘记带走你遗留在办公室或教室里的网络连接用品，它将不仅仅是你随身携带的一个小物件，或你购买的一个用具，而是你进入一个新的、媒介生活方式的通行证。

亲身的经历和快乐是个人的和直接的，没人会以进步的名义，剥夺你在沙滩上躺着、在树林中漫步、在喜剧俱乐部小憩、或在跳蚤市场上购物的经历。但亲身的经历未必都是值得的。例如，排队就是一种亲身经历，但从我们第一次排过队之后起，我们就一直在想方设法地避免它。

人类的许多进步之所以产生，多半是由于什么人发明了一个更好的、更有力的工具。物质工具使工作速度加快并使人们从重体力劳动中解脱出来。犁和车轮、起重机和推土机扩大了使用这些工具者本身的能力。

信息工具是符号式的媒介物，它们扩大其使用者的智力而不是体力。当你阅读本书时，你就正在享受媒介经历：事实上我们没有在同一房间里，但你依然可以发现我心里的想法。现在大量的工作需要决策和知识，因此信息装置成为并且将继续日益成为发明者们关心的焦点。就像任何文本都可以用字母排列组合来表达一样，这些工具则允许各种信息都可以用数字形式来表达，即以计算机易于处理的电子脉冲形式来表达。今天世界上有1亿多台旨在操纵信息的计算机。它们正在帮我们的忙，办法是使已经用数字表达的信息更易于存储和传输。在不久的将来，它们将使我们几乎能获得世界上的任何信息。

在美国，把这些计算机相互连接起来的做法已被比喻成另一项大型工程：即在各州间建筑起纵横交错的公路网，此举从艾森豪威尔时代已经开始，这就是这一新网络被人称为"信息超级高速公路"的原因。这一流行用语来自于已故参议员艾尔·戈尔，他的父亲曾是1956年"联邦高速公路资助法案"的发起人。

不过，高速公路的比喻并不十分正确。这一字眼令人想起风景和地理，想起两点间的距离。暗示你不得不从一个地方旅行到另一方。可实际上，这种新的通信技术的一个最引人注目的特点就是它会消除距离，不管你所联络的人是在隔壁还是在另一个大陆，距离本身并不重要，高速连接的网络将不受英里或公里的限制。

"高速公路"这个词也令人想到每个人都在开车沿着同一条路行驶。这一网络更像是由许多乡间小路构成的路网，人们可以在路上随心所欲地观看或做事。由此而来的另一暗示是也许它应当由政府来修建，但是我认为，在大多数的国家，这样做将是一个重大错误。真正的问题是，这个比喻强调了这一努力的基础结构，而不是它的具体应用。在微软公司里，我们谈论"垂手可得的信息"问题①，这种说法突出网络的益处而不是网络本身。我认为对即将发生的许多活动描述得更为贴切的一个不同的比喻是"终极市场"。从交易场地到供人们散步的林荫地等市场对人类社会来说是至关重要的，我相信这一新型市场最终将成为世界的中心商场。这里将是我们这些社会动物销售、交易、投资、讨价还价、购物、讨论问题、结交新朋友和闲逛的好去处。当你听到"信息高速公路"这个词儿而不是看到一条公路时，你应该把它想象成一个市场或一个交易所。想想纽约股票交易所的拥挤与喧闹情景，或想想一家农贸市场或一家挤满了寻找引人入胜的故事及信息的人流的书店的情景。人类活动发生的方式各各不同，大到数十亿美元的交易，小到调情卖俏。许多涉及到货币的交易，将以数字形式而非现金来偿付。各种类型的数字信息（不仅仅是作为货币），都将成为这个市场上的新型交易媒介。

全球信息市场将是巨大的，在这个市场上，人类进行商品、服务、思想等交换的一切交换形式都将囊括无遗。实实在在地看，这将给予你对更多事物的更广泛的选择权，包括你怎样挣钱、如何投资，你购买什么和支付多少钱，谁是你

---

① 原文 Information at your fingertips，意为"在你指尖上的信息"。暗示由指头敲键盘而获得的计算机信息。——译者注

的朋友,你与他们怎样共度时光,以及在哪里和如何才能使你和你的家人安全地生活。你的工作场所,以及你对于什么才意味着"受到教育"的想法将会改变,也许变得面目全非。你的身份感、自我感和归属感等,可能会在相当大的程度上获得开放。简而言之,几乎每一件事的做法都会有差别。我几乎没有耐心让这一切到明天才发生,我现在正尽我所能促成它们尽快发生。

你自己也拿不准你是否相信这一切吗?或者,你想要相信这一切吗?也许你将拒绝成为参与者,当某种新技术威胁着要改变人们已经熟悉和乐于相处的东西时,人们常常这样发誓。起初,自行车是一个愚蠢的新玩艺儿;汽车,不过是一个嘈杂的入侵者;袖珍计算器,是对数学学习的威胁;而收音机,则据说将促使人变成文盲。

但是随后又发生了一些事。过了一段时间,这些机器在我们日常生活中找到了一席之地,因为它们不仅提供便利,节约劳力,还可以使我们的创造力得到升华。我们开始和它们套近乎。它们和我们的其他工具一样被我们一视同仁了。新一代人伴随着它们成长起来,改变它们,使它们具有人性,简而言之,与它们一起玩乐。

电话是双向通信中的一个主要进步,但它最初甚至被斥为除了带来妨害以外别无他用。这个闯入人们家中的机器使有的人感到尴尬,尽管如此,人们(男人和妇女们)还是最终认识到,他们不仅仅获得了一个新型机器,而且正在学会一种崭新的交流方式。电话中的交谈没有面对面交谈的时间长,也没有它正式。人们还不熟悉它,许多人认为它效率不高。在电话机前,人们只要善于交谈,往往可以省掉亲自访问或请吃一顿饭的麻烦,因此可以期待度过一整个下午或晚上。当大多数公司和家庭都有了电话后,使用者们想方设法地利用这种独特的通信手段。随着它的日益流行,它自身的特殊表达方法、技巧、礼仪、文化等也发展起来。亚历山大·格雷汉姆·贝尔当然无法预见到"让我的秘书把他送到我面前的线上来"[①]这一傻乎乎的游戏。当我写此书时,一种更新型的通信方式——电子邮件(e-mail)——正在经历着与此相同的历程:建立它自己的规则和惯例。

法国飞行家、作家安德·圣·埃克絮佩利在他 1939 年的回忆录《风、沙、星》(Wind, Sand and Stars)中写道,"机器将逐步成为人性的一个组成部分。"他写到人们对新技术的反应方式,并以 19 世纪的人们缓慢接受铁路一事为例。他描述说起初人们把最早的火车头——冒着浓烟、野兽般怪叫着的机器诋毁为铁怪物,随着铁路铺得越来越多,城镇建起了火车站。商品和各种服务流动起来,有趣的新工作多了起来。围绕这种新颖的运输工具形成了一种文化,原来的蔑视态度变成了接受、甚至赞同的态度。从前一度是铁怪物的家伙变成了搬运生活中的力大无穷的搬运工。我们认识的改变再一次反映到我们使用的语言中。我们开始称它为"铁马"。圣·埃克絮佩利问道:"对于一个村民来说,除了每天晚上 6 点钟都来拜访的谦恭的朋友以外,今天还有什么新闻呢?"

---

① "Have my secretary get him onto the line before me" 为打趣话,原意为"让我的秘书接通我与他的电话。"

　　在通信史上唯一产生同等重要影响的另一单个的转折大约发生于公元 1450 年，那时德国梅因兹的金匠，约翰·谷登堡发明了活字，并且把印刷术第一次引入欧洲时（中国和朝鲜那时已有了印刷术）。那一事件彻底地改变了西方文明。谷登堡花了两年时间用他的字模排印他的第一部《圣经》，而一旦第一步工作完成，他便可以印刷大量的《圣经》了。在谷登堡之前，所有的书都是用手抄写的，那些经常做这种抄写工作的僧人，很少能在一年内抄完一本书。相比较而言，谷登堡的印刷术就算是高速激光打印机了。

　　印刷术给西方带来的不仅仅是一种快速复制书籍的方法。在那之前，尽管已经过了若干代人，但生活一直是原始公社式的，几乎毫无变化。大多数人只知道他们自己亲眼所见或亲耳所闻的东西。很少有人走出过他们的村庄，部分原因是没有可靠的地图，要找到回家的路几乎是不可能的。就如同詹姆斯·柏克（一位我所喜爱的作家）所说的：“在这个世界上，所有的经历都是亲身的：视野太窄，社会太内向。外部世界存在的东西仅仅是一些道听途说而已。”

　　印刷文字改变了这一切。这是第一个大众传播媒介——知识、观点以及经历第一次可以凭藉一种便于携带、持久的、且容易得到的方式加以传递。随着书面文字使人们的活动范围远远超越了村庄，人们开始关注外面的世界所发生的事情。印刷作坊很快在商业化城市里兴起，而且成为知识交流的中心，读写能力成为变革教育和改变社会结构的重要技能。

　　在谷登堡之前，整个欧洲大陆大约只有 3 万册书，几乎都是《圣经》或圣经评注性著作，而到了 1500 年，各类题材的图书猛增到 900 多万册。各种传单和其他印刷物影响了政治、宗教、科学以及文学。宗教精英圈子以外的人士第一次有机会接触到书面信息。

而信息高速公路对我们的文化的转变将像谷登堡的印刷术极大影响中世纪文化一样，极大地影响我们当代的文化。

个人计算机已经改变了工作习惯，但它们还没有真正把我们的生活改变多少。当明天的威力强大的信息机器与信息高速公路连通以后，人、机、娱乐以及信息服务都将可以同时接通。你可以同任何地点、任何想与你保持联络的人保持联系，你可以在成千上万的图书馆中的任一家图书馆阅读浏览，无论是白天还是夜晚，你丢失的或被盗窃的照相机将向你发出信号，告诉你它所在的准确位置，即使它处在一个不同的城市。你将可以在办公室里收听、回答你公寓中的内部通信联络系统，或者回复你家中的任何邮件。今天难于获取的信息那时将很容易获得（如下例信息）：

你的公共汽车是否准时？

你通常所走的那条通往办公室的路上是否正好发生了什么车祸？

是否有人愿意用他或她的星期四的剧票换你的星期三的票？

你的子女在校学习表现如何？

大比目鱼的美味食谱是什么？

位于哪里的哪一家商店能在明天早晨以最低价格把一个测量你脉搏的手表送货上门？

什么人愿以什么价格买我的旧穆斯堂（车蓬可折起的）汽车？

针眼是如何制造出来的？

在洗衣房中的衬衫是否已洗好？

如何最廉价地订阅《华尔街杂志》？

心脏病发作的症状是什么？

今天的乡村法院是否有什么有趣的证词？

鱼能否看到颜色？

香榭丽舍大街现在的景象如何？

上星期四下午 9 点零 2 分你在哪里？

让我们假定你现在正想要去找一家新餐馆，并想看看它的菜单、果酒单和当天的特种菜。也许你正在揣摸你所喜爱的食品评论家曾对此说过些什么。也许你也想知道卫生部门为这个地方所打出的卫生分数。如果你对这家餐馆的左邻右舍有些怀疑，你也许想看一看以警察报告为基础的安全系数。还有兴趣去吗？你将需要预订座位、一张地图、以及基于目前交通状况的驾驶指令。你可以一边开车，一边打印这些指示，或让它们朗读出来给你听——并且让内容不断更新。

所有这些信息都将很容易得到，而且完全是个人性质的，因为你可以调查令你感兴趣的任何部分信息，以任何方式，持续到你所需要的任何时间。你会在你方便的时候才观看一个节目，而不是当一个广播员愿意播放它的时候，你可以购物、点菜、与业余爱好者伙伴联络，或在任何时候随心所欲地发布为他人使用的信息。你的夜间新闻广播会在你规定的时间开始播放，而刚好持续到你所需要的时间为止。你将只涉及你所选定的题目，或由一个了解你兴趣的服务来完成。你可以要求播放来自东京、波士顿或西雅图的报道，对某一条新闻要求播放详细内容，或询问你最喜爱的专栏作家是否对此事发表了评论。而且如果你愿意，你的新闻可以以书报的方式传递给你。

这种巨大的改变使人们感到紧张。每一天，在全世界范围内，人们都在询问这个网络意味着什么，经常是怀着可怕的担忧。我们的工作会发生些什么？是否人们将从物质的世界中退出，而由他们的计算机代理他们的生活？是否富人与穷人之间的鸿沟会无可挽回地增大？计算机是否会帮助东圣路易斯安那被剥夺了公民权的人或帮助埃塞俄比亚的饥民？将有一些随着网络而来的重大挑战，以及网络所带来的变化。我常常听到许多人对此发表过许多合理的表示关切的话。对此，我将在第十二章加以详尽的讨论。

我考虑过这些困难，总的说来，我发现我是有信心和乐观的。我之所以这样，部分原因是我本来就是这样的人，部分原因是由于我对于我的同代人（这些与计算机同龄的人）将能做到的一切充满了热情。我们将为人们提供利用工具的新方式。不管发生什么情况，进步总是会来临的，所以我们要最大限度地利用这一进步。对此，我是坚信不疑的。一想到我们正在捕捉到可能发生的革命性变革的若干前兆，并展望未来的前景，我就感到激动不已。我感到我是不可思议的幸运儿，居然再次获得在历史性变革开端中扮演一个角色的机会。

在我十几岁的时候，当我意识到计算机将变得多么廉价又多么威力无比时，我第一次经历了这种特别的欢欣。1968年我们玩三连棋的那台计算机以及那个时代的大多数计算机都是主计算机：即装在恒温箱中的敏感的怪物。在我们把母亲俱乐部所提供的钱用完以后，我的校友保罗·艾伦——后来我同他共同创立了微软公司——和我花了很多时间去和计算机打交道。按今天的标准，这种计算机的工作能力还很一般，但对那时的我们来说，却令人诚惶诚恐，因为它们又大又复杂，每台价值成百万美元。人们用电话线把它们连接到咔嗒咔嗒作响的电传打字机的终端上，以便在不同地点的人们可以共同享用它，我们很少靠近主计算机本身。计算机时十分昂贵。当我上中学时，使用一台利用电传打字机的分时计算机，每小时要付 40 美元——每小时花上 40 美元，你才能稍稍光顾一下这台宝贵的计算机。这样的事今天看起来似乎有些奇怪，因为今天有些人拥有不止一台个人计算机，而且觉得在一天的大多数时间里并不使用它们也无所谓。事实上即使在当时，拥有一台个人计算机也不是不可能的。只要你能支付 18000 美元，数字设备公司（DEC）就会为你造一台 PDP-8 型计算机。尽管被称作"小型计算机"，按今天的标准，它仍然显得庞大。它使用一个底面积 2 平方英尺，高 6 英尺，重 250 磅的支架。有一段时间，我们中学里有这样一台计算机，而我常常围着它傻折腾。这种 PDP-8 型计算机与我们用电话可以利用的主计算机相比是很有限的，事实上，它的计算能力还比不上今天的一些电子手表。但 PDP-8 型计算机可以以与那种大而贵的计算机同样的方式运行程序：只要你给予它指令就成了。尽管存在这些局限，PDP-8 型计算机鼓舞我们沉浸在一种梦想中，总有一天成百万的个人都会拥有他们自己的计算机。每过一年，我便愈加坚信计算机和计算机的使用必定会变得越来越廉价和普及。我敢肯定我如此坚决地去帮助开发个人计算机的原因之一就是我自己想要拥有一台。

那时，软件像计算机硬件一样，十分昂贵。人们不得不为每种计算机专门编写软件。每一次计算机硬件发生周期性变化时，与之相适应的软件的设计就得重新进行。尽管计算机生产厂商提供一些标准软件程序，为它们的机器建立模块（例如数学函数库），但大多软件是为解决一些商业用户的个别问题而专门编写的。有的软件被分享，有的公司销售一些通用的软件，但很少有你可以从货架上买走的软件包。

我的父母为我在湖滨中学交学费，并且给我买书的钱，但我不得不自己解决我的上机费用。这驱使我重视软件产业的赢利性质。我们中的一群人，包括保罗·艾伦，找了一份初级软件编程工作。对于中学生来说，报酬是丰厚的——每个夏天 5000 美元，一部分是现金，其余的是机时费。我们也为一些我们可以免费使用其计算机的公司而工作，只要我们能解决这些公司软件中的问题。其中我所编写的一个软件就是学生座次排序软件。我偷偷地加一些指令，使得我是班上几乎唯一一个周围坐满了女生的男孩。像我以前说过的那样，很难把我同一台能如此明确无误地展示我的成功的机器分开。我已经深深陷进去了。

　　关于计算机硬件和机器本身，保罗比我知道得多得多。1972 年夏日的一天，当时我十六岁，保罗十九岁，他给我看了一篇《电子学》杂志第 143 页上的一篇有十个自然段的文章。文章说一个新成立不久叫做英特尔（Intel）的公司推出了一种叫做 8008 的微处理器芯片。

　　一个微处理器就是一个包括一台完整的计算机的整个大脑的芯片。我和保罗意识到这个第一个微处理器是非常有限的，但他确信芯片会变得越来越强有力，而安装了这种芯片的计算机将会飞快地发展。

　　那时计算机行业还从没想到利用微处理器造一台真正

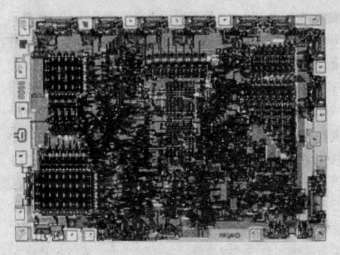

1972 年，Intel 公司的 8008 微处理器

的计算机。例如,《电子学》上的文章,把 8008 描述成适合于"任何计算、控制或决策系统,有如一个灵巧的终端"。这些作者还没有看出一个微处理器可以发展成为一个具备通用目的的计算机。当时,就它所能处理的信息量来看,微处理器是慢而有限的。没有一种程序员所熟悉的语言能适用于8008,这样一来,要想为它编写一个复杂的程序几乎是不可能的。每一个应用程序都必须以芯片所能理解的若干行简捷的指令来编写。8008 被判为生活中的一个驭畜,总是进行那种简单的一成不变的工作。它在电梯和计算器中用得很普遍。

从另一个角度来看,一个用于像电梯控制这种应用范围有限的简单的微处理器,实际上有如一位业余爱好者手中的一样简单的乐器:一面鼓或一支喇叭,只适合于基本的节奏,或者简单的曲调。然而,具有编程语言的功能强大的微处理器,却如同一个配合默契的管弦乐队,只要乐曲适宜,它什么都能演奏。

我和保罗想了解 8008 程序能够做些什么。他打电话给英特尔公司向他们要一本使用手册。当他们真的给了他一本手册时,我们倒有点吃惊。我们两人都钻研起这本手册来。我以前曾搞出一个可以在有限的 DEC PDP-8 型计算机上运行的 BASIC 语言,而且当我想到可以为英特尔的小芯片做同样的工作时,我不禁激动不已。但当我研究 8008 的手册时,我意识到这种尝试是徒劳无益的。8008 根本没有复杂到足够的程度。它还不够精密。

尽管如此,我们还是找到了一种利用这个小芯片起动一台机器的办法，该机器可以分析城市街道交通监视器得来的信息。许多市政当局测量交通流量都是用在一条选定的街道上拉一条橡胶软管的办法进行的。当车辆通过软管时，它便撞击了位于软管尾端的金属箱中的带子。我们认为我们可以利用 8008 处理这些带子，并打印出图形和其他数据。我们为我们的新公司命名为交通数据公司（Trof-O-Data）。那时它听起来像诗一样。

我为交通数据机器所编写的大多数软件都是在乘坐从西雅图到华盛顿州普尔曼的横穿全州的公共汽车的旅途中完成的，保罗那时正在那里上大学。我们的样机工作得很好，于是我们预想在全国会卖掉我们的许多新机器。我们用它来为一些客户处理交通流量纸带。但没有人当真想买这种机器，至少十几岁的少年中没有人买。

尽管我们很失望，我们仍然相信我们前途远大，即使不在硬件方面取得成功，也难免会与微处理器相关。当我于 1973 年入哈佛大学后，保罗居然设法开着他那辆笨拙的克利斯勒纽约人牌车子穿州过府地打华盛顿州而来，并在波士顿找到了一份工作，开始在甜井（Honeywell）进行小型电子计算机程序设计。他经常开车到哈佛，以便我们可以继续我们关于未来计划的长谈。

在 1974 年春天，《电子学》杂志宣布了英特尔公司的新 8080 芯片——比交通数据机器中的 8008 型的功能大 10 倍。8080 并不比 8008 大，但却安装有 2700 多个晶体管。我们立即看到了一个真正计算机的心脏，而它的价格还不到 200 美元。我们分析了使用手册。"DEC 现在再也卖不出任何 PDP-

8 型计算机了，"我对保罗说道。对我们来说这是很显然的：如果一个微型芯片能够具有如此强大的功能，那么大型笨拙的机器的穷途末日也就快要来临了。

然而，计算机生产厂商却没有意识到微处理器是一种威胁。他们就是想象不出一个微不足道的小芯片居然具有"真正的"计算机性质。即使是英特尔的科学家们也未能预见到它的全部潜力。对于他们而言，8080 只不过代表了芯片技术方面的一种改进而已。在短期内，计算机的全套设备没什么破绽。8080 只不过是另一种微小的改良。但我和保罗却在这一新芯片的局限性背后看到了另外一种对我们、对每个人来说堪称完美的计算机——个人化、不超出购买力，并且适应性强。这对于我们来说完全是明若观火的事情，因为新的芯片的价格是如此低廉，它们很快便会充斥市场。

曾经一度极为稀缺的计算机硬件将很快便会垂手可得，那么使用计算机的机时费价格将再也不会那么昂贵了。我们认为，只要计算机是价廉的，人们就会发现计算机的各种新用途。这样一来，软件就将成为发挥这些机器全部潜能的关键了。我和保罗设想日本公司以及 IBM 公司可能会生产绝大部分硬件。我们相信我们则会随之提供新的、开创性的软件。为什么不呢？微处理器将改变工业的结构，也许正是在这一点上我们两人找到了用武之地。

这种谈话正是大学之所以为大学的标志。在这里你拥有一切全新的经历，一切想入非非。我们还年轻，自以为自己拥有世界上的全部时间。我在哈佛大学又注册了一个新学年，并一直在考虑如何才能使我们的软件公司开始生根开

花。其中一个计划非常简单。我们从我的宿舍里向所有计算
机大公司寄信，自荐为它们编写一个新版本的适用于新的英
特尔芯片的 BASIC 语言。然而没有人理睬我们。到 12 月底，
我们完全失望了。我打算乘飞机回西雅图家中过假期，而保
罗则打算留在波士顿。就在我出发离开马萨诸塞州前几天的
一个冰冷刺骨的早晨，我和保罗在哈佛广场的报摊前闲逛，
保罗拾起一本 1 月份的《大众电子学》杂志。这就是我在前
言中描述过的那个时刻。正是这一刻使我们的未来之梦变成
现实。

1975 年 1 月号《大众电子学》杂志

在期刊的封面上是一台很小的计算机的照片，并不比一个烘烤锅大。它的名字只是比"交通数据"之类略微体面一点：谓之"牛郎星 8800"（"牛郎星"位于"跋涉星"幕的终点上）。全部售价才 397 美元。当它被组装起来时，它没有键盘，也没有显示器。它用 16 位制地址开关来发布命令并发出 16 种光。面板上装有几个闪光的小灯泡，而这就是全部。存在的问题在于，牛郎星 8800 缺乏软件。它还不能运行程序，这使得它更像一个新奇的摆设而不是一个实用工具。

而牛郎星所拥有的则是以一块英特尔 8080 微处理器芯片作为它的大脑。当我们看到这一点时，我们恐慌万状。"天呀！这种事情已经发生了，却没有我们的份儿！人们就要为这一块芯片编写真正的软件。"我敢肯定这将很快发生而不是很慢，而我想从一开头就参与。参与到个人计算机革命第一阶段的机会似乎是一生的机遇，而我抓住了它。

20 年后的今天，对于正在发生的事情我又有了同样的感觉。那时，我担心其他人与我们有同样的预见力；今天，我知道成千上万的人都有这种预见力。早期革命带来的遗产是全世界每年销售的个人计算机达 5000 万台，而且计算机行业内部的经济实力座次表已经完全不同于从前了，赢家与输家都很多。这一次，当变化才初露端倪之时，许多公司就迫不急待地急于尽早涉足其中，而机会是无穷的。

当我们回顾过去的 20 年时，很明显有若干大公司过于默守陈规，疏于顺应潮流，最终不幸败北。从现在起 20 年后，当我们回首往事时，我们会发现同样的历史会重演。在我写到这儿的时候，我知道至少有一个将来会创建新的大公司的年轻人坚信他/她对通信革命的洞察是正确的。人们将创建成千上万的富于创造力的公司，以便开发利用这些即将到来的变革。

1975年，当保罗和我天真地决定开创一家公司的时候，我们的所做所为就像所有那些朱迪·加兰和米基·罗尼电影里的人物一样，踌躇满志地说："我们要在谷仓里演出！"机不可失，时不再来。我们的第一个项目就是为小计算机设计一个BASIC语言。

我们不得不让计算机有限的内存空间得到最大限度的利用。典型的"牛郎星"有约4000字节的内存，而今天大多个人计算机有4或8兆字节的内存。我们的工作要更复杂一些，因为事实上我们还没有一台牛郎星计算机，甚至从来也没有见过一台。这并不真正重要，因为我们实际上感兴趣的是新的英特尔8080微处理器芯片，而这种芯片我们也从来没见过。保罗勇敢无畏地研究这种芯片的使用手册，随后他编了一个程序，使哈佛的一台大型计算机能模拟小牛郎星计算机。这就仿佛拥有整个的管弦乐队（的全部乐器），却只用它来演奏一支简单的二重奏一样，但这却居然奏效了。

编好软件需要精力高度集中，为牛郎星编写BASIC真是令人精疲力竭。当我思考的时候，我时常前后摇摆或踱步，因为这样可以有助于我把精力集中在一个想法上，排除干扰。1975年的冬天，我在我的宿舍里做了大量的摇摆和踱步。我和保罗睡得很少，可谓夜以继日。当我睡着的时候，常常是睡在我的书桌旁或睡在了地板上。好些日子我既不吃东西也不会见任何人。但五星期以后，我们的BASIC语言写成了

——世界上第一个微型计算机软件公司诞生了。我们随即把它称为"微软"（微软公司）。

我们知道要想让一个公司运转起来就意味着要付出代价。但我们也意识到我们要么那时就去做，要么就永远丧失在微型计算机软件行业去创业的机会。在 1975 年的春天，保罗辞去了他的程序员工作，而我则决定离开哈佛继续休假。

我与父母亲商议了此事，他们都表示十分理解。他们看出我是多么渴望去尝试创办一家软件公司，而他们支持了我。我的计划是先休假来创办一个公司，然后再回到学校完成学业。我从未真正有意识地决定放弃获得学位。从技术上讲，我只是请了一个长假。与某些学生不同的是，我热爱大学。我认为与我的同龄人中这么多聪明者坐在一起并谈天论地是一种乐趣。尽管如此，我感到创办一家软件公司的机会之窗可能再也不会打开了。所以我投入了商海之中，当时我只有十九岁。

起初，我和保罗两人筹集了所有的资金。我们俩人都存了些钱。保罗在甜井工作时报酬颇丰，而一些钱则来自我深夜在宿舍里玩扑克的游戏中所赢的钱。所幸的是，我们的公司并不需要太多的资金。

人们常常要我解释微软的成功。他们想知道我们的公司从两个人、小本经营发展到一家拥有 17000 名雇员和年销售额超过 60 亿美元的秘密。当然，不会有一个简单的答案，但运气是一个因素，然而我想最重要的因素还是我们最初的远见。

我们瞥了一眼放在英特尔 8080 芯片旁边的东西，然后就在上面工作起来。我们问："如果计算机的使用接近免费之时将会怎样？"我们相信由于有廉价的计算动力和利用硬件优势的了不起的新软件，计算机将会遍布各地。当所有人都未开始做的时候，我们把赌注押在前者（微型计算机硬件，译者注），同时生产后者（微型计算机软件，译者注），从而建立了我们的车间。我们最初的洞察力使得其余的一切都显得容易些。我们可谓既占了天时又占了地利。因为我们捷足先登，所以我们早期的成功使我们有机会聘用到许多有才华的人。我们建立了全球范围的销售大军，并且利用它所带来的年收入来资助新产品的开发。从最开始的时候，我们就沿着一条通往未来之路的正确方向起步了。

现在我们又站在了一个新的地平线上，与此相关的问题是，"如果通信几乎完全免费，情况又会如何呢？"把所有的家庭及办公室互相连接在一个高速网络上的想法，激发了这个国家的想象力，自从太空计划以来还没有任何别的思想达到这种效果。情况不仅仅局限于这个国家——全世界的想象力都燃烧起来。成千上万的公司都致力于获得相同的预见能力，因此个人兴趣的焦点，对中间步骤的理解，以及如何付诸实施将决定他们成功的大小。

我花了相当多的时间考虑我的事，因为我是如此喜爱我所做的工作。今天，我的许多想法都是关于这一信息高速公路的。20年前，当我思考个人计算机的微处理器芯片的未来的时候，我也拿不准它们将把我引向何方。然而，我执着于我的事业，并且当一切都清晰明了时，我满怀信心：我们正朝着向我们想去的地方的正确方向前进着。现在冒险的因素

多得多了，但我又有了同样的感受。这是令人伤脑筋的，但
也令人欢欣鼓舞。

　　各式各样的个人和公司都在把他们的未来押在构建使
信息高速公路能够付诸实现的各种因素上。在微软公司，我
们正在辛勤地工作着，以期明确如何才能使我们从目前所处
的位置向着我们能够把新技术进步的全部潜能都释放出来
的方向逐步演进。这是激动人心的时刻，不仅对参与其中的
公司，而且对所有意识到这场革命益处的人们都是如此。

第二章

信息时代的开始

当我第一次听说"信息时代"这个词儿时，就感到心痒难熬。我知道铁器时代和青铜器时代这两个历史阶段之所以那样命名，是因为那时的人类用新的材料来制造他们的工具和武器。那是特定的时期。之后，我读到有关学术界预言各国将为控制信息，而不是控制资源而战。这听起来挺玄乎，但他们所说的信息究竟是什么意思呢？

宣称信息将界定未来，这使我想起了1967年的电影《毕业生》中的著名舞会场面。一个商人硬拉住本杰明（达斯廷·霍夫曼主演这位大学毕业生），并主动赠送他只有一个词的职业忠告："塑料"。我不知道几十年后，如果重写这场戏，这个商人的建议是否会变成这样："就一个词儿，本杰明，

'信息'。"

　　我想象过一场有关未来办公室水冷机的荒唐的对话："你有多少信息？""瑞士由于拥有的那一切信息，因此成为伟大的国家！""我听说信息价格指数要上涨了。"

　　这听起来是荒谬的，因为按从前时代的定义，信息不是一种具体的、可测量的物质，但信息对我们来说是越来越重要了。信息革命刚刚开始。通信的成本将迅猛地下降就像使用计算机的成本已经跌降的情形一样。当它的价格降得足够低并与其他技术进步结合起来时，"信息高速公路"就将不再只是那些热心此道的人和那些情绪激昂的政治家们使用的口头禅了。它将会像"电"这样实实在在、影响深远。要理解为什么信息会成为中心话题，重要的是要了解技术是如何改变我们处理信息的方式的。

　　本章的大部分内容进行这种解释。接下来的内容是为对计算机原理和历史缺乏了解的不太知情的读者提供足够的信息，以便他们能乐于阅读这本书其余的内容。如果你理解数字计算机是如何工作的，那么这些内容对你来说可能就是老生常谈了，所以你完全可以直接阅读第三章。

　　我们将看到未来信息的最根本的差别是：几乎所有的信息都是数字的。图书馆中全部的印刷品已经被扫描并且以电子数据存储在磁盘或光盘上。现在的报纸和刊物常常完全是以电子形式编写的，而印在纸张上只是为了便于散发。电子信息永久性地——或者说你想储存多久就储存多久——存储于计算机数据库中，这是一些巨大的新闻数据库，你可以通过联机服务获得它。图片、电影、录像都被转换成数字信息。每年都有新设计出来的方法使信息数量扩充，并将其筛选提炼成上百万亿的原子数据包。一旦数字信息被储存起来了，只要有获取信息通道的途径和一台个人计算机的人都可以随时调用、读取、比较、复制这些信息。这一历史时期的特点是有若干全新的方式来改变和控制信息，而且我们处理它的速度也日益加快。计算机所提供的低成本、高速度处理和传输数字信息的能力将改变家庭和办公室传统的通信设施。

利用一种仪器来操纵数字的想法，并不新鲜。1642 年，当年仅十九岁的法国科学家布雷兹·帕斯卡尔发明机械计算器的时候，珠算在亚洲地区已经使用了将近 5000 年。那只是一种计数工具。30 多年以后，德国数学家戈特弗里德·莱布尼茨改进了帕斯卡尔的设计。他的"步进计算器"（Stepped Reckoner）能够进行乘法、除法和平方根的计算。步进计算器的后代产品，即由转动的罗盘和齿轮为动力的可靠的机械计算器，一直是商业界的主要使用工具，直到电子计算器取代了它们为止。当我还是个孩子时，现金出纳机不过是一个与现金柜台相连接的机械计算器。

一个半多世纪以前，一位有远见的英国数学家忽然瞥见计算机的发展潜力，这一瞥使他立刻闻名遐尔。查尔斯·巴比奇是剑桥大学的数学教授，他认为有可能设计出一种机械装置，能够完成一系列的相关计算。早在 1830 年，他沉醉于一种想法，只要能将信息首先转换为数字，那么就有可能用机器对它们进行处理。巴比奇预见到的以蒸汽为动力的机器要使用木钉、啮合的轮子、汽缸以及其他机械配件，这就是那时的新工业时代的机械装置。巴比奇相信一旦使用了他的"分析机器"（Analytical Engine）就可以扫除繁琐、不精确的计算。

他缺乏我们现在所使用的术语来给他的机器的零件命名。他把他机器的中央处理器或工作内脏称为"磨坊"，而把他机器的内存叫做"仓库"。巴比奇想象信息被转换的方式与棉花从一个储藏室里被取出并被磨碎成为一种新东西的方式是一样的。

他的"分析机器"将是机械性的，但他预见了它将如何能够随着指令改变而实现不同的功能。而这正是软件的实质。给予一台机器以指令并能告诉它如何完成特定的任务，这是一套相当复杂的规则。巴比奇意识到了要创造这些指令，他将需要一套全新的语言。他设计了一种使用数字、字母、箭头和其他符号的语言。巴比奇设计这种语言是为了使他能赋予他的分析机器一个长系列的条件式指令，这些条件式指令将使此机器随环境情况的变化而修正其行动。他是看到一台机器能实现各种不同目的的第一人。

随后的一个世纪，数学家们按巴比奇的构思工作，最后于 20 世纪 40 年代中叶，一台电子计算机按他的分析机器原理制造成功了。很难一一列出现代计算机的开拓者们，因为绝大多数的有关思考与设计都是在二战期间战争时期的保密之幕笼罩下于美国和英国进行的。做出主要贡献的三个人是：阿伦·图灵、克劳德·商农和约翰·冯·诺依曼。

20 世纪 30 年代中叶，阿伦·图灵像巴比奇一样，是一位剑桥出身的最高水平的英国数学家，今天的所谓图灵机就出自他的构想，这台通用于各种目的的机器几乎可以接受指令去处理任何形式的信息。

20世纪30年代末，当克劳德·商农还是一个学生时，他演示了一种能执行逻辑指令、可以处理信息的机器。他的独到之处（也是他的硕士论文的题目）在于：计算机电路（关代表真，开代表假）如何才能完成逻辑操作。他使用数字"1"代表"真"，"0"代表"假"。

这是一种二进制，一种代码。二进制是电子计算机的ABC，是计算机内对所有信息进行编译、存储和使用的语言的基础。它很简单，但它对于理解计算机的工作方式却至关重要，所以我们有必要在这里进行更充分的解释。

想象你有一个房间，而你想要用高达250瓦的电灯来作照明。你希望照明是可调的，即从0瓦照明度（完全黑暗）到最高瓦数照明度（250瓦）。要实现这一点的办法之一就是在一个250瓦的电灯泡上装上一个螺旋式的调光器开关。要达到全黑，只消反时针旋转调节调光器的旋钮到"关"的位置以获得0瓦的照明度；要得到最大的照明度，则顺时针旋转旋钮到250瓦；要得到中等程度的照明度，则旋转旋钮到中间的位置上。

这个系统易于使用但有其局限性。如果旋钮处在中间状态——譬如，关系亲密的人吃饭时需要把灯光调暗一点——你只能猜测灯光的亮度是多少。你并不真正知道正在使用的瓦数有多少，也不知道如何精确地描述开关的设置状态。你的信息只是近似的，所以很难储存和复制它。

如果下周你想重复完全相同的照明度，又怎么办呢？你可以在开关板上划一个记号，这样你就能知道该旋转到什么地方，但这很难做得十分精确，当你想重复一个不同的设置状态，又怎么办呢？如果一位朋友想要复制同样的照明度，又怎么办呢？你可以说："把旋钮顺时针旋转到大约 1/5 处"，或"转动旋钮直到箭头指向约 2 点针的地方"，但你的朋友重现的状态只能近似于你原来的设置状态。如果接着你的朋友又把上面的吩咐传递给另一位朋友，而这位朋友又顺次传达给下一位朋友，情况又会如何呢？信息每被传递一次，保持其准确度的机会就减少一次。

这是一个以模拟形式存储信息的例子。调光器的旋钮提供了灯泡亮度的一种模拟状态。如果旋钮被旋转到刻度表的一半处，那么大概你能得到的是全额瓦数的一半。当你测量或描述旋钮被旋转到什么程度时，你事实上是存储模拟信息（旋钮），而不是亮度信息。模拟信息可以被收集、存储、复制，但它有不精确的倾向而且有每被传递一次就愈加不精确的危险。

现在让我们来看看另外一种全然不同的描述室内如何照明的方法，一种数字式的而非模拟式的信息存储、传输方法。任何种类的信息都可以被转换成只用若干个 0 和 1 来表示的数字，这些数叫做二进制数——完全由若干 0 和 1 组成的数字。每一个 0 或 1 被称为一个比特。一旦信息被转换了，它可以作为一长串比特输入并存储于计算机内。这些数字即"数字式信息"的全部含义。

现在我们假设你有的不是一个 250 瓦灯泡，而是 8 个灯泡，每个灯泡的瓦数都是前一个灯泡瓦数的一倍，即从 1 瓦

到 128 瓦。这些灯泡全部都连在各自的开关上，并在其左侧
配有一个瓦数稍低的灯泡。这种配置可以用下图来表示。

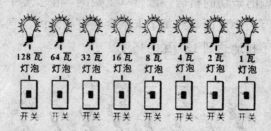

通过打开、合上这些开关，你可以从 0 瓦（所有开关关
上）到 255 瓦（所有开关打开）逐瓦增加以调整亮度。这可
以给你提供 256 种可能性。如果你需要 1 瓦的亮度，则你只
需打开最右端的一个开关，它将接通 1 瓦的灯泡。如果你想
要 2 瓦的亮度，你只需接通 2 瓦的灯泡。如果你想要 3 瓦的
亮度，那么你只要把 1 瓦和 2 瓦的灯泡都接通即可。因为 1 瓦
加上 2 瓦等于 3 瓦。如果你想要 4 瓦的亮度，那么你可以接
通 4 瓦的灯泡。如果你想要 5 瓦，你只需接通 4 瓦和 1 瓦的
灯泡。如果你想要 250 瓦的亮度，则你可以接通除掉 4 瓦和
1 瓦以外的全部灯泡。

如果你已选定 137 瓦的亮度作为晚餐的最理想的照明
光线，你可接通 128 瓦，8 瓦和 1 瓦的灯泡，如下页图。

这种系统容易记录供以后使用的精确的灯光亮度，也容
易把这种精确亮度转告给其他拥有相同灯光开关设置的人。
因为我们记录二进制信息的方式是普遍一致的——低数字
在右，高数字在左，并且总是倍数关系——你不必写下灯泡
的瓦数。你只需记录下开关的模式：开，关，关，关，开，关，

关，开。有了这种信息，一位朋友可以在你的房间里分毫不差地重现出 137 瓦的灯光亮度。事实上，只要每个参与者都对他所做的一切的精确性进行双重检测，信息就可以被传递到成百万人手里而最终每个人都会拥有相同的信息，而且能够不折不扣地达到 137 瓦的亮度。

为了尽量简化记录，你可以把每个"关"记成 0，而把每个"开"记成 1。这意味着你不必把"开，关，关，关，开，关，关，开"（即第一、四、八个灯泡开，其余灯泡关）等字全写下来，而是可以把相同的信息记成 1，0，0，0，1，0，0，1，或 10001001，一个二进制数。在这里它就是 137。你打电话通知你的朋友说："我已经找到完美的照明亮度！是10001001。试一下吧。"你的朋友通过把每个用 1 代表的开关轻轻一开而把每个用 0 代表的开关关掉的办法就得到完全正确的结果。

看起来这种描述光源亮度的方式有些复杂，但这实际上是一个二进制表达法理论的简单例证，它是全部现代计算机的基础。

二进制表达法使得利用电子线路制造计算机成为可能。

此事发端于二战期间，那时由宾夕法尼亚大学摩尔电子工程学院的普雷斯普·艾克特和约翰·毛赫利领导的一群数学家开始研制一台电子计算机器，即电子数字交换机和计算器，简称 ENIAC。它的目的是加快火炮瞄准仪的计算速度。ENIAC 与其说是一台计算机还不如说是一个电子计算器，但它不是像机械计算器那样用转轮上的开关设施代表二进制数字，而是用电子管做"开关"。

分管这台巨型机器的士兵们绕着吱吱叫的装满电子管的运输卡车忙作一团。当一个电子管烧坏了，士兵们就把 E-NIAC 关上，火速地查出坏管并换上一个新管替代它。对于电子管为何必须替换得如此频繁有一种解释，说是由于它们的热和光吸引了飞蛾。当这些蛾子飞向这台巨型机器的时候就会引起短路，但这种说法或许不足为信。如果情况真是这样，那么它就赋予把能给计算机硬件或软件带来麻烦的小错误（原意指"虫子"）一词一种新的含义。

当所有的电子管都工作时，一组工程师要通过手动方式不辞辛苦地把 6000 个多芯导线插进接口才能启动 ENIAC 来解决问题。要完成另一任务时，工作人员就不得不重新设置这些多芯导线——每次如此。约翰·冯·诺依曼是一位优秀的生于匈牙利的美国人，他以多方面特长闻名，包括他提出的游戏理论以及他对核武器的贡献。在寻找上述问题的解决方案时所做的主要贡献应归功于他。他创立了一个所有数字式计算机至今仍遵循的范式。今天人们众所周知的"冯·诺依曼结构"就是建立在他 1945 年公布的原理基础上的——其中有一条原理是计算机可以通过在内存中储存指令的方式来避免改变多芯导线。这个思想一被付诸实现,现代计算机就诞生了。

今天的大多数计算机的大脑都是令保罗·艾伦和我在70年代如此震惊的微处理器的后代。个人计算机常常按照以下几种标准划分等级,即按它们的微处理器在单位时间内所能处理的信息比特(例如照明图中的一个开关)的多少,或它们内存的字节数(一字节8比特)或磁盘存储量的大小等因素来划分。ENIAC重30吨,装满了一间大屋子。在其内部,计算机脉冲在1500个电子机械继电器上飞速传送,流经17000个电子管。启动它要耗费150000瓦电力。但那时的E-NIAC只能存储相当于80个字节的信息。

到了20世纪60年代早期,在消费电子领域,晶体管取代了电子管。这事发生在贝尔试验室发现一块微小的银色硅片可以代替电子管做同样工作的十多年以后。如同电子管一样,晶体管也能作为电子开关使用,但它们却只需要很小的电流就能工作,从而产生的热量少、所需的空间也小。多个晶体管线路可以被组合安装在一个单一的芯片上,构成一种集成电路。我们今天所使用的计算机芯片都是集成电路,它们在不足一平方英寸大小的硅片上所包容的东西相当于成百万支晶体管。

1977年,《科学美国人》登载了一篇文章,其中英特尔公司的创建者之一,鲍勃·诺依斯把价值300美元的微处理器与ENIAC这一受飞蛾侵扰的处于计算机时代黎明时刻的庞然大物作了比较。这种微小的微处理器不仅功能更强大,而且如诺依斯所说,"它速度快20倍,内存更大,可靠度提高了几千倍，消耗的电力只相当于一个电灯泡的耗电量，而不是一个火车头的耗电量，体积只有 ENIAC 的三万分之一，而成本只有它的一万分之一。它可以邮购，也可以在附近的业余爱好物品店中购得。"

当然，1977 年的微处理器现在看起来更像一个玩具，而且，事实上，许多不太贵的玩具中所包含的计算机芯片比引发个人计算机革命的 70 年代的芯片功能还强大。但今天所有的计算机，无论它们的体积或功能有多大，它们处理的都是存储为二进制数字的信息。

二进制数常常用于在个人计算机上存储文本，在光盘上

1946 年，ENIAC 计算机内部情况

存储音乐，在银行现金机器网中存储货币。信息在进入计算机之前，必须被转换成二进制。机器、数字式装置又把信息复原成可使用的形式。你可以想象每一种装置闭合开关、控制电子流量的情形。但是这些开关通常都是用硅制成，它们特别小巧，而且可以通过使用速度极快的电荷打开开关，从而在个人计算机屏幕上生成文本，在光碟录音机上播放音乐，以及让取款机发出指令支付现金。

照明开关的例子演示了如何使任何数字以二进制来表示。这里要讲的是文本如何以二进制表示。按照惯例，数字65代表字母A，66代表字母B，依次类推。在计算机中，每一个这样的数字均以二进制方式表示：大写字母A，65，就变成01000001；大写字母B，66，变为01000010。空格是用数字32来表示的，或用00100000表示。所以"苏格拉底是一个男人"（Socrates is a man）这个句子就变成下面由若干个1或0构成的136个数字的数字串：

01010011　01101111　01100011　01110010　01100001

01110100　01100101　01110011　00100000　01101001

01110011　00100000　01100001　00100000　01101101

01100001　01101110

由此很容易推论出一行文本是如何被转换为一组二进制数字的。为了理解其他类型的信息是如何被数字化的，让我们来考察另一个模拟信息的例证。一张乙烯基唱片是声音振动的模拟表示。它把声音信息存储于极小的弯曲线里，这些弯曲线排列在唱片上细长的呈螺旋形的沟槽里。如果音乐有一段很响，弯曲线在沟槽里就刻得相对深一些；如果有一个高音符，则弯曲线就排列得更紧密些。沟槽上的弯曲线模拟原有的振动——即由麦克风捕捉到的声波。当电唱机转盘上的指针沿着沟槽行进时，它与这些小小的弯曲线发生共振。这种振动仍然是对原声的一种模拟，通过放大送到扬声器里，就成了音乐。

像任何存储信息的模拟装置一样，唱片也有缺陷。唱片表面上的灰尘、指痕或划痕能造成唱机指针的振动失常，从而产生卡嚓声或其他杂音。如果唱片不是以完全精确的速度运转，音乐的声调就不准确。唱片每播放一次，唱机的指针都会使沟槽中的弯曲线的精细之处受到磨损，音乐重放时的质量就会每况愈下。如你把乙烯基唱片上的歌曲转录到录音磁带上，唱片上的任何瑕疵都会被永远地转录到磁带上，而且新的瑕疵会增多，因为流行的盒式录音机本身也是模拟装置。每次转录或重播都会使信息质量受到损失。

在激光盘上，音乐是以一系列二进制数存储的，其中的每一比特（开关）皆以激光盘表面的微小的凹凸来表示。今天的激光唱盘上的凹凸多于 50 亿。激光唱蝶机内反射的激光——一种数字式装置——读出每一个凹凸从而决定是把它转换成 0 还是 1，然后再通过特定的电子信号由扬声器转换成声波，从而使信息又被合成原声的音乐。唱盘每次播放时，听起来都是完全一样的。

把一切都转换成数字替代物是极方便的，但比特数可以很快地增大。信息比特过多，可以导致计算机内存产生溢出现象或需要很长时间才能在计算机之间完成信息传输。所以计算机在存储或传输数据时，要压缩它们，然后再把它们扩展回原有的形式，这种能力非常有用，而且会越来越有用。

下面我简述一下计算机是如何完成这些奇妙功能的。话要从数学家克劳德·商农说起，他在 30 年代就认识到该如何以二进制形式表达信息。在二战期间，他就开始对信息进行一种数学描述，并创建了后来称为信息理论的研究领域。商农把信息定义为减少不确定性。按照这个定义，如果你已经知道了今天是星期六，那么即使有人告诉你今天是星期六，你也没有得到任何信息。从另一方面看，如果你不太清楚今天是星期几，而有人告诉了你今天是星期六，那么你就获得了信息，因为你的不确定感减少了。

商农的信息理论最终引起了其他突破，其中之一就是有效数据压缩，它对于计算和通信都十分关键。从表面上看来，他所说的是显而易见的：没有提供独特信息的那部分数据是冗余和累赘的，因此可以被删除。写报刊的大字标题的人省去了一些无关紧要的单词，就像人们拍电报需按字计费或刊登分类广告时所做的那样，尽量简化文字。商农所举的一个例子是这样的：英语中的字母 u 不管什么时候，只要跟在字母 q 之后，它就算是冗余信息。因为你既然知道在每个 q 之后都跟着 u，因此 u 实际上就不必包含在信息当中。

商农理论被用来压缩声音和图像。在构成一秒钟影像的 30 幅画面中有大量的冗余信息。可以把这些信息进行压缩，如从 2700 兆比特压缩到大约 1 兆比特，然后加以传送，而它们的意思并不受影响，观看起来也照样使人感到很舒服。

尽管如此，压缩是有限度的，而且在不远的将来我们将把越来越多的比特从一地传输到另一地。比特将在铜导线中传递，在空气中，在信息高速公路结构上传输，其中大多数将会在光学纤维缆（或简称"光缆"）上传递。光缆是一种由玻璃和塑料制成的缆线，它是如此光滑、纯净，以至于即使从 70 英里那么厚的光缆墙看过去，你都可以看到在另一端燃烧着的蜡烛。二进制信号（经调整后以光的形式）就在这些光缆中进行长距离传输。信号在光缆中传输的速度并不比它在铜导线中快一点：它们都是以光的速度传送的。光缆对导线的巨大优势在于它可以载送的信息带的宽度（带宽）。所谓带宽指的是在一个回路中每秒所能移动的比特数的测量指标。这确实很像高速公路。一个并行八车道的州际公路比一条狭窄的土路能容纳更多的交通工具。带宽越大，车道越多——因而，一秒钟可以通过的车辆或信息比特就越多。用于传递文本或声音的带宽有限的电缆被称作窄带线路。承载能力更高的电缆，即可以承载图像和有限的动画片的电缆，被称作中带电缆。那些具有高带宽的、可以载送多种视像和声音符号的电缆，被称作宽带电缆。

　　信息高速公路将使用压缩方法，但仍然需要很大的带宽。我们的信息高速公路之所以还没有运转起来，一个原因就是现在的通信网络还没有一个足够宽的能满足所有新应用方式的带宽，而且也不会有，除非光缆被连接到千家万户。

　　有的技术就连巴比奇甚至艾克特和毛赫利也难以预见，光缆就是这样一种技术进步的例证。芯片的运行能力得到大幅度改进，速度之快，也属于这种情形。

　　1965 年，那位后来曾与鲍勃·诺伊斯一道令英特尔公司恐慌的戈登·莫尔，曾预言道计算机芯片的能力每年会成倍地增长。他说此话的根据是他曾对过去三年来计算机芯片的价格性能比进行了考察，并由此推而广之得出了该结论。事实上，莫尔并不认为这一进步速率会持续很久。但十年以后，他的预言被证实了，那时他又预言芯片的能力会每隔两年翻倍增长。今天他的预言不完全应验了，一个平均值——每18个月增长一倍——被工程师们称作莫尔定律。

我们的日常生活经验还不足以丰富到使我们看透为什么一个数字会在很长的时期内成倍增长——指数（几何级数）增长——所隐含的种种暗示。要理解这一点不妨以一个寓言为例。

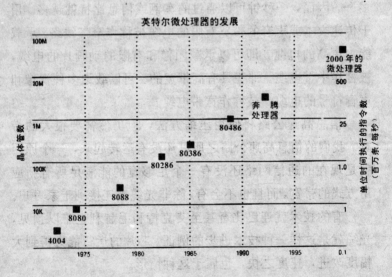

一个 Intel 微处理器所包含的晶体管数基本上每 18 个月翻一番，与莫尔定律一致

印度的舍汉姆国王对一位大臣发明了象棋感到非常欣慰，因此他允许这位臣子请求任何奖赏。

"陛下，"这位大臣说，"我请求你在棋盘的第一个方格中放上一粒麦子，在第二个方格中放上二粒麦子，第三个方格中放四粒麦子，以此类推，每次的麦粒翻倍，直到 64 个方格被放完为止。"国王被这个谦恭的请求感动了，于是叫人拿来一袋麦子。

国王让人把许诺过的麦子数出来摆在棋盘上，第一排的第一个方格上只摆了小小的 1 粒麦子，第二个方格上摆了 2 粒麦子，第三个方格中摆了 4 粒，然后是 8，16，32，64，128。到第 8 格，即第一排的最后一格时，提供麦子的大臣共数了 255 粒麦子。

国王对此也许毫不在乎，也许棋盘上摆的麦子比他预想的稍微多了一点，但没有发生任何令人惊奇的事。假如数一粒麦子要用 1 秒钟，到目前为止只用了大约 4 分钟的时间。如果一排用 4 分钟，那么试想一下数完棋盘上 64 个方格上所需的麦粒要花多长时间？4 小时？4 天？4 年？

到了第二排格子结束时，供麦大臣已经工作了大约 18 小时，只数了 65535 粒麦子。在八排中的第三排数完时，用了 194 天，数出了 24 格中的 16800000 粒麦子。然而还有 40 个空格子等着呢。

可以断言国王收回了他对大臣的诺言。因为在棋盘的最后一个方格上将要摆放 18446744073709551615 粒麦子，而数完这些麦子则需要 5840 亿年。

按目前的估算，地球的年龄大约是 45 亿年。根据此传说最流行的说法，舍汉姆国王意识到在计数过程中的某一点上，他一定受到了愚弄，于是他把那位聪明的大臣斩首了。

几何级数增长，即使被解释清楚了也显得像一个骗术。

莫尔定律很可能还要再持续有效 20 年。如果真是这样，一个现在需要一天才能完成的计算，那时速度将要快 1 万倍，即只需不足 10 秒钟的时间就可以完成。

试验室里现在已经在运行的弹道晶体管，所具有的开关时间已达毫微微秒，即 1 秒的 $1/1000000000000000$（$1/10^{15}$），大约比现在微处理器中的晶体管速度快 1 千万倍。这里的窍门就在于减小芯片电路板的大小和电流量，使电子在移动过程中不撞到任何东西，也不相互发生碰撞。下一个阶段就是"单电子晶体管"，在这个晶体管中一比特信息用一个单一电子来代表。这将是超低功率计算的终极极限了，至少按照我们目前所理解的物理学是如此。为了利用分子水平上的令人难以置信的速度优势，计算机必须做得十分小，甚至小得要用显微镜才能看得到。我们已经明白科学将会允许我们制造这种超高速的计算机。我们所需要的是一种工程技术上的突破，而这种突破常常很快就如愿以偿了。

在我们有了这么高的速度的时候，把所有这些比特存储起来就不会是一个难题了。1983 年春天，IBM（国际商业机器公司）推出了它的 PC/XT 型个人计算机，这是该公司的第一台内部装有硬盘的个人计算机。这个硬盘是一种内部存储装置，能容纳 10 兆字节的信息，约 1000 万字符或 8000 万"比特"。原有的客户想要在他们原来的机器上增加这种 10 兆硬盘的话，只要付 IBM 所要求的 3000 美元，就可以得到全套配件，包括一个单独的电源，这样他们计算机的存储能力就扩大了，也就是每兆 300 美元。今天，感谢莫尔定律所描述的几何级数增长，个人计算机的硬盘驱动器可以容纳 1.2G 的字节——12 亿字符的信息量——价格为 250 美元，也就是每兆 21 美分。而我们期待被称作全息图像内存的奇异进步，它能在不足 1 立方英寸的空间里容纳 100 万兆字节的字符。拥有这种能力，一个像你的拳头大小的全息图像内存将可以容纳整个美国国会图书馆的全部藏书。

随着通信技术的数字化，它也将遵从同样的几何级数的进步速度，这种进步速度已使得今天花 2000 美元所买的膝上型计算机比 20 年前 IBM 公司价值 1000 万美元的主计算机还要功能强大。

在不远的将来，从某种意义上来讲，进入每一个家庭的单一导线都将能够传送一个家庭所需要的全部数字数据。这种导线可能会是光缆，就是我们现在用于传送长途电话的导线，或者是同轴电缆，就是我们现在用来传递电视信号的那种导线。如果比特可以被转译为声音呼叫，电话铃就会响起来。如果有视觉图像，它们还可以在电视上显示出来。如果是联机新闻服务，它们将会在计算机屏幕上作为文本和图像而出现。

连接网络的单一导线当然不会仅仅传输电话、电影和新闻。25 年以后信息高速公路将传输什么样的信息，我们根本就想象不出来，这就如同石器时代使用原始石刀的人无法想象吉伯尔提雕刻的佛罗伦萨浸礼堂的两道双扉大门①一样。只有当信息高速公路已经成为现实之时,它所有的发展潜力才会被了解。然而过去20年来我们在数字技术方面的突破性经验也使我们对未来的若干关键原则和发展潜力有所理解。

---

① 吉伯尔提 (Lorenzo Ghiberti, 1378—1455),意大利文艺复兴初期的雕塑家、画家、金饰匠。其一生以40年时间用于佛罗伦萨浸礼堂两道双扉大门的青铜浮雕创作上。第一道大门以《新约全书》为题材,第二道大门以《旧约全书》为题材。此门被米开朗基罗称为"天堂之门"。——译者注

第三章

计算机行业的前车之鉴

成功是一个讨厌的教员，它诱使聪明人认为他们不会失败，它不是一位引导我们走向未来的可靠的向导。今天看来似乎完美的商业计划或者最新技术可能很快就像过时的八道磁带录音机、真空管、电视机或者不带附件的主计算机。这种事我已经司空见惯了。通过长期地仔细观察一些公司你就会学到许多原则，这些原则为你未来的年代提供各种策略。

投资于信息高速公路的公司要设法避免重犯过去20年来计算机行业犯过的错误。我想只要考察一下若干关键因素，就会弄清大多数这类错误。这些错误呈螺旋形，有正面的，有反面的，有的本应主动出击而不是随波逐流，有的属于软件对硬件其重要性孰轻孰重的问题，有的是兼容性的作用问题，及其可以产生的正反馈作用问题。

你不能指望依靠传统的智慧，这种智慧只有在传统市场上才有意义。过去30年来，计算机硬件和软件市场完全是不合潮流的。那些曾拥有千万美元销售额和大量满意客户的功成名就的大公司转眼间便销声匿迹了。苹果、康柏、莲花、Oracle、太阳和微软之类的公司似乎完全是白手起家，转瞬变成亿万富翁。这类成功事例部分在于受到我所谓的"正向螺旋"因素激励的结果。

当你有一个热门产品的时候，投资者对你倍加青睐，乐于把资金投入你的公司。聪明的青年人会想：嘿，大家都在谈论这家公司，我倒想在里面去干干。当一个青年人到一个公司的时候，很快另外一个青年人也会去，因为有才华的人喜欢一起工作。这种工作环境容易制造一种兴奋感。潜在的伙伴和用户也会加倍注意到这家公司，这样一来，这种正向螺旋就周而复始，也就容易产生下一个成功。

与此相反，也有许多公司可能会卷入一个负向螺旋。处于正向螺旋中的公司，有一种天生就该走运的气氛，而处于负向螺旋中的公司则有一种命定失败的感觉。如果一个公司开始丢掉市场销售份额，或是抛出了一种坏产品，那么人们的谈话就会是："你干嘛还要在那里工作呢？""你怎么会投资那家公司呢？""我认为你不应该买它们的产品。"新闻界和评论家们，闻到一点腥味，便开始揭露所谓内幕新闻，说什么谁和谁又吵架了，谁又该对管理不善行为负责了。用户们则开始发生疑问，他们今后是不是应该继续买那家公司的产品。在一个有毛病的公司里，人们对什么都怀疑，包括对那些本来做得挺好的事也怀疑。甚至一个优秀的策略也可以给打发掉。理由是：你只不过想默守陈规而已。这种情况会引起更多的错误，于是该公司的情况急转直下。

但像李·艾柯卡这样的领导人物，却常常能够扭转乾坤，所以理应倍受赞赏。

在我的整个青年时代，最红火的计算机公司是数字设备公司，人称DEC。有20年的时间，它的正向螺旋似乎毫无逆转的迹象。公司的创建人肯·奥尔森是一位传奇式的硬件设计师，是我心目中的英雄，一位可望而不可及的天神。1960年，他推出了第一批"小"计算机，从而创建了小型计算机工业。最早的计算机叫做PDP-1，这是我高中时代的PDP-8的前身。一个用户可以花上120000美元买一台奥尔森的PDP-1，而不是花几百万美元买IBM的"大铁块"。它完全没有大机器那样功能强大，可是它的用途广泛。DEC通过提供大量各式各样的计算机，在八年之间发展成为一个拥有67亿美元的公司。

又过了20年，奥尔森的洞察力出故障了，他看不出小型桌面计算机的发展前途。结果，他被排挤出了DEC。关于他现在还流行的说法是他之所以是个名人，主要在于他总是反复地、公开地把个人计算机看作是一种赶时髦的玩艺儿而嗤之以鼻。奥尔森的传说对我来说无疑是一剂清凉剂。本来，他极善于看清种种创新手法，然而——做了多年的创新者之后——他错过了他前途中的一次大转折机遇。

另一个失掉洞察力的例证是王安，一位华裔移民，他在

60 年代使他的王安试验室变成了称霸一时的电子计算器供
应处。70 年代，他无视周围人们对他的忠告，离开了计算器
市场，紧跟着低成本竞争的局面就开始了。若不是他及时改
弦易辙，这种竞争肯定使他倾家荡产。他这一举动实为上策。
王安另起炉灶，把他的公司变成了首屈一指的文字处理机供
应商。70 年代期间，世界各地的办公室里，王安的文字处理
终端开始代替打字机。他出售的机器里有一块微处理器，但
算不上真正的个人计算机，因为它们只能做一件事——处理
文本。

王安是一位眼光远大的工程师，他这种曾使他果断地抛
弃计算器的眼光本来可以使他在 80 年代个人计算机软件领
域内取得成功的，而他却偏偏在下一个工业发展的转折关头
迷失了方向。尽管他研制出了伟大的软件，却过分受制于他
的文字处理机。只要通用个人计算机问世，他的软件就必遭
失败，因为这种计算机可以运行诸多的文字处理软件，例如
WordStar、WordPerfect、MultiMate（这种软件本来是王安
软件的仿制品）。如果王安早些意识到兼容性应用软件的重
要性，今天可能就没有什么微软公司了。我可能就在某个地
方成了一位数学家，或一位律师，而我少年时代在个人计算
机方面的迷恋可能只会成为我个人的某种遥远的回忆。

IBM 则是另一家在个人计算机革命初期在技术革新方
面遗误战机的大公司。该公司总裁，托马斯·J·华生，原本
是一位苦干实干的现金出纳机销售商。从技术上讲，华生不
是 IBM 公司的创建者，但多亏他那种奋进向上的管理作风，
IBM 公司才在 30 年代初期一举占领了记帐机市场。

IBM 公司开始在 50 年代中期致力于计算机领域，它属于许多想在该领域独占鳌头的公司之一。直到 1964 年，每一种计算机模型，甚至出于同一家厂商的模型都有一种独特的设计模式，需要它自己的操作系统和应用软件。操作系统（有时叫做磁盘操作系统，或简称 DOS）是一种基本软件，它使计算机系统的各部件协调工作，并指挥它们如何一起运作，发挥各自的功能。没有操作系统的计算机是毫无用途的。操作系统是一个平台，所有的应用软件程序都建构在这个平台上——例如，会计程序、付帐程序、文字处理程序或者电子邮件程序等等。

不同价格的计算机具有不同的设计模型。有的模型主要用于科学研究，其他的模型则用于商业。如我所发现的，当我为各种个人计算机编写 BASIC 语言的时候，一件重要的工作就是要把软件从一个计算机模型移动到另外一个计算机模型上。即使运用像 COBOL 或 FORTRAN 这样的标准语言编写软件，情况也依然如此。在年轻的汤姆（华生之子和华生的继任人）的指导下，该公司对一种可升级的内部结构的奇思妙想冒险投资了 50 亿美元——这种构想是：所有 360 家族（System/360）系统的计算机，无论其体积大小如何，都会对同一套指令作出反映。用不同的技术建造的模型，不管它们速度最慢还是最快，也不管它们是能够安装在普通办公室里的小机器，还是安置在温控玻璃房间内的水冷机那样的庞然大物，都能够运行同一种操作系统。用户们能够把一个模型上的应用程序、外围设备、附件，如硬盘、磁盘驱动器和打印机等自由地移到另一模型上。可升级内部结构完全改变了计算机工业。

System/360 是一个得而复失的成功，它使得 IBM 公司在下一个 30 年的主计算机领域变成了动力厂。用户们对 System/360 进行了大量的投资，深信他们对软件和培训方面的努力不会白费。如果他们需要移动到一台更大的计算机上工作，他们就能得到一个运行同一种系统的 IBM 计算机，共享同一种内部结构。1977 年，DEC 介绍了他自己的可升级结构平台——VAX。VAX 计算机家族的范围极广泛地包括从桌面系统到主计算机系列。它为 DEC 所做的一切正如 System/360 为 IBM 所做的一切一样。DEC 在小型计算机市场可谓称霸一时。

IBM System/360 及其升级产品 Systme/370 的可升级内部结构使 IBM 的许多竞争者们败下阵来，同时使许多潜在的新竞争者望而却步。1970 年，尤金·安达尔创立了一个新的竞争公司。安达尔本来是 IBM 的高级工程师，安达尔有一个新奇的计划。他的公司，也称为安达尔，打算制造与 IBM 360 软件完全兼容的计算机。安达尔推出了一种硬件，这种硬件不仅能像 IBM 机一样运行同一种操作系统和应用程序，而且超过了 IBM 的价格系统，因为他利用了新技术。很快地，数据控制公司、日立和伊达尔等也都推出了若干主计算机。这些计算机都与 IBM 计算机在接口上兼容。到 70 年代中期，360 兼容性的重要性已日益明显。凡是生意兴隆的主计算机公司都是那些拥有能够运行 IBM 操作系统的硬件公司。

在 360 之前，人们设计计算机时，往往故意和别的公司的计算机不兼容，因为生产厂商的目标是要使那些在一个公司的计算机上投入血本的用户想要转换到一台新牌子的计算机上工作的时候，感到沮丧而又花费昂贵。一旦用户使用上一台计算机，他或她就只好逆来顺受地接受该计算机制造厂商所提供的一切。因为改变软件虽可以做到，但却是困难重重。安达尔公司和别的公司结束了这种状态。由市场本身推动的兼容性问题，对未来的个人计算机工业来说，是一次重要的教训。凡是正在建造信息高速公路的人应该牢记这个教训。什么系统能够使用户自由选择硬件并能运行尽可能多的软件应用程序，用户就会购买该种系统。

　　发生这一切的时候，我还忙于念书，并试验操作各种计算机。1973年秋天我进了哈佛大学。在学院里，有很多故作姿态的人。表面上显得松松垮垮，被认为是建立起你的冷漠形象的独门诀窍。因此，我在第一学年故意制定了一套行事策略：大多数的课程都逃课，然后在期末的时候，再拼命地暴学一场。我想看看我花尽可能少的时间，能够得到多高的分数。这是一种游戏——不过是一种老把戏而已。我把我的闲暇时间都用来玩扑克，这种游戏对我自有其魅力。在玩扑克的时候，打牌的人收集各种情报——谁叫牌大胆，已经出过了些什么牌，叫牌的方式和诈牌的方式——然后综合所有的情报，再根据自己手中的牌，决定出牌策略。我在处理这种情报时，相当高明。

　　扑克战略——和金钱——的经验有助于我走进商界，但是我后来玩的别的游戏，对我毫无帮助。但那时，我对这点并不了解。事实上，我感到垂头丧气的是我的一位新朋友，斯蒂夫·鲍尔默居然也有这种拖拖拉拉的行事作风。斯蒂夫主攻数学，是我大学一年级时认识的。那时，我们住在卡里尔豪斯的同一间学生宿舍里，斯蒂夫和我过着很不相同的生活，但我们都竭力想把上课时间降低到最低限度，同时又能得到高分。斯蒂夫是一个精力无比旺盛的人，竭力想参与社会活动。他的活动占用了他大量的时间，到第二学年的时候，他是足球队的经理人，是校报《哈佛绯红》的广告经理和一个文学杂志社的社长，他还参加了一个社交俱乐部——哈佛兄弟会。

他和我都很少专注于我们的课程，只有到了临考的时候，才把那些关键书籍找来，发狂地暴学一通。我们曾经一起攻读过一门挺难的研究生水平的经济学课程——2010年经济学。任课教授允许你随心所欲地把全部成绩都押在期末考试上。所以斯蒂夫和我整个学期都干别的去了。到了考前一周，我们对这门课从未学过，然后我们就发狂地学，结果都拿了个A。

可是，当我和保罗·艾伦创建微软公司之后，我发现这种拖拉作风并不是开办一家公司的最佳前奏。微软公司的第一批客户是日本的一些公司。他们办事有板有眼、一丝不苟。我们只要比计划落后了一点，他们就会立刻派人坐飞机来关照我们，像看管不懂事的小孩一样。他们知道他们派来的人不会起什么作用，但是他会在我们的办公室里一天蹲上18个小时，只是向我们表明他们是如何在意此事。这些家伙可真是认真的很！他们会问："为什么原定时间表改变了？我们需要你们的解释。我们要改变造成此事发生的根源。"现在我对于我们在某些项目上不得不拖延的现象仍然感到痛心疾首。我们改进并弥补我们的办事作风。有时候我们仍然在某些项目上延误，但是比从前要好得多了。这都得归功于这些小心谨慎的保姆们。

微软公司于 1975 开始在新墨西哥州的阿尔伯克基营业，之所以选择此地，因为这个地方有 MITS。MITS 是一家小公司，它的牛郎星 8800 个人计算机全套配件曾出现在《大众电子学》的封面上。我们和它一起干，因为它一直是把廉价的个人计算机出售给大众的第一家计算机公司。到 1977 年，苹果、Commodore 和 Radio Shack 诸公司也进入了这一行列。我们为大多数的早期个人计算机提供 BASIC 语言。那个时候，这还是一种极端重要的软件成份，因为用户们用 BASIC 语言来编写他们自己的应有程序，而不是购买包装好的应用程序。

在初期，出售 BASIC 语言只是我的许多工作中的一项。在头三年，微软公司的大多数其他专业人员，仅仅把注意力放在技术性工作上，而我则干绝大部分的销售、投资、广告，以及编码等工作。我还不到 20 岁，销售业务使我压力很大。微软公司的一个策略是要让 Radio Shack 这样的计算机公司购买我们的许可权，允许他们把我们的软件安装在他们销售的个人计算机上（例如 Radio Shack TRS-80），同时他们付给我们特许权使用费。我们之所以采取这个步骤，主要是因为盗版软件横行。在销售牛郎星 BASIC 语言的早些年里，按我们的软件所广泛使用的程度来推测，我们销售的数量应该很大，而实际情况是我们的销售量很小。我写了一封广泛传播的"致软件爱好者的公开信",要求个人计算机的早期用户们停止盗用我们的软件,这样我们才能赢利,只有我们获得赢利,我们才能生产更好的软件。"我感到最快意的事儿莫过于能雇上十个程序员,用好软件充斥软件爱好者市场,"我这样写道。但我的观点并不能说服很多发烧友付给我们软件费,他们好像喜欢这样做,使用了软件并乐意互相"借"用。幸运的是,今天的大多数用户都明白,软件是受版权法保护的。软件盗用问题依然是贸易关系中的一个重大议题,因为某些国家还没有——或者说也不想实施——版权法。美国坚持要其他的政府做进一步的努力来实施书籍、电影、CD 和软件方面的版权法。我们必须要极其小心地确保使即将产生的信息高速公路不会成为一个盗版者的乐园。

尽管我们很成功地向美国硬件公司出售了软件,但到1979 年为止,我们半数以上的生意差不多都来自于日本,这得感谢名叫西胜彦的小伙子。西胜彦在 1978 年给我打电话,用英语做了自我介绍。他读过有关微软公司的文章,认为他应该与我们做生意。正如事实上发生的那样,西胜彦与我有许多相同之处,我们年龄相当,他也是一个因为迷上了个人计算机才休学的大学生。

几个月后我们在加利弗尼亚安娜海姆的一次展销会上见了面。他跟我一道乘机飞回阿尔伯克基。我们在那儿签署了一页半的合同,按合同规定,他有权在东亚地区独家发行微软公司的 BASIC 语言。我们没有请律师,只有西胜彦和我,颇具亲善精神。按照该合同,我们达成一项价值高于 1.5亿美元的交易——比我们预想的数额多 10 倍。

西胜彦在日本商业文化和美国商业文化之间见风使舵，他喜欢夸大其词，这对我们在日本的工作有利，因为这会在日本商人当中造成一种印象，好像我们都是一些才华横溢的人。当我在日本的时候，我们呆在旅馆的同一房间里，他会整夜地打电话，治谈成百万美元的交易，这是令人惊讶的。有一次，在凌晨3点到5点之间没有电话打来，而在5点钟的时候来了一个电话，西胜彦就伸手去拿话筒，说："今天晚上生意清淡。"这可真叫人好笑。

在随后的8年中，西胜彦抓住了每一个机会。1981年，在从西雅图飞往东京的途中，西胜彦发现坐在他旁边的人就是拥有6.5亿美元资产的京磁公司的总裁稻盛和夫。西胜彦经营着他的日本公司 ASCII，对微软公司的合作充满信心，所以成功地说服稻盛和夫接受一个新想法——即生产装有一种简单软件的小型膝上式计算机。西胜彦和我设计了这种机器。微软公司还太小了，不能让我在软件开发方面施展我个人的作用。在美国，1983年 Radio Shack 公司将这种机器作为 Model 100 推向市场，售价才799美元。这种机器也作为 NEC PC-8200 在日本出售。在欧洲，则以 Olivetti M-10 出售。多亏西胜彦的一股热情，这是第一个大众型膝上式计算机，连续数年来，它成了新闻记者的宠物。

若干年之后的1986年，西胜彦决定让 ASCII 公司沿着一条不同于我为微软公司所制定的方向前进，于是，微软公司在日本建立了自己的子公司。西胜彦的公司在日本市场上一直是一个十分重要的软件销售商。西胜彦作为一个亲密的朋友，依然像从前一样，充满热情，一心要使个人计算机成为一个无所不在、无所不能的工具。

个人计算机的全球性质，在信息高速公路的开发中也是一个举足轻重的因素。美国、欧洲和亚洲各公司之间的精诚合作，对于个人计算机来说，比它们过去的合作要重要得多。那些没有使它们的成果全球化的国家或公司，将不可能起到领导作用。

1979 年 1 月，微软公司从阿尔伯克基转移到华盛顿州的西雅图郊区。保罗和我回到了家乡，在我们身边工作的十几个雇员几乎全都和我们在一起。我们集中精力编写程序语言，以适应由于个人计算机工业兴旺发达之后，五花八门的新机器纷纷出台的需要。人们带来各式各样有趣的项目来找我们。这些项目有可能变成某种大项目。对微软公司服务的需求，超过了我们的供应能力。

我需要协助管理公司事务的雇员，这使我找到了和我在哈佛一起学 2010 年经济学课程的老伙伴——斯蒂夫·鲍尔默。斯蒂夫毕业之后，在辛辛纳提州的 Procter & Gamble 公司任产品助理经理，他在那儿的工作也包括在新泽西州的一个小杂货店干点报酬低廉的临时工。几年之后，他决定去上斯坦福商学院。当他接到我的电话，他才学了一学年，并打算拿到他的学位，但是当我把微软公司的产权给他一部分的时候，他也成了一个无限期休假的大学生。微软公司以股票期权方式让它的大部分雇员们共享产权，一直是意义重大和成功的，其重要性和成功超过了任何人的预料。毫不夸张地说，他们获得了数十亿价值的增值。实行把股票期权送给雇员的作法受到广泛的欢迎，这也是美国所具有的一个优点，这一优点将允许它支持一批数量异乎寻常的暴发户。他们发迹的基础是即将来临的时代所必将带来的若干机遇。斯蒂夫到达微软公司的三周内，我们发生了为数不多的第一场争执。微软公司这时已经雇佣了大约 30 个人。斯蒂夫认为我们需要立刻再加上 50 个人。

"没门。"我说。我们很多早期的主顾都破产了，我生怕在走鸿运的时候突遭不测。这种自然的想法使我在经济上极端保守。我想要微软公司显得清瘦饥饿，但是斯蒂夫不肯让步，于是我就照他说的办了。"就照你的意见，尽快雇佣聪明人吧，"我说，"但当你超支让我们付不起工资的时候，我会通知你的。"其实我没必要说这番话，因为我们的收入增长得跟斯蒂夫能迅速找到大人物一样快。

我早年的主要恐惧是，某一个公司会发起突然进攻，把市场从我们手里抢走。另外有几家小公司不时在制造微处理器芯片或生产软件，这使我担心得要命。幸运的是，他们中没有一个人像我们这样来看待软件市场。

同时还总是存在着一种威胁，即某一个大的计算机生产厂商，会把我们的软件安装他们的大的机器上，然后又按比例把它缩小到能在装有微处理器的小计算机上运行。IBM 和 DEC 都有功能强大的软件库，令微软公司庆幸的是，这些厂商从来不把重心放在使他们的计算机结构与软件和个人计算机工业接轨上。唯一的一次接近这种想法的电话是在 1979年打来的，那时候 DEC 在 HeathKit 公司推销的个人计算机成套配件中安装了 PDP-11 小型电子计算机结构。然而，DEC 不完全依赖个人计算机，所以没有真心实意地推销这种产品。微软公司的目标是要为没有和制造、销售计算机硬件方面有直接联系的大多数个人计算机编写和提供个人软件。微软公司许可的软件使用价格极低。我们深信只要在数量上打主意，就能赚钱。我们使我们的程序语言诸如 BASIC 语言适合于每一台机器。我们对每一个硬件厂商的要求都很积极响应。我们不想让任何人有理由左顾右盼。我们想让微软公司软件成为人们不假思索就会选择的软件。

我们的策略奏效了。结果每一个个人计算机生产厂商都来我们这里取得了使用程序语言的许可权。尽管两个公司的计算机硬件不相同，然而两个公司的计算机都能运用微软公司的 BASIC 语言，这就意味着它们在某种程度上是兼容的。这种兼容性成了人们购买计算机及其配件的一个重要部分。厂商们不断做广告说，它们的计算机已经附带了微软程序语言，包括 BASIC 语言。

长此下去，微软公司的 BASIC 语言成了一种工业软件的标准。

有的技术并不依赖于它们的价值是否被广泛接受。一个很好的无柄煎锅是有用的，即使你是唯一购买这种锅的人。但对于通信及其他具有合作性质的产品来说，产品价值的很大一部分来源于它的广泛流传。如果有两个邮件箱，其中一个是手工精制的漂亮邮箱，箱上有一个小孔，刚好只能容纳一个信封，另外一个则是旧纸板盒做的邮箱，人们能把日常中的所有邮件都扔进去，要让你来选择，你肯定选择开口大的容易把邮件扔进去的那个信箱。因为你愿意选择兼容性大的东西。

　　有时候，政府或是委员会，设制出一些意在促进兼容性的标准，这些标准叫做"法定"标准，因此具有法律效力。可是，许多最成功的标准都是些"事实上"的标准：即市场发现的那些标准。大多数的钟表都是顺时针运行的。英语打字机和计算机键盘使用了一种键盘字母排列形式，这种键盘的上排字母的顺序是QWERTY。没有一条法律说它们必须这样排列。但它们却行之有效，大多数的用户会执着于这种标准，除非出现了某种特别好的排列法。

　　但是，由于事实标准是由市场而非法律支持的，因此它们理所当然地被选中了，只有当某种确实好的东西出现的时候，才能被替代——激光唱盘几乎把乙烯基唱盘完全取代，就属于这种情形。

　　事实标准常常通过经济机制在市场上生发演变，这种经济机制与推动商业成功的正向螺旋的概念十分相似，它使一个成功推动另一个成功。这一概念叫做正反馈，它说明事实标准之所以常常出现在人们寻求兼容性的时候的原因。

　　在一个发展的市场上，只要存在一种稍微优于竞争对手的做法，这时正反馈循环就开始了。这种情况最容易发生在下面这种高技术产品上，这种产品可以大量制造，而成本却很少增长，其一部分价值来源于它们的兼容性。家用录像游戏系统就是一个例证。这是一种有特殊目的的计算机，安装有一种供特殊目的用的操作系统，该操作系统形成了游戏软件的平台。兼容性的重要性，还在于可利用的应用程序（例如这里的游戏程序）越多，则机器本身对用户来说就越有价值。同时，用户购买的机器越多，软件开发者就会为它开发越多的软件。一旦一台机器的推广达到了一个高水平，销售量就会不断上升。这时，正反馈循环就开始了。

也许，正反馈功能最著名的工业表现，是70年代末和80年代初的磁带录像机制式大战。有一种固执的说法，认为正反馈是导致VHS[①]制式击败Beta制式的唯一原因，尽管Beta制式从技术上来说要好一些。事实上早期的Beta制式的录像带只能录一个小时——而VHS制式的带子可录三个小时——不足以录下一整部电影或一场足球赛。用户关心磁带的容量甚于关心某种工程上的眼镜（指质量——译者注）。VHS制式一开头就比被索尼公司用在它的Betamax录像机上的Beta制式略占优势。JVC公司开发了VHS标准，容许其他的VCR（磁带录像机）生产厂商交很低的许可费就可以使用VHS标准。随着VHS兼容录像机的蓬勃发展，录像出租店倾向于多收藏VHS磁带，而不是多收藏Beta磁带。这就使得有一台VHS录像机的用户比那些有Beta录像机的用户更容易在录像带商店找到他所需要的带子。这就从根本上使VHS对自己的用户变得更有用，导致更多的人去购买VHS录像机。这一点又反过来进一步趋动录像磁带店去收藏VHS制式的磁带。当人们选择VHS并相信它代表着一种经久耐用的标准的时候，Beta制式就彻底失败了。VHS是正向反馈循环的受惠者。一个成功蕴育着另一个成功，但不是以牺牲质量作为代价。

当Betamax和VHS制式之间的决斗开始进行的时候，

---

① Video Home System，家用录像系统。——译者注

销售给美国磁带出租商的事先录好的录像带的销售量还基本上是一个稳定的数目,即每年销量数百万盒。大约在1983年,一旦VHS作为一种明显的标准而出现的时候,这一接受的界线就被跨过了。按磁带销售量来估算,机器的使用量忽然急增。那一年,销售了950多万盒磁带,比前一年的销量增长50%以上。1984年,磁带销售量到达2200万,接着,在随后的几年,销量是5200万,8400万和1987年的1.1亿,至此,租看电影磁带已成为家庭娱乐的最流行的形式,VHS录像机也已经完成其一统天下的大业。

从这一点就可以看出,一种新技术接受水平的数量变化,能够导致技术作用本身的质量变化。电视是另一个例证。在1946年,美国销售了1万台电视机,第二年只卖了1.6万台。然而,紧接着,在1948年,这个门槛被跨过了,数量一下增加到19万台。随后的几年里,分别是100万、400万、1000万,然后稳定增加到1955年的3200万台。随着电视机的销量增加,越来越多的人投资创建电视节目,这又反过来激刺人们去买电视机。

有声激光盘(CD)录音机和激光唱盘被介绍到市场上的头几年,销量并不佳,部分原因在于很难找到有很多曲目的音乐库。然后,似乎是一夜之间当足够的激光唱机出售而音乐曲目也可以找到的时候,接受的门限就被跨越了。更多的人购买激光唱机,因为能找到更多的音乐曲目,录音公司使得更多的音乐曲目可供CD使用。音乐爱好者喜欢新的高质量的声音和光盘带来的方便,于是它们便成了事实标准,使得LP从此退出了唱片销售店。

计算机行业学到的最重要的教训之一是，计算机对其用户的价值大小取决于质量和可供计算机使用的各种应用软件。我们工业界的所有人士都学到了这一教训，有的是高兴地学到的，有的是痛苦地学到的。

在 1980 年夏天，两个 IBM 特使专程来到微软公司讨论他们究竟是否要制造一种个人计算机。

那时候，IBM 的地位在硬件领域是无可匹敌的，它占据了 80％以上的大型计算机市场，在小型计算机方面只取得不尽人意的成功。IBM 过去常常出售大且昂贵的机器给大主顾。IBM 的管理部门怀疑像 IBM 这样有 34 万雇员的大公司，假如想要在未来的任何时候向个人和公司出售小而廉价的机器是否需要外人的帮助。

IBM 想要在不到 1 年的时间里，就把它自己的个人计算机推向市场。为了完成这一计划，它就必须抛弃它过去在制造所有硬件和软件时都独自制做的传统作法，因此，IBM 选择主要从人人都能找到的已有元件中来制造自己的个人计算机。这就造成了一种具有根本开放性的平台，它使得拷贝变得容易了。

尽管 IBM 通常自己制造用于其计算机中的微处理器，它仍然决定向英特尔公司购买用于它的个人计算机的微处理器。对微软公司来说，最重要的是，IBM 决定向我们要操作系统的许可使用权，而不是由它自己来设计这一软件。

和 IBM 设计组一起工作的时候，我们为 IBM 制定了一项计划，建造出第一台使用 16 位微处理芯片 8088 的个人计算机。从 8 位上升到 16 位将会使个人计算机从一种计算机爱好者手中的玩具水平提高到大容量商业工具的水平。属于16 位的这一代计算机可以支持整整 1 兆内存——相当于 8 位计算机的 256 倍。起初，这只不过是一种理论上的优势，因为 IBM 公司最初只想提供 16K 内存，即全部可能内存的 64 分之 1。由于 IBM 决定在其计算机的其余部分使用仅采用 8 位的芯片连接从而节约其成本，这就进一步减少了升级为 16 位所产生的好处。结果，这个芯片可以"思考"的速度，远远快于它可以通信的速度。然而，使用 16 位处理器的决定是很精明的，因为这就使得 IBM 个人计算机至今还保留着个人计算机的标准。

颇负声望的 IBM 由于决定采用开放式设计，使得其他公司可以拷贝，就使它得到了一个真正的机会来创建一种崭新的广泛的个人计算机标准。我们也想参与其中。所以，我们承担了设计操作系统的任务。我们向另一家西雅图公司买下了其早期的一些成果，并雇佣了它的最拔尖的工程师——蒂姆·帕特森。这个系统经过大幅修改之后，成了微软公司的硬盘操作系统，或简称 MS-DOS。蒂姆事实上成了 MS-DOS 的鼻祖。

我们的第一个特许权使用商 IBM 把这种系统叫做 PC-DOS。PC 是个人计算机（Personal Computer）的缩写形式。IBM 个人计算机于 1981 年 8 月被推向市场，并取得了成功。该公司的促销工作做得很出色，使得 PC 这个术语变得众所周知。这项计划是由比尔·洛文构思，再在唐·埃斯特吉的指导下最后完成。这是颂扬 IBM 公司职员品德的赞歌，赞扬他们能够在不到一年的时间里就把他们的个人计算机由想法变为现实，推向市扬。

　　这一点现在没有多少人还记得起，但是最初的 IBM 个人计算机实际上可以选择装入三个操作系统——即我们的 PC-DOS、CP/M-86 和 UCSD Pascal P-System. 我们知道三个系统中只有一个能够成功，从而成为标准。我们需要有像把 VHS 录像带推入每一个录像带商店那样的同一类的力量，使 MS-DOS 也成为一个标准。我们看到有三种方法使 MS-DOS 名列前茅。

1981 年 IBM 公司生产的个人计算机

第一种就是要使 MS-DOS 成为最好的产品。第二种就是帮助别的公司编写以 MS-DOS 为基础的软件。第三种是要确保 MS-DOS 价格便宜。

我们和 IBM 做了一笔令人难以置信的交易——即只交低廉的一次性费用，就使该公司在所销售的许多计算机上使用微软公司的操作系统。这就使得 IBM 有了动力去推广 MS-DOS，廉价地销售它们。我们的策略成功了。IBM 以大约 450 美元的价格出售 UCSD Pascal P-System，以 175 美元出售 CP/M-86，而以 60 美元出售 MS-DOS。

我们的目的不是要直接从 IBM 那里赚钱，而是要从出售 MS-DOS 特许权赚钱，有的计算机公司想要提供或多或少的与 IBM 个人计算机兼容的机器，我们就把 MS-DOS 的特许权出售给这些公司。IBM 可以免费使用我们的软件，但是它对未来的升级版软件并不能享有独占使用权和控制权。这就使得微软公司做起了把软件平台的特许使用权出售给个人计算机工业的生意。结果 IBM 放弃了 UCSD Pascal P-System 和 CP/M-86 的升级版本。

用户们充满信心地购买 IBM 个人计算机，在 1982 年，软件开发者们开始抛出在这一 DOS 下运行的应用程序。每一新的应用程序都增加了 IBM 个人计算机作为潜在的工业界的事实标准的实力。很快地，大多数新的和最好的软件，例如，Lotus 1-2-3 以 DOS 为平台编写出来了。米奇·卡帕和乔纳森·萨克斯创造了 1-2-3，使得制表软件产生了一场革命。最初的电子制表的发明者，丹·布里克林和鲍勃·弗兰克斯顿所设计的产品 VisiCalc，值得大加赞扬，但是 1-2-3 一出现，它们就立刻黯然失色了。米奇是一个极富魅力的人，他的折中背景——既是一位硬盘操作者又是一位有关超验思维的讲演者——具有典型的最佳软件设计师的背景。

一个正反馈循环开始趋动个人计算机市场。一旦开了头，成千的软件应用程序就出现了。不计其数的公司开始制造内置卡或"附件卡"，这些卡扩展了个人计算机的硬件能力，软件和硬件珠联璧和所带来的好处使个人计算机的销售量远远超了 IBM 的预期销量——成百上千万地增加。正反馈循环为 IBM 循环出数十亿美元。有好几年，所有商用个人计算机中的半数以上是 IBM 的产品，其余的大多数产品也与它兼容。

IBM 标准成了每个人模仿的平台。其主要原因在于机遇和它使用的 16 位处理器。抓住机遇和市场促销是技术产品得到承认和被接受的关键，个人计算机碰巧是一种好机器，但另外一个公司本来也可以通过得到令人满意的应用程序和销售足够的机器来树立其标准的。

IBM 的早期商业决策主要是由它急于推出个人计算机产生的，所以很容易让别的公司制造兼容机。内部结构可以出售。英特尔的微处理器芯片和微软操作系统也可以买到，这种开放性对于元件制造商、软件开发者和计算机行业里每个想要复制的人来说，都具有一种强大的诱惑力。

在三年之内，几乎所有的个人计算机竞争标准都消失了，唯一的例外是苹果公司的苹果二型（Apple Ⅱ）和 Mac 机（Macintosh）。惠普、DEC、德州仪器公司和施乐诸公司，尽管在技术声望和用户方面都有很强的实力，但在 80 年代初期的个人计算机市场上均告败北。原因在于它们的机器缺乏兼容性，而且没有对 IBM 内部结构提供足够的重大改进。

一批暴发户，如雄鹰和北极星公司，则认为人们会买它们的硬件，因为它们的硬件提供了某些比之 IBM 个人计算机不同的或略胜一筹的东西。所有这些暴发户，若不改弦易辙制造兼容性硬件，就只好宣告失败。IBM 个人计算机成了硬件标准。到 80 年代中期，有了数十种与 IBM 兼容的个人计算机。虽然一个个人计算机的买主可能不会这样说，但是他们寻找的是一种能够运行大多数软件的硬件，他们需要那种他们的熟人和同事都有的同一种系统。某些修正主义历史学家，常常下结论说：IBM 与英特尔和微软公司联姻生产个人计算机是一个错误。他们争辩说：IBM 本来应该保持它的专有的个人计算机结构，而英特尔和微软公司好像比 IBM 稍强一点。但是这些修正主义者的话可谓不得要领。IBM 之所以会成个人计算机行业中的中流砥柱，完全是因为它具有一种强劲的企业活力，能够笼络住一大批富于创见性的人才，使之能够促进其开放结构。IBM 树立了这些典范。

在主计算机行业，IBM 更是一位山大王。竞争者们发现很难在高质量的研究和开发方面与 IBM 争雄。如果一个竞争者妄图登山，IBM 就可以集中全力加以阻止，使之几乎无法攀登。但是在个人计算机的沧桑世界中，IBM 所处的地位很像一位马拉松赛中的领先者。只要领先者保持原速，或者比其他人跑得更快，他就一定总是处于领先地位，其他竞争者们只好尾追不舍。可是，一旦他有所放松，或是不再奋力拼搏，别的人就会超过他。对别的长跑者而言，却没有很多障碍物，这一点很快就会清楚的。

到 1983 年，我想我们的下一步应该是开发一个图形操作系统。我不相信我们能够只靠 MS-DOS 就能保持我们在软件产业先锋的位置，因为，MS-DOS 是一种字符型操作系统，用户必须要用键盘把常常难以理解的指令敲进去，然后才在屏幕上显示出来。MS-DOS 没有提供图像及别的图形来帮助用户使用各种应用程序。用户界面是计算机和用户之间进行交流的通道。我相信将来的用户界面是图形的，这对于微软公司是至关重要的，只有这样，它才能超越 MS-DOS，创建一种新标准，使图形和文字（印刷字体）成为便于使用的用

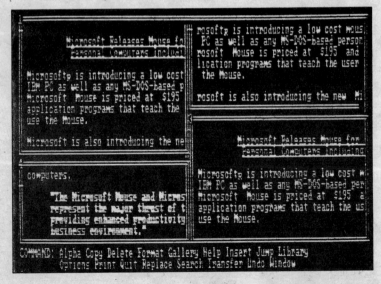

1984 年，在 DOS 环境下微软 Word 早期版本的字符型用户界面

户界面的一部分。为了实现我们的想法，就必须使个人计算机用起来更方便——不仅仅有助于现有的用户，也会吸引那些不愿意花时间来学习使用复杂界面的新用户。

为了阐明字符型计算机程序与图形计算机程序的巨大差别，请想象在计算机屏幕上玩一种桌面游戏，如象棋、跳棋、围棋或强手棋。在一种字符型操作系统下，你用字符把你的棋路着法用键盘敲入。你敲入"把第 11 格上的棋子移到第 19 格"，或者敲入稍微神秘点的东西，如"卒到 QB3"。但是在一个图形计算机系统里，你看得见屏幕上的台面游戏，可以指着并移动那些棋子，把它们拽到新的位置上。

施乐在加利弗尼亚州著名的帕洛阿尔托研究中心的研究人员研制出了人机交互的新模式。他们展示出如果你能指向屏幕上的东西并看到图像，那么就容易指挥计算机。他们使用了一种叫做"鼠标"的装置，它可以在平面上滑动使一个箭头符号在屏幕上四处移动。施乐没有兴师动众的利用这一开创性思想取得商业利益。因为它的机器价值昂贵，并且没有使用标准的微处理器。把伟大的研究成果转化到销售看好的产品中去，对许多公司来说仍然是一个颇棘手的问题。

1983 年，微软公司宣布，计划在 IBM 个人计算机上引入图形计算功能，这个产品叫做 Windows。我们的目标是要设计一种可以超过 MS-DOS 的软件，让人们使用鼠标，在计算机屏幕上处理图像，并使若干"窗口"可以在屏幕上调用，每一个窗口运行不同的计算机程序。那个时候，市场上有两种个人计算机具有图形处理能力，它们是施乐 Star 和苹果 Lisa。这两种计算机的价格都很贵，能力有限，并且建立在一

种专门的硬件结构上。其他的硬件公司不可能申请这种操作
系统的特许使用权来建立兼容的系统,这两种计算机也都不
能吸引足够多的软件公司来开发应用程序。微软公司想要创
建一种开放标准,将图形处理能力赋予所有运行 MS-DOS 的
计算机。

第一个大众型图形平台于 1984 年走向市场,那时候苹
果也推出了它的 Mac (Mascintosh) 机。在 Mac 机的自成体
系的操作系统上,一切都是图形的,这是一种巨大的成功。苹
果公司最初推出的硬件和操作系统软件还有相当的局限性,
但也生动地显示了图形界面的潜力,随着硬件和软件得到进
一步改进,这种潜力便发挥出来了。

在开发 Mac 机的整个过程中,我们都和苹果公司紧密合

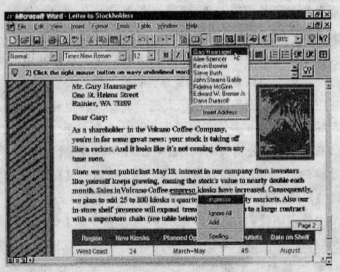

1995 年,在 Windows 环境下的微软 Word 的图形用户界面

作。斯蒂夫·约勃斯领导了 Mac 机研制小组，和他一块工作真有趣。斯蒂夫有一种从事工程设计的令人惊讶的直觉能力，也有一种激励世界级人物向前的特殊本领。

要开发出图形计算机程序需要极大的想象力。图形的外表该是什么样的？它应该如何运行？有些想法借鉴了施乐的已有成果，另外一些则是独创的。一开头，我们尽了最大努力来挖掘一切潜力。我们几乎用过每一种我们能用上的字体和图标，然后，我们勾画出所有那些不太中看的图形，接着

1984 年，苹果公司生产的 Macintosh 计算机

对它们加以更改，使之成为更理想的菜单。我们为 Mac 机设计出了一个文字处理器"微软 Word"和一个表格软件"微软 Excel"。这就是微软公司的第一批图形产品。

Mac 机有了不起的系统软件，但是苹果公司一直到 1995 年都一直拒绝让任何别的厂商制造可以运行这种系统的计算机硬件。这是一种公司传统的硬件公司思维方式，如果你想要软件，你就必须买苹果计算机。微软公司想要 Mac 机销售得好，得到广泛接受，不仅仅因为我们为此投资了大量资本设计应用程序，而且也因为我们想要让公众接受图形处理程序。

苹果公司为了它自己的硬件而决定限制销售它自己的操作系统软件，这种错误，在未来的年代还会时常重演。某些电话和有线电视公司只能用它们所能控制的软件进行通信。

要能在同一个时间里既竞争又合作，这种局面变得越来越重要了，但是这就要求在许多方面条件都很成熟。

把硬件和软件分离是在 IBM 和微软公司合作设计 OS/2（一种操作系统软件）过程中的一个重大议题。软件和硬件标准相脱离的问题直到今天仍然是一个争议的焦点。软件标准为硬件公司确立了一个平等的赛场。但是许多厂商却使用它们的硬件和软件结点来区分它们的系统。有的公司把它们的软件和硬件看成是互不牵涉的业务，另有些公司则不这样看，这些不同的做法在信息高速公路上将会重演。

在整个 80 年代，无论从哪一个角度来说，无论用哪一种资本主义衡量标准来看，IBM 都是令人望而生畏的。1984

年，它在一年之内创立了任何公司都没有达到过的最高利润记录——利润达 66 亿美元。在那个创收之年，IBM 推出了它的第二代个人计算机，一种高速运行的机器——PC AT，它里面安装了英特尔 80286 微处理器（通称 286）。它比原来的 IBM 个人计算机速度快 3 倍。AT 是一个巨大的成功，一年之内，它的销量占所有个人计算机销售总量的 70% 以上。

当 IBM 率先制造最初的个人计算机的时候，它从没有指望这种机器会向公司的商业系统销售量挑战，尽管个人计算机的绝大部分被 IBM 的老主顾所购买。公司的执行人员认为小型的机器只能在市场的低档产品中找到出路。随着个人计算机变得越来越有声势，IBM 为了避免它们吞噬自己的高档产品，便停止了对个人计算机的开发。

在主计算机业务中，IBM 一直有能力控制新标准的采纳。例如，公司可以限制一组新硬件的价格/性能比，这样它就不会从已有的、较昂贵的产品那里抢走生意。公司也可以发行需要新的配套软件的硬件，或者反过来，从而鼓励用户采纳新版本的操作系统。这种策略对于主计算机可能颇为奏效，但用于迅速发展的个人计算机市场却一败涂地。同样性能的机器，IBM 可能仍然会卖得好价钱，但人们已发现许多公司生产兼容硬件，如果 IBM 不能提供价值适当的产品，别的公司会的。

有三位工程师，看准了 IBM 进军个人计算机市场带来的机会，辞去了德州仪器公司的工作，组建了一家新公司——康柏计算机公司。他们生产的硬件，采用与 IBM 个人计算机相同的附件卡，并获许使用 MS-DOS，这样他们的计算机就可以与 IBM 个人计算机运行同样的应用软件。他们生产的计算机与 IBM 个人计算机的功能完全相同，却更便于携带。康柏立即成为美国商业界一个空前成功的范例，仅开业头一年就售出价值达一亿多美元的计算机。IBM 可以通过发放专利使用许可证而收取版权费，但它的市场份额却不断减小，因为各种兼容系统开始闯入市场，而且 IBM 的硬件不具有竞争性。

IBM 公司推迟发售装有英特尔 386 芯片（286 芯片的替代产品）的个人计算机。这样做是为了保护低档小型计算机的销售，这种小型计算机不比 386 个人计算机的功率大多少。在这种情况下，康柏公司在 1986 年首次独家推出 386 计算机。康柏公司因而声望陡增，颇有领袖气概，而先前这一切是非 IBM 莫属的。

IBM 计划从两方面出击，挽回颓势，先是硬件，而后是软件。它想生产计算机，同时编写操作系统，由于它所具有的许多新特点，二者之间相互依存，这样竞争对手不是被挤垮，就是被迫付出高昂的许可费。这一战略目的在于淘汰与 IBM 兼容的个人计算机。

IBM 的战略中有一些很好的想法。其中之一，把许多原来作为自选的应用软件输入计算机中，从而简化个人计算机的设计。这样会在降低成本的同时，增加 IBM 部件在最终销售中的份额。这一计划也要求硬件构造上有实质性的改变：新的连接器，新的附件卡标准，新的键盘，鼠标，甚至显示器。为使自己获得进一步优势，IBM 直到发送出第一批系统后，才公布这些连接器的规格。这是试图重新界定兼容标准。

其他个人计算机生产厂商和外围设备制造商必须重新开始，IBM 则会再领风骚。

直到 1984 年，微软业务的一大部分是向生产与 IBM 系统兼容的个人计算机厂商提供 MS-DOS。我们开始同 IBM 联合开发 MS-DOS 的替代系统，最终命名为 OS/2。协议规定，微软可以向其他厂商出售 IBM 发送出的计算机所采用的操作系统。双方可以各自进一步发展共同开发出的操作系统。这次的情形与开发 MS-DOS 时不同。IBM 想控制标准，促进其个人计算机硬件和主计算机业务。IBM 直接参与了 OS/2 的设计与执行。

OS/2 是 IBM 全公司软件计划的核心部分。这是 IBM 系统应用结构的首次执行，公司最终希望把它作为一个通用开发环境，在从主计算机到中型计算机到个人计算机的一系列计算机上应用。IBM 的经理们认为在个人计算机上应用公司的主计算机技术，对用户来说会有着不可抗拒的吸引力，这些用户正把力量从主计算机和小型计算机上转移到个人计算机上。他们还认为 IBM 会占尽个人计算机竞争对手的优势，因为竞争对手没有主计算机技术。IBM 的 OS/2 专利扩展版本（称为"扩展版本"）包括有通信和数据库服务功能。它计划在扩展版本基础上建起一整套办公室应用系统，称为办公视野（OfficeVision）。按照该计划的预测，IBM 有了这些应用软件，包括文字处理软件，就会成为个人计算机应用软件方面的主力，同 Lotus 和 WordPerfect 一显身手。开发"办公视野"需组织几千人的开发组。OS/2 不仅仅是个操作系统，这是公司改革运动的一部分。

开发工作困难重重，项目不仅要满足相互矛盾的特性的需要，又受制于 IBM 公司为"扩展版本"和"办公视野"规定的进度安排。微软公司迎难而上，开发 OS/2 应用软件，帮助启动市场，但随着时间的推进，我们对于 OS/2 的信心大减。项目开始时，我们认为 IBM 会让 OS/2 与 Windows 大体相当，软件开发者只需稍加修改，就可以使一个应用程序在两个平台上同时运行。但 IBM 一再坚持应用软件必须与其主计算机和中型系统兼容，我们所开发的软件到头来更像拙笨的主计算机操作系统，而不是个人计算机操作系统。

与 IBM 的业务关系对我们来说是生死攸关的。1986 年，我们决定让微软公司公开上市，以便为获得股权的雇员提供流动资金。大约在那个时候，史蒂夫·鲍尔默和我向 IBM 提出建议，让 IBM 公司以优惠价格收购微软公司 30% 的股权，这样就可以和我们甘苦共享。我们认为这有助两家公司的合作更融洽，更富有成效，但 IBM 却不感兴趣。

我们竭尽全力确保与 IBM 联合开发操作系统的工作获得成功。我感到这个项目对两家公司来说都是通往未来的门票。然而，事与愿违，它却在我们之间造成了很大的隔阂。我们的项目组在西雅图市郊工作，IBM 的项目组分别在佛罗里达州的勃犬·拉硕市、英国的赫斯莱·帕克市，后来又在德克萨斯州的奥斯汀市工作。

不过，地理问题相对于 IBM 主计算机传统带来的问题简直是小巫见大巫。IBM 以前的软件项目不受个人计算机用户的欢迎，几乎都是因为他们在设计时心里想的是主计算机用户。例如，OS/2 的一种版本启动准备需 3 分钟，这对他们来说不算什么，因为在主计算机的世界，启动时间长达 15 分钟。

IBM 公司的雇员超过 30 万人，力求全公司范围的意见一致，束缚住了它的手脚。公司的各部门都可以提交变理设计的申请，这些申请常常是要改变个人计算机系统软件，使之更符合主计算机产品的需求。我们曾收到了 1 万多个这类申请，IBM 和微软方面的杰出人士要为此坐下来讨论好几天。

我还记得第 221 号申请："把字体从产品中去掉。原因：提高产品的实质内容。"IBM 中有人不想让个人计算机操作系统提供多种字体选择，因为有一种 IBM 主计算机打印机无法处理多种字体。

最后，事情变得很清楚，联合开发无法进行。我们请求 IBM 让我们独立开发新的操作系统，然后廉价出售使用许可权给他们。我们可以通过向其他计算机公司出售使用许可权赚钱。但 IBM 宣布它的编程人员必须参与公司认为具有战略性的软件的开发工作。操作系统软件显然属于此类。

IBM 是这样了不起的公司。为什么在开发个人计算机软件方面遇到这样多的困难呢？答案之一是 IBM 大量提拔优秀的编程人员进入管理层，结果留下一批平庸之辈。更重要的是 IBM 受到过去成功的困扰。它的传统工程工艺已不适于个人计算机软件的快节奏和市场需求。

1987 年 4 月，IBM 展示了它的一体化硬件/软件，这是用来击败仿效者的。这种硬件（Clone-killer）名为 PS/2，运行新的操作系统 OS/2。

PS/2包括些革新项目，最著名的是新的"微通道总线"（Microchannel bus）电路，可以让附件卡接到系统上，或者让个人计算机硬件扩展以满足特定的用户需求，诸如声音或主计算机通信能力。每个兼容计算机都包括有一个硬件-连接"总线"结构，使这些卡与个人计算机一起工作。PS/2的微通道是PC AT中的连接总线的精致的替代品。但它解决的问题却是用户没有碰到的。它潜在的速度比PC AT机的总线大得多。但实际上总线的速度却没有影响任何人的工作，因此用户们没能从这一新实现的速度中获得多大的好处。更重要的是，微通道无法与PC AT机及其兼容机的成千上万种内置卡中的任何一种一道工作。

最后，IBM公司终于同意让插件板和个人计算机的生产厂商在交纳一定版税的前提下使用微通道技术。可是到这时候，一个生产厂商之间的联盟已经宣布找到了一种新的总线，它不仅具有微通道的许多能力，而且与PC AT总线兼容。顾客们拒绝接受微通道，他们偏爱能与老的PC AT总线兼容的机器。为PS/2系统补充生产的插件板的数量一直不能企及PC AT兼容系统上可使用的数量，这令IBM公司不得不继续生产以支持老的机器。真正的不幸后果是，IBM失去了对这个计算机体系结构的控制力量，他将再也不能重演单枪匹马令这门产业按一个新的设计方案发展的辉煌。

尽管IBM公司和微软公司都做了大量的促销工作，客户们依然认为OS/2过于庞大、笨重和复杂。OS/2看起来越糟糕，Windows相形之下就越被看好。既然我们已经失去了令Windows和OS/2兼容的机会，也失去了令OS/2在较普通的机器上运转的机会，那么继续发展 Windows 系统对我们还是有意义的。Windows 要"小"得多——也就是说它占据的硬盘空间更少，可以在一台内存更小的机器上工作，因此那些根本无法使用 OS/2 的机器上倒可能有它的用武之地。我们把这称为"家族"战略。换句话说，OS/2 将作为高级（终端）系统，而 Windows 则是家族中的较低级成员，用于小型机器。

IBM 总是对我们的家族战略耿耿于怀，不过它也有它自己的计划。1988 年春，它与其他计算机生产厂商联手为促销 UNIX 建立了所谓"开放式软件基金会"（Open Software Foundation）。UNIX 原是一个 1969 年由 AT&T 公司的贝尔实验室开发出来的操作系统，但这些年以来由它已衍生出了各种不同的版本。有些版本是在大学里开发出来的，因为这些大学用 UNIX 作为操作系统理论的工作实验室。其他版本则出自计算机公司。每家公司都对 UNIX 作了改进，以适应它自己的计算机，结果使得各公司的操作系统之间无法兼容。这就意味着，UNIX 已不再是某一个开放式系统，而是一组互相竞争的操作系统的集合。所有这些差异使得软件的兼容更难实现，并阻碍了一个强大的、UNIX 的第三方软件市场的出现。只有少量的软件公司有实力为 UNIX 的十来种不同版本一一开发并测试其应用程序。另外，计算机软件库也无力存放所有这些不同版本。

志在"统一"UNIX，创造一种能在各种各样出自不同厂商的硬件上工作的共同的软件体系结构的尝试有好几种，"开放式软件基金会"是其中最有前途的。一个统一了的 U-

NIX 理论上是可以实现正反馈循环的。然而，尽管"开放式软件基金会"投资浩大，结果却表明它不可能指望一个由每笔买卖而竞争的销售商组成的委员会内部会有合作，就算它下强制性命令也办不到。"开放式软件基金会"的各个成员，包括 IBM，DEC 以及其他公司，都继续为他们自己的 UNIX 的版本能创利而努力。诸 UNIX 公司提出：给用户们提供更多的选择余地能令他们获益。可是，一旦你买了哪一家的 U-NIX 系统，你的软件就不可能自动地在任何其他一种系统上操作了。这意味着你就被"吊死"在那家公司上，而在个人计算机世界里，恰恰相反，你有选择在何处购买你的硬件的自由。

"开放式软件基金会"及其他相似的创举所面临的问题，表明了在一个技术发展迅猛，日新月异，且组成标准委员会的所有公司彼此又恰是竞争对手的领域内，试图人为地制订一个标准是困难的。计算机或消费电器领域的市场之所以采纳某些标准，是因为用户坚持要标准。标准的目的是保证通用操作性，最大限度地降低用户所需的训练程度，同时当然也要培养规模尽可能大的软件产业。任何想要创立标准的公司必须极其合理地给它定价，否则它就不会被采用。市场总是能有效地选择一个合理定价的标准，并在这个标准过时或过于昂贵时，找一个更好的取而代之。

今天提供微软操作系统的不同厂商有几百多个，这给了用户选择的余地。微软一直能提供兼容性，因为硬件制造商已达成协议，禁止对我们的软件进行任何修改，只要这种修改将引入不兼容性。这意味着数以十万计的软件开发者无需为他们的软件将应用于何种个人计算机上而挂怀。虽然"开放式"这个词可用在多种不同的意义上,对我来说,它的意思就是为顾客提供随意选择种种硬、软件应用程序的机会。

消费者电器行业也从私人公司操纵的标准中获益了。数年以前,消费电器公司还曾经限制竞争对手使用自己的技术,而今天所有主要的消费电器生产商都相当乐意准予其他厂商应用他们的专利和商业秘密。他们产品的特许使用费通常为设备成本的百分之五以下。录音带、家用录像带、CD 盘、电视和移动式电话都是这类由私人公司开发出来之后,向每个生产这种设备的厂商收特许使用费的技术的实例。所谓道尔比实验室算法系统,打个比方说,就是降低磁带噪声时使用的既成事实的标准。

在 1990 年 5 月,Windows 3.0 投入市场前的最后几周内,我们试图与 IBM 达成一项共识,即它应允许在它生产的个人计算机上使用 Windows 系统。我们告诉 IBM:依我们之见,尽管一段时间之后 OS/2 能在市场上站稳脚根,但目前受人欢迎的将是 Windows,而 OS/2 将慢慢地找到它的立足之地。

1992 年,IBM 和微软公司中止了它们发展 OS/2 的合作。IBM 单方面继续它发展这个操作系统的努力,而发展"办公视野"的雄心勃勃的计划则最终被取消了。

据分析员们的估计,IBM 在 OS/2,办公视野及其其他有关的项目中投资了 20 亿美元以上。要是当初 IBM 和微软公司找到了在一起合作的方法的话,数以千计的年人力额——而且是两家公司的最好的职员中一部分人生命中最好的年

头——就不会被白白浪费了。要是 OS/2 和 Windows 彼此兼
容的话，图形式计算机就能提前好几年成为主流了。

就因为大多数主要的软件应用公司不肯对其投资，图形
界面也迟迟得不到大众的接受。那些公司都相当轻视 Macin-
tosh 和 Windows，甚至拿后者来取笑。Lotus 和 Word-
Perftct，这两个在电子表格和文字处理的应用程序方面的市
场领先者在 OS/2 上也只作了些微薄的努力。回想起来，这是
一个错误，而且，最终会是一个要为之付出昂贵代价的错误。
当众多小型软件公司纷纷应用 Windows，从而形成了一个正
反馈循环令 Windows 最终获利之后，那些没有尽快转向
Windows 的大公司们就因它们的迟缓而落在后头了。

Windows 也和个人计算机一样，在继续发展。微软公司
一直在往不同的版本上加入新的功能。任何人都可以开发在
Windows 平台上工作的应用软件而无需事先通知微软公司
或得到它的允许。事实上，目前市场上可以买到的在平台上
工作的软件包数以万计，其中有的在与大多数微软公司自己
的应用程序竞争客户。

用户们向我表示了他们的这样一种忧虑：因为微软公
司，根据定义，是微软公司操作系统软件的唯一来源，那么
它就可以任意抬高价格，放慢甚至完全终止软件革新的步
伐。然而如果我们这么做，就不会有能力售出自己的新版本。
现存的用户不会更新他们的设备，而新用户我们也得不到。
我们的利润将减少，大量的别的公司将竞相争夺我们的位
置。正反馈机制不仅能帮助在位的元老，而且能帮助后起的
挑战者。你不能高枕在从前的桂冠上休息，因为总有竞争对

手从你身后向你逼近。

没有任何产品能不经改进而一直处于领先地位,甚至连VHS 标准也会被淘汰,只要出现了价格合理的、更先进的制式。事实上,VHS 的时代已接近尾声。随后的几年内,我们将看到新的数字式磁带的格式,以及像 CD 唱盘记录音乐一样记录故事片的数字式影碟,而到最后,信息高速公路将能开展例如点播式电视这样的新式服务,VHS 将不再被需要。

MS-DOS 目前也正在被淘汰,尽管它作为个人计算机上的首要操作系统具有惊人的威力,但它正在被一种图形用户界面的系统所取代。Macintosh 软件本来有可能成为 MS-DOS 的接班人的,OS/2 和 UNIX 本来也有可能。目前的局势看来是 Windows 占了领先地位。然而,在高科技领域,此刻领先甚至不能保证在不远的将来还会领先。

为了跟上硬件的进步,我们已不得不提高我们的软件技术。如果现在的用户已采用了我们的软件,那么随后的每种版本只有受到新用户的欢迎才将是成功的。微软公司将不得不竭尽全力使新版本在价格和特性上都极有吸引力,这样人们才会有意更新软件。由于每次变化对开发者和用户来说都牵涉到一笔庞大的费用开支,这并非易事。只有重大的飞跃才有能力说服足够多的用户,令他们相信更换新软件是值得的。当创新达到了一定程度后,这是可以实现的。我期待每两三年都有重要的、新一代的 Windows 系统出现。

当世界各地正在研究环境与停车场的时候,新的竞争的种子也正在不断地播下。例如,Internet 正逐渐变得如此重要,以至于只有 Windows 在被清楚地证明为是连接人们与

Internet 之间的最佳途径之后，才可能兴旺发达起来。所有的操作系统公司都在十万火急地寻找种种能令自己在支持 Internet 方面略占上风、具有竞争力的方法。一旦语音识别变得真正可靠之后，这还将引起操作系统领域中的另一场重大变革。

在我们这一行里，事物发展如此迅速，以致我们没有多少时间能用于回顾。但是，我极为重视我们所犯过的错误，同时也试图重点讨论未来的机遇。承认错误并且确保自己从中学到了一些东西是重要的。另外，确保没有人因为认为他将为发生的错误受到惩罚，或者认为管理人员并不在努力解决存在的问题，而试图回避新的尝试，也是重要的。单单一个错误很少有可能引起致命的后果。

最近，在娄·格斯特纳的领导下，IBM 的工作效率大为提高，既恢复了盈利，也恢复了从前积极的、对未来的重视。尽管主计算机销售利润持续下跌依然是 IBM 面临着的一个问题，它仍然会是为商业和信息高速公路提供应用产品的主要公司之一。

近年来，微软有意聘用了一些曾在逐渐败落的公司里工作过的经理。当你的事业在走下坡路时，你就不得不发挥自己的创造性，夜以继日地潜心思考。我想让我们的公司中有一些经历过此境界的人。微软将来肯定会遇到挫折和失败，而我想要那些已证明了自己在逆境中能干得出色的人们聚在我们的麾下。

一个市场上的领先者也有可能很快就如昙花般败落。到你失掉了正反馈循环的时候才想到要改变自己的所作所为常常已为时过晚，那时构成一个负螺旋线的所有成份都已开始发挥作用。在你的企业看起来再健康不过的时候意识到自己正处于危机之中并对其做相应的反应是困难的。那将会是建设信息高速公路的诸公司要面临的悖论之一。它令我警醒。我从未预料到微软会发展到如此大的规模，而今天，在这个新时代初始之际，我颇意外地发现自己竟是所谓"既有体制"的一部分。我的目标是要证明：一个成功的公司可以自我更新，继续做时代的弄潮儿。

第四章

应用程序和应用装置

我年幼的时候，艾德·苏丽汶节目通常在周日晚 8 点播出。大多数有电视机的美国人总是尽量赶回家观看此节目，因为只有在这个时间、这个节目里，人们才能看到甲壳虫乐队、猫王、诱惑者或者是那位能同时在 10 只狗鼻子上旋转 10 个盘子的老兄。但如果那时你碰巧正驱车从祖父母家里回来，或者正风尘仆仆于童子侦察兵野营途中，那就太糟糕了。周日晚上 8 点没有赶回家就意味着第二天早晨别人津津有味地谈论前一天晚上的节目，却没有你的份。

常规电视允许我们选择观看某一节目，但却不允许我们任何时候都能看到该节目。这种广播的技术术语叫"同步"。观众的日程必须与节目播出的时间同步。这是我 30 年前观看艾德·苏丽汶节目时的情况,我们大多数人现在看今晚新闻的情况仍然如此。

本世纪80年代初,录像机给了我们更大的灵活性。如果你很喜欢一个节目,你就可以用定时器和录像带把它事先录下来,这样,只要你想看就可以随时看。你还有权要求广播员让你奢侈一点,即按照你的时间安排播出节目——成百万的人都这样。电话交谈也是同步的,因为双方必须同时在场。在你把电视节目录下来或者让一个自动应答机录下一个打进来的电话时,同步通信就转变成一种更方便的形式:"异步"通信。

人类一直在寻找将同步通信变成异步形式的方法。五千年前,文字还未发明出来,唯一的通信形式就是口头语言。听众必须与讲话者同在,否则就得不到他的信息。一旦信息可以书写下来,就能被保存起来,而且任何人都可以在以后方便的时候阅读它。我是1995年初在家里写下这番话的,但我不知道你会在什么时候,什么地方读到它们。

信息高速公路给予我们的一个好处是我们在安排自己的计划时有了主动权。此外还有许多别的好处。一旦通信形式变成了异步形式,选择的可能性和多样性也就得到了提高。即使很少录电视节目看的观众也经常租看电影。在当地录像带出租店里,有数千种带子可供挑选,并且价格低廉,因此本地观众每个晚上都可以观看艾尔维斯、甲壳虫乐队、格利泰·嘉宝的表演。

电视机出现了还不到60年,已对发达国家里几乎每个人的生活都产生了深远的影响。但是,在某种意义上,电视只是商业广播的替代品，商业广播把电子娱乐带进家庭已有20个年头了。然而与未来的信息高速公路相比，这些传播媒体未免相形见绌。

信息高速公路的种种能力虽然被描述得有点近乎魔术，但它们确实代表着可以使我们的生活更舒适更美好的技术。因为消费者已经懂得了电影的价值并且习惯于花钱观看，所以点播式电视将成为信息高速公路上一个重要的应用。我们已经知道，个人计算机间的联网将比电视间的相联早得多，而在早期系统上放映的电影质量不会太高。这些系统将能够提供其他应用，例如游戏、电子邮件和家庭电子银行。当高质量的视频信号可以传递时，就不会再有像磁带式录像机这样的媒介了。你只要从长长的节目单里选出你想看的节目就可以。有限的点播式电视系统已经安装在一些旅馆的高价房间里，以取代或补充昂贵的电影频道。信息高速公路将走入家庭、旅馆、机场甚至飞机都成为这一服务的大实验室，它们为实验提供了一个受控的环境和高层次的观众。

电视节目将会继续和现在一样作为同步消费播送。播出之后，无论你何时想看，你都能看到这些节目以及成千上万的电影和其他各种各样的录像。如果你想观看《圣菲尔德》的下一集，你可以在星期四晚上9点观看，也可以在9点13分或9点45分、甚至在星期日早上11点观看。如果你不喜欢他的这种幽默，你会有几千种其他的选择。你对某一电影或电视节目某一期的点播会被记录下来，然后它们的信息会通过网络传送给你。信息高速公路会令你觉得在你和你感兴趣的事物之间所有的媒介性机器都不存在了。你说明你想要什么，然后刹那间你就能得到它！

电影、电视节目和其他各种数字信息都存储在拥有高容量磁盘的计算机——"服务器"中。服务器为网络上任何需要信息的地方提供信息。如果你想看某部电影、查询事实或检索你的电子邮件，你的要求会通过开关传送到存有所需信息的一台或多台服务器。你勿须知道传送到你家的材料是来自附近还是国家的另一端，何况这一点无关紧要。

所要求的数字数据会从服务器通过开关传送到你的电视机、个人计算机或电话——你的信息设备处。这些数字设备成功的原因与它们的模拟设备先驱成功的原因一样，它们都能在某些方面使生活更为舒适。和把第一台微处理器带入办公室的专用文字处理机不同，这些信息装置将是与信息高速公路相连的、应用广泛、可编程的计算机。

即使节目是实况广播，你也能用红外遥控器在任何时候让它开始、停止或回到节目前面的任一部分。如果有人来拜访，你可以让节目暂停任意长的时间。一切由你控制。当然，你不能预播实况尚未发生的部分。

传送电影和电视节目从技术上做起来比较简单。大部分观众都能明白点播式电视并且欢迎它所提供的自由。用计算机行话来说，它有可能成为信息高速公路中的"招人喜爱的应用程序"。"招人喜爱的应用程序"对消费者来说是很有吸引力的技术应用，它的吸引力使得它能够提供市场动力并成为一项必不可少的发明，这一点连它的发明者都始料未及。就像柔肤露，直到有人发现它还具有驱走蚊虫的功效时，它在拥挤的市场上还只是一种普通的化妆品。现在，也许人们还是为其原有的功能——柔软肌肤——来购买它，但其销量的大增则归因于它的迷人之处。

上面那个用语很新颖，但表达的观念却并非如此。托马斯·爱迪生既是一个伟大的发明家，也是一位伟大的商业领袖。1878 年他创建爱迪生通用电气公司时，他就懂得，要出售电，就必须向消费者展示它的价值——出售只要一拉开关（不管白天还是黑夜）光就会充满房间的观念。爱迪生认为，用电照明会变得非常便宜，只有钱用不完的人才会买蜡烛，这种许诺点燃了公众的想象力。他正确地预见了人们愿意付钱把电力引入家庭以便享用电力技术的伟大应用——照明。

电力作为提供照明的手段在大多数家庭中找到了一个位置，但是很快就增加了一系列附加应用。胡佛公司大大提高了早期电力清扫器的性能。不久以后就出现了电热器、电烤箱、电冰箱、洗衣机、电熨斗、电动工具、电吹风和其他一系列省力的用具。电成了一种基本应用。

招人喜爱的应用程序有助于使技术进步不仅仅成为一种奇珍异品，而是成为一种赚钱的必要手段。一项发明没有迷人之处，不会流行起来，比如三维电影和四轨录放音机这种引人注目的消费电器的失败就是例证。

在第三章中，我提到了本世纪 70 年代文字处理把微处理器带到了办公室里。起初，文字处理是由专用机（比如王安机）提供的，这种机器只能用来创建文件。专用文字处理机的市场以令人无法置信的速度增长，直到它包括了 50 多家公司，年销售总额超过了 10 亿美元。

两三年后，个人计算机出现了。他们运行不同类型应用

程序的能力令人耳目一新。这就是它们的迷人之处。一台个
人计算机可以退出 WS 字处理软件（多年来最流行的文字处
理应用之一），然后启动其他的应用程序，如电子表格程序
VisiCalc 软件包或用于数据库管理的 dBASE。总体来说，WS
字处理软件、VisiCalc 软件包和 dBASE 都有足够的吸引力
令消费者购买个人计算机。它们也是招人喜爱的应用程序。

　　最初的 IBM 个人计算机的第一个招人喜爱的应用程序
是 Lotus-1-2-3，一个可根据机器能力而裁剪的电子表格程
序。苹果公司 Mac 机的招人喜爱的商业应用程序是设计打印
文件的 Aldus Page Maker，微软公司的是用于文字处理的
Word，以及用于电子表格的 Excel。早些时候，用于商业和
家庭中有三分之一以上的 Mac 机是为了台式印刷而购买的。

　　由于通信和计算机两方面技术进步的共同影响，信息高
速公路最终会建成。单方面的进步不能够产生必要的招人喜
爱的应用程序。但是它们的共同进步可以做到这一点。信息
高速公路是必不可少的，因为它能提供综合信息、教育服务、
娱乐、购物以及个人对个人的通信。我们还不能确切肯定所
有必需的组成部分何时建好。其中易使用的信息装置将是一
个关键的组成部分。在紧接着的几年中，能变换不同形式、以
不同速度通信的数字设备会大量增加。我将在后面仔细讨论
它们。目前，知道有许多类似个人计算机的装置可以允许我
们每个人通过信息高速公路与其他人或信息交往就足够了。
这些装置包括许多模拟设备的替代品，其中包括我们身边的
电视机和电话。我们已经肯定保留下来的都是必不可少的。
虽然我们不知道哪种形式将会流行，我们知道它们会成为连

1995 年，一台基于交互媒介服务器的个人计算机

接信息高速公路的应用广泛、能编程的计算机。

许多家庭已经与两种专用的通信基础设施——电话线和电视电缆——相连。当这些专用通信系统变成单一数字信息设备时，信息高速公路就到来了。

电视机看起来不像计算机，也没有键盘，但是内置或外置的附加电子设置会使它成为体系结构上与个人计算机类似的计算机。电视机将通过一个与今天大多数有线电视公司提供的匣子类似的置顶匣与信息高速公路相连。但是这种新的置顶匣将包括一个功能强大、应用广泛的计算机。这个匣子也许会放在电视机里边、后边、上边、地下室的墙上甚至房子外面。个人计算机和置顶匣都将与信息高速公路相连，与开关和网络服务器进行"对话"，检索信息，进行编程并传

一台典型的电视机置顶匣

送订购者选择的东西。

　　不管置顶匣与个人计算机是多么相象，个人计算机的使用方式与电视机的使用方式有着关键的不同：观看距离。今天，三分之一以上的美国家庭中都有个人计算机（不包括游戏机）。最终，几乎每一家都至少会有一台直接与信息高速公路相连的计算机，这是一种当细节起了作用或你想打字时要用的装置。它在离脸孔一至两英尺处设有一台高质量的监视器，这样眼睛便很容易集中注视文本和其他的小图像。一台大屏幕的电视机没有键盘让人使用，也不能提供保密性，虽然它最适合于许多人同时观看。

　　置顶匣和个人计算机接口设备将被设计出来，有了它们，最老的电视机和最流行的个人计算机都可在信息高速公路上使用，但是新的电视机和画面更好的个人计算机将会出现。与杂志上或电影院屏幕上的画面相比，目前电视上的图像相当差。虽然美国的电视信号能有 486 条画面信息线，但在多数电视机上都无法区分开来，典型的磁带录像机只能录下或回放 280 线。因此在电视机上要看清电影末尾的每行工作人员姓名非常困难。通常的电视屏幕与大多数电影院的屏幕形状也不相同。电视机的画面长宽比为 3 比 4，即画面的宽度比高度长三分之一。典型的电影屏幕的长宽比为 1 比 2，即宽是高的两倍。

高清晰度电视（HDTV）系统有 1000 多线，长宽比为 9 比 16，色彩逼真，看起来美丽舒适。但是尽管创造 HDTV 的日本政府和工业一再努力，这种电视并没有流行起来，这是因为它需要昂贵的新设备来发送、接收信号。广告商们不会为资助 HDTV 花额外的钱，因为它并不会使广告更为有效。但是，HDTV 仍然有可能流行起来，这是因为信息高速公路能允许视频以多种分辨率和长宽比来接收。这种可调分辨率的看法对个人计算机用户来说并不陌生，他们可根据监视器和显示卡所支持的情况来决定是选择典型的 480 线分辨率的监视器（VGA），还是选择 600、768、1024 及 1200 线等较高分辨率的监视器。

电视机和个人计算机的屏幕都将继续得到改进，它们会变得更小而且质量也会得到提高。绝大部分将用平面显示。数字白板将是一种新的形式：厚约一英寸，挂在墙上的大屏幕将取代今天的黑板和白板。它既可以显示画面、电影或其他视觉材料，也可以显示文本和其他的细节。人们可以通过在上面书写来画图或列表。控制白板的计算机可以辨认手写的列表，并把它转换成可读的打印形式。这些设备第一次将出现在会议室，然后出现在私人办公室甚至家庭里。

今天的电话将和个人计算机及电视机连接到同一网络中。许多未来的电话上将会有小而平的屏幕以及微型照相机。但是，它们的样子仍然会或多或少地像今天的装置。厨房里将继续有壁式电话，因为它们节省空间。你坐在电话附近，看着屏幕上正在与你谈话的人，或者看他或她传送过来的在生活录像中的早期照片。明天悬挂在洗碗机上的电话、起居室里的置顶匣和书房里的个人计算机在技术上有许多类似之处，但个人计算机将会消除电话形式。在这种情况下，所有的信息装置都会有同样的计算机体系结构。它们的外形因为其功能的不同而不同。

在一个能动的社会里，人们需要在路途中也能有效地工作。两个世纪以前，旅行者常常携带一个"膝上式桌子"，它是一块可折叠的写字板，与薄红木盒相连，盒中有一个抽屉用来放笔和墨水。折叠起来时，它很紧凑；打开时，又有充裕的写字表面。事实上，《独立宣言》就是杰佛逊从家乡弗吉尼亚到费城的漫长的路上、在膝上式桌子上写出来的。今天，可携带的书写装置是一个膝上式、可折叠的个人计算机。许多从办公室到家里都要工作的人，包括我在内，都选择膝上式（或更小的笔记本式）计算机作为主要使用的计算机。这些小计算机可以与大监控器以及办公室里的网络相连。笔记本式计算机还会变得越来越小，直小到只有一个便笺簿那么大。笔记本式计算机是目前最小并最便于携带的计算机，但

1995 年，DEC 公司生产的多媒体笔记本式计算机

不久的将来会出现口袋大小的计算机，上有闪光灯大小的彩色荧光屏。当那个时候你把它拿出来时，没有人会说："哇！你有一台计算机！"

现在出门，你身上要带些什么东西？至少要有钥匙、身份证、钱和一块手表。你也许还要带信用卡、支票本、旅行支票、通讯录、约会记录本、便笺、阅读材料、照相机、袖珍录音机、一台移动式电话、一个寻呼机、戏票、地图、指南针、计算器、电子入门卡、照片，也许还要有一只哨子以便在遇险时寻求帮助。

你能把所有这些以及更多的东西存入另一种信息装置，我们把它叫作袖珍个人计算机。它和钱包一样大小，你可以把它装进口袋或手提袋中。它可以显示信息和时刻表，也能让你阅读或发送电子邮件和传真，记录天气和股票报告，并可以玩简单或复杂的游戏。开会时你可能会做笔记，检查一个你与别人的约会，查看一下信息，如果你感到疲倦还可以翻看你的孩子的几千张容易挑选的照片。

这种新型钱包可以存储无法伪造的数字货币而不是装纸币。当你交给某人一美元钞票、一张支票、礼品券或其他可流通的工具，纸币的转换就代表了资金的转换。但是钱也

一个典型的袖珍个人计算机

可以不用纸币来表示。信用卡付款与汇款都是金融数字信息的交换。将来，袖珍个人计算机会使任何人消费和收入数字资金变得简单。你的钱包可以与商店里的计算机相连来传送货币而不需要在现金收银机进行任何外在的交换。数字现金也可用于私人之间的交易。如果你的儿子需要一些钱，你可以将 5 美元的数字货币从你的袖珍计算机输送到他的袖珍计算机上。

当袖珍个人计算机普及之后，困扰着机场终端、剧院以及其他人们需要排队出示身份证或票据等地方的瓶颈路段就可以被废除了。比如，当你走进机场大门时，你的袖珍个人计算机与机场的计算机相联就会证实你已经买了机票。开门你也无需用钥匙或磁卡，你的袖珍个人计算机会向控制锁的计算机证实你的身份。

现金和信用卡消失之后，袖珍个人计算机可能会成为罪犯们袭击的对象，因此为了防止袖珍个人计算机像被盗的信用卡一样得到使用必须采取防范措施。袖珍个人计算机会把你用来证实身份的密码存储起来。取消密码很简单而且密码需要经常更换。对于一些重要交易来说，袖珍个人计算机中只有密码还不够。一种方法是交易时请你输入一个口令。自动取款机要求你提供一个私人身份数字，这就是一个简短的口令。另外一种方法是生物测量的使用，这种方法无需你记住口令。个人的生物测量更为安全，当然一些袖珍个人计算机最终将包括这项内容。

生物测量安全系统记录一个人的身体特征，例如声音特征或指纹。每当你要求进行财政上有重大影响的交易时，你的袖珍个人计算机可能会要求你读出屏幕上显示的一个单词或让你用拇指在设备边上按一下。然后袖珍个人计算机可以把它"听到"或"感到"的与你的声音或拇指印的数字记录进行比较。

配有相应设备的袖珍个人计算机还可以准确地告知你处在地球上的什么地方。环绕地球轨道上卫星的全球定位系统（GPS）可以发送信号，这些信号帮助飞机、远洋船只、巡航导弹或有手持 GPS 接收器的徒步旅行者确切地知道他们在 100 英尺内的确切位置。几百美元就可买到这样的设备而且它们也将内置入许多袖珍个人计算机中。

当你在真正的高速公路上时，袖珍个人计算机可以将你与信息高速公路相连并告诉你，你在何处。其内在的发声器可以指示方向并告知你前面有一个高速公路出口或下一路段经常发生事故。它会监视数字交通信息通告，提醒你最好早点动身去机场或建议你走其他路线。袖珍个人计算机的彩色地图会显示出你想知道的各种信息，如你所在地区的公路和天气状况、宿营地、风景点甚至快餐店的地点。你可能会问，"仍旧营业的最近的中国餐馆在哪里？"所需求信息会由无线网络传送给你的袖珍个人计算机。在树林里徒步旅行时，袖珍个人计算机会成为你的指南针，并且它和瑞士军刀一样有用。

事实上，我认为袖珍个人计算机就是新型的瑞士军刀。我小时候就有一把这样的刀，它既不是最普通的有两个刀片的那种，也不是可用作车间设备的那种刀，它有一个古典的闪光红把手，上有一个白十字，这把刀有很多刀片和附件，其中有起子、一把小剪刀甚至还有瓶塞起子（但是当时我并没有使用这一特殊附件）。一些袖珍个人计算机既简单又漂亮，它只提供必需品，比如小屏幕、微型电话、用数字货币进行商业交易的安全方式以及阅读或使用基本信息的能力。另一些则会配备各种各样的小工具，包括照相机、能读打印文本和手写文字的扫描仪以及具备全球定位能力的接收器。大多数计算机会配备一个紧急按钮，在你急需帮助的时候使用。一些型号还包括了温度计、气压计、高度计和心率传感器。

价格会随之改变，从总体看来，袖珍个人计算机将用今天照相机的计价方式计价。简单的单功能数字货币"智能卡"的价钱将与目前的简便相机差别不大，而一台真正复杂的袖珍个人计算机可能要花 1000 美元或者更多一些，这与精巧相机价格相差不大，但是它将胜过十年前最奇特的计算机。智能卡是袖珍计算机最基本的形式，它看起来像信用卡，目前在欧洲很流行。它们的微处理器镶嵌在塑料里。未来的智能卡将会有识别他人、存储数字货币、票据和医学信息的能力。它不具有屏幕和听的能力，以及任何比较昂贵的袖珍个人计算机具备的更精巧的功能。智能卡用来旅行或作为备用物都很方便，对一些人来说，有了它就足够了。

如果你未携带袖珍个人计算机，通过电话亭你就可以使用信息高速公路。有些电话不用交费，有些则需要交费。办公楼、购物商城、机场内都有电话亭，就像饮水管、休息室和收费电话一样普遍。实际上，它们不仅会取代收费电话，而且会取代自动取款机，因为它们将会和其他的信息高速公路应用程序一样具有提供从发送接收信息到扫描地图、买票等能力。对电话亭的使用是必要的，而且随处可见。当你第一次登录进去时，有些电话亭会显示提供特定服务的广告连结，这有点像机场里直接与旅馆或租车预订处连接的电话和机场里的现金出纳机一样，它们看起来很陈旧，但内部都是个人计算机。

不管个人计算机采取什么样的形式，用户们仍然必须通过应用程序使用它们。想一想使用电视遥控器选择节目的方式。将来有更多选择的系统必须做得更好。它们将会避免让你一步步通过所有选择的情况。你会看到一个图表菜单，挑选并用手指点一个易懂的图像你就能选择想看的节目，而无需记住想看节目的频道数字。

你甚至不用手也能进行选择。最终我们还能对电视机、个人计算机或其他的信息装置说话。起初，我们只能使用有限的词汇，但最后我们的交谈将会变得十分口语化。这种能力需要强大的硬件和软件，因为人类容易理解的谈话，计算机翻译起来却很困难。对于一些预先定义好的命令，比如"给我姐姐打电话"，声音辨别的工作效果已经相当不错。让计算机理解随便一句话要困难得多，但是在以后十年里，这也会成为可能实现的事。

有些用户会认为在计算机上书写指令要比说出或输入更为方便。包括微软在内的许多公司为研制能阅读手写文字的"笔式计算机"用了几年光阴。我们很快就能制造出可以辨认许多不同的人手写文字的软件，关于这一点，我十分乐观。目前的困难很是微妙，我们自己检验系统时，它们总是工作正常，但新客户使用起来却总是有困难。我们发现，我们总是不自觉地把字写得比平时更干净、更易辨认。我们适应了机器而不是相反。还有一次，当软件组认为他们造出了可工作的软件时，他们很自豪地将成就演示给我看。演示失败了。此项目的工作人员碰巧都用右手写字，因此这台按照程序设计观看笔划的计算机就无法理解我用左手写的与他人不同的文字。事实证明，让计算机辨认手写体同让其辨认语音一样困难。但是我仍然相信，随着计算机性能的提高，我们会造出有这种功能的计算机。

不管你是用声音、书写还是用手指点的方式发出命令，你想要进行的选择都要比观看一部电影更为复杂。你想让它变得更简单，你作为用户不愿意为此迷惑、沮丧或浪费时间。信息高速公路的软件平台必须能简单准确地找到信息，即使用户还不知道自己在寻找什么。这里将会有大量信息。信息高速公路可以访问数以百计的图书馆中收藏的一切以及所有的商品种类。

关于信息高速公路，最常谈到的忧虑点是"信息超载"问题。持这一观点的人经常把信息高速公路的光缆想象成喷吐大量信息的巨大管道。

信息超载对信息高速公路来说并不独特，并且也不会成为难题。依靠广阔的有助于选择的基础设施，我们已经成功地传送了惊人数量的信息，从图书馆目录到电影评论，从黄页书到来自朋友的推荐信。当人们为信息超载而焦虑时，可以让他们考虑一下他们是怎样选择读物的。当我们在书店或图书馆时，我们并不会为读每本书而担扰。因为有图书指南提供有趣的信息并帮助我们找到所需的图书，我们不用阅读一切。这些指南包括街头报刊亭、图书馆的杜威十进位制系统，还有当地报纸上的书评。

在信息高速公路上，技术和编辑服务的结合将会提供一系列方式来帮助我们寻找信息。理想的指南系统功能强大，可以找到看起来无限的信息并且操作简单。软件将会提供查询、过滤器、空间导航、超级连路和代理人作为主要的选择技术。

理解不同选择方法的一种方式是形象地思考它们。想象某一特定信息，一些事实的集合、一则爆炸性新闻、一连串电影，一切都置于你所设想的货仓中。对货仓中每一项都进行调查，看一看它们是否满足你已经建立起来的某种标准。过滤器对每一件新进入货仓的商品进行检查，以确认它是否符合标准。按照空间导航这种方法，你可以在货仓中走动，按货物地点所检查存货。也许最吸引人的方式，也是使用起来，最简单的方式，这就是获得一个将在信息高速公路上代表你的私人代理程序的帮助。这个代理程序实际上是软件，但是它将具有你能以某种形式与之交谈的特点。这就像让助理代表你去看货物。

下面谈谈这些不同系统的工作方式。查询，正如其名字所示，是问一个问题。你可以问各种各样的问题并得到完整的回答。如果你回想不起一部电影的名字，但你记得它使斯宾塞·特雷西和凯瑟琳·赫本一举成名，并且其中有一场戏是他在问许多问题而她则冷得发抖，这样你就可以输入查询要求所有满足"斯宾塞·特雷西"、"凯瑟琳·赫本"、"问题"和"寒冷"条件的电影。作为回答，信息高速公路上的服务器会列出 1957 年的浪漫喜剧《桌面》，其中就有在寒冷的冬天，特雷西在屋顶般高的平台上问瑟瑟发抖的赫本许多问题。你可以看这场戏，看整部电影，阅读电影剧本，查看对这部电影的评介文章，读特雷西或赫本关于这场戏公开作出的任何评论。如果有一个副标题要求播放非英语国家的电影，那么你就可以观看外国片。它们也许存储在不同国家的服务器上，但你能迅速看到它们。

这个系统可以回复简单查询，例如"给我看世界各地关于第一个试管婴儿的所有文章"，"列出所有出售两种或两种以上狗食并会在一小时之内送到我家的商店"，或者"我和哪位亲戚已经三个月没联系了？"它也能回答更为复杂的查询。你可能问，"哪个大城市看摇滚录像带并定时阅读国际贸易方面材料的人占的比例最大？"一般说来，查询不会需要太多的反应时间，因为多数问题在此以前可能就有人问过，答案已经是统计好并存储起来的。

你也可以建立"过滤器"，它实际上只是固定的查询。过滤器昼夜工作，注意任何你会感兴趣的新信息，把其余的信息过滤掉。你可以编一个过滤程序，让它为你的专门兴趣收集信息，比如关于当地体育队或特殊科学发现的新闻。如果对你最重要的事情是天气，你的过滤器会把这一项置于你个人报纸的顶端。根据你的背景和兴趣范围，计算机会自动做一些过滤工作。这种过滤器可能会提醒你注意你认为关于某人或某地的重要事件，比如"流星撞击湖滨中学。"你也可以创造一个直接的过滤器，这是对某种事物正在进行的查询，比如"求购：1990 年尼桑 Maxima 零件"，或"谁出售上次世界杯的纪念物"或"有人愿意星期日下午，不论晴雨骑自行车郊游吗?"过滤器会一直注意搜寻，直到你取消寻找。举例来说，如果过滤器发现一位周日骑自行车外出的伙伴，它会自动检查网上已有的关于这个人物的其他信息。它会准备回答这个问题"他长得什么样?"这可能是你问的关于一个有可能成为新朋友的人的第一个问题。

空间导航的方式可仿效我们目前寻找信息的方式。如果我们想找到关于某科目的材料，我们会很自然地走到图书馆或书店贴有标志的地方。报纸上有体育、房地产和商业的专栏，人们常"到"那里寻找某种新闻。天气预报在多数报纸上总是每天出现在同一地方。

空间导航已经在某些软件产品中得到了使用，通过让你与真实或似乎真实可见的模型世界交互，它可以让你走到信息所在的地方。你可以把这样的模型当作地图，一种带有插图的三维目录。空间导航对于与没有常规键盘的电视机和小型便携式个人计算机的交互尤其重要。进行银行业务时，你可以走到画着一条主街的图上，然后用鼠标器、遥控器、甚或你的手指指着画有银行的地方。你指着法院可以发现那个法庭在审哪个案子，或即将审理的案件是什么。想知道船运时刻表和船只是否按时出发的话，你可以指到船运公司终点。如果你正在考虑住进一个宾馆，你能发现它们是否有空房间并观看它的平面图，如果此宾馆有一个录像照相机与信息高速公路相连，你就能观看一下它的客房和餐厅并看一看它在当时的拥挤程度。

你可以跳进地图，沿着街道走或穿过房屋。你可以很容易地移近、移离或在不同地点周围转动。假设你想买一台割草机,如果屏幕显示在一所房子内部,你可以走出后门,在那里你会看到路标,其中有一个车库。在车库上点一下你就可以走进它,在里面你会看到很多工具,其中就有一台草地割草机。在割草机处再点一下就会带给你很多种相关的信息,包括广告、评介、用户手册以及计算机控制的电子空间内的销售展厅。利用你需要的所有信息,你可以很简单地进行快速购买。当你在车库图处点一下并且走进去时,与车库"内部"物品相关的信息会显示在你的屏幕上,这些信息是由分布在几千英里的信息高速公路上的服务器提供给你的。

当你指着屏幕上的一个物体要求显示关于它的信息时,你就在使用"超级连路"的一种形式。超级连路让用户从一个信息区域迅速跳跃到另一个信息区域,就像科幻小说中的宇宙飞船通过"超级空间"从一个地质空间跳到另一个地质空间。信息高速公路上的超级连路会在你碰到问题并感兴趣的时候帮助你找到答案。假设你正在观看新闻,你看到一个你不认识的人与英国首相走在一起。你想知道她是谁。你用电视的遥控器指着这个人。这个动作就会带给你关于她的小传,还有最近出现过她的其他新闻报导名单。指着名单上的一件东西,你就能阅读或观看它,无数次地从一个话题跳到另一个话题,在全世界范围内搜集视频、音频和文本信息。

空间导航也可用于旅游。如果你想欣赏博物馆或美术馆的艺术作品,你可以"走"过一个视觉显示画面,在作品之中走动就像亲自到了那儿一样。你可以用超级连路来了解一幅画或一个雕像的细节。没有拥挤的人群,也不用匆忙,而且你可以问任何问题而不必担心显得无知。你可能会发现有趣的事情，就像你在真正的美术馆一样。在一个虚拟美术馆中漫游不会同在真正的美术馆一样，但是，这也是一种有益的近似，正如在电视上观看芭蕾舞或篮球赛也一样给人以娱乐，虽然你并未到剧院或体育馆。

如果其他人也在参观同一所"博物馆"，如果你喜欢，你可以选择看到他们并与他们交往。你的参观不一定非是孤独的经历。有些地方是专门用来作电子空间社交活动的；其他地方则不会看到任何人。有些地方会强迫你在某种程度上出现；而其他地方则不会。你观看其他用户的方式将依据你的选择和不同地方的规定。

如果你在使用空间导航，你活动或进入的场所不必是真实的。你可以建起虚幻的场所并在任何高兴的时候返回。在你自己的博物馆中，你可以移动墙壁，增加虚幻的展厅，重新摆放艺术品。你可能想把所有的静物画放在一起，即使一个是挂在古罗马艺术馆中的庞贝的壁画残骸，和一幅是来自20世纪艺术馆中的毕加索立体派的作品也可以放在一起。你能够扮演博物馆馆长，并在全世界搜集喜爱的艺术品"挂"在自己的美术馆中。假设你想要一幅记忆犹新的画，画面上一头狮子用鼻子轻推一个正在熟睡的人，但是你既想不起那位艺术家的名字也想不起在哪儿见到的那幅画。信息高速公路使你不用到处去寻找信息。你可以通过提出查询描述你想要的东西。查询会启动你的计算机或其他信息装置对信息库中的信息进行筛选，并将符合要求的信息传送给你。

你甚至可以给你的朋友做导游，不管他们是坐在你身边还是在世界的另一端观看。"这儿，在拉斐尔和莫第哥里尼之间是我三岁时喜欢的一幅手指画，"你可能会说。

导航辅助的最后一种，也是众多方式中最有用处的一种，即代理程序。这是一个具有人类特征并且似乎具有主动性的过滤器。代理程序的工作是帮助你。在信息时代，这意味着代理程序会帮助你找到信息。

为了理解代理程序帮助完成多种工作的方式，你可以看一看它是怎样改进今天的个人计算机界面的。目前用户界面的最领先状态是图形用户界面，比如苹果公司的 Macintosh 和微软公司的 Windows，它们在屏幕上描画信息和关系而不仅仅用文本来描述。图形用户界面也允许用户在屏幕上指着事物并移动它们，其中包括画面。

但是图形用户界面对于未来的系统来说还不够简单。我们已经在屏幕上放入了太多的选项，因此不常用的程序或功能会变得令人茫然。对于熟悉计算机的人来说，这些功能既快又好，但是对一般用户来说，机器不能提供足够的帮助来使他们感到舒适。代理程序会弥补这个缺陷。

代理程序知道如何帮助你，部分原因是，计算机会记住你过去的活动。它能找到可以帮助与你一起更有效地工作的使用方式。通过软件，与信息高速公路相连的信息装置看起来就像会从你与它的交互中学到东西并给你提示。我把它叫做"软软件"。

软件允许硬件执行一些功能，但是一旦程序写好了，它就会保持不变。软软件随着你的使用好像会变得越来越聪明。它会像一位人类助手一样了解你的要求，随着对你及你的工作的了解，像一位人类助手一样，它会变得越来越有用。一个新助手第一天上班时，你不能简单地要求她把文件档案做成你几星期前写的备忘录的格式。你不能说，"给每个应该通知的人送一个复印件。"但是经过几个月或几年，随着她对什么是典型的日常工作以及你喜欢让事情怎么做等事情的了解，这位助手会变得越来越有价值。

今天的计算机就像第一天上班的助手，它总是需要明白的指示。而且它永远是首次上班的助手，它永远也不会作一丁点儿调整作为与你接触的一种反应。我们正在努力工作，力求使软软件变得完美。没有人应该与一个不能从经验中学到东西的助手（在这种情况下是软件）总是呆在一起。

如果现在能有一个会学习的代理程序，我愿意让它为我接管一些工作。例如，它能浏览每一项目的计划表，注意到变化情况，并区分我必须重视和我不必重视的变化，那么它将会很有帮助。它将了解我应注意的事项的标准：项目的大小、与它有关的其他项目、任何拖延的原因和时间。它将学会什么时候可以忽视两个星期的拖延，什么时候这种延误意味着真正的困难，而且我最好在情况恶化之前立即进行调查研究。达到这一目标需要时间，部分是因为对一个助手来说，掌握主动工作与例行公事之间的适当平衡十分困难。我们不想让它做得过火。如果内置的代理程序总是过分聪明，它总是预料并进行未被要求或不应进行的服务，这将会使习惯于对其计算机进行明确控制的用户感到烦恼。

当你使用一个代理程序时，你将会同一个行为有些像人的程序对话。也许软件在协助你时会模仿一位名人或卡通角色的行为。一个具有某种人类特征的代理程序会提供"社交用户界面"。包括微软在内的很多公司正在开发具有社交用户界面能力的代理程序。代理程序不会取代图形用户界面的软件，相反它通过提供一个你选择的角色，帮助你对其进行补充。在你到达你很熟悉的产品区时，这个角色就会消失。但是如果你犹豫不决或寻找帮助时，代理程序会重新出现并提供帮助。你甚至可以把代理程序当作一个直接内置在软件中的合作者，它会记住你擅长什么，你过去做过些什么，并试着预测难题并提出解决方法。如果你在某件事上工作了几分钟并决定删掉改过的地方，代理程序会问你是否肯定要抛弃它。今天的软件中有些就可以做到这一点。但是如果你工作了两个小时然后给出删掉你刚才所做工作的指令，社交界面会认为你可能犯了一个不寻常但可能很严重的错误，代理程序会问，"你在这上面工作了两个小时，你真的确定要删除它吗？"

有些听说过软软件和社交界面的人认为，一台智能化计算机的想法令人毛骨悚然。但是我相信他们一经使用就会喜欢上这种计算机。我们人类总是喜欢把东西拟人化，动画片就利用了这种喜好。《狮子王》很不真实，它也不想很真实。每个人都可以把小辛巴和电影上真实的小狮子区分开来。当汽车坏了或计算机出了系统性事故，我们经常冲它大喊大叫或者诅咒它，甚至会问它为什么要坏。我们当然知道它只是一台机器，但是我们仍然倾向于把这些没有生命的东西当作活着的并有自己意愿的生命体对待。大学和软件公司的研究人员们正在探索怎样利用人类的这一癖好以使计算机界面更为有效。比如在微软 Bob 程序中，研究人员们已经证实人们对带有人类特征的机器代理程序有着令人惊讶的喜爱。同时发现用户的反应随着代理人的声音是男性还是女性的变化而不同。最近我们做了一个实验项目，这个项目要求涉及到的用户评价他们使用的计算机。当我们让计算机要求它的用户对它的表现进行评价时，回答通常是肯定的。但是当我们用另一台计算机要求同样的人对第一台机器进行评价时，这些人的反应明显地有更多的批评。他们不愿意"当面"批评第一台计算机，说明他们不想伤害它的感情，虽然他们知道它只是台机器。社交界面并不是对所有用户、所有场合都适用，但是我认为将来我们会看到众多的社交界面，因为它们使计算机"人性化"。

我们很清楚地知道在信息高速公路上有哪些导航现象。但是我们还不很清楚我们为什么导航，让我做一些猜测。信息高速公路上的许多应用是专门用来娱乐的。在信息高速公路上娱乐会像与最好的朋友打桥牌或下棋一样简单，即使我们在不同的城市里。电视拍摄的体育事件可以给你提供一个挑选拍摄角度、重放甚至为节目作解说员的机会。你可以在任何时间、任何地点听世界上最大的唱片店——信息高速公路传送过来的任一首歌。也许你可以在麦克风里哼唱一首自己的曲调，然后听一听用管弦乐队演奏或用摇滚乐队演奏会是什么效果。或许你也可以看由自己取代费雯丽或克拉克·盖博表演的《乱世佳人》。或许你还可以在时装表演台上表演，穿着为你做的最新的巴黎时装或其他你喜欢的衣服。

好奇的用户会为大量的信息着迷。想知道机械钟表是怎样工作的吗？你可以从任何有利的角度向里观望并提出问题。最后，利用虚拟现实应用程序你甚至可以爬到一个钟表里面，或者扮演一位心脏病医生的角色或在场场爆满的摇滚音乐会上打鼓。这一切都归功于信息高速公路，它能给家庭计算机传送丰富模拟效果。信息高速公路上有些应用程序是今天软件的升级版本，但其图形和动画将要好得多。

其他的应用程序将会极其实用。比如你去度假，家庭管理应用程序就能关掉取暖器，通知邮局保存你的邮件，通知送报员不要再送订阅的报纸，让家里的灯如同平常明灭就像你在家中一样，并且自动付清每日帐单。

还有其他一些十分重要的应用。我爸爸在一个周末弄伤了手指并且伤得很重，他走到最近的急诊室，那儿碰巧是西雅图的儿童医院。因为他比儿童们大上了几十岁，他们拒绝为他治疗。如果那时有信息高速公路，告诉他不要去那家医院就可省去这个麻烦。一个在信息高速公路上通信的应用程序会告诉他在那个特殊时候他最适合去附近哪家急诊室。

如果我爸爸几年之后又弄伤了另外一只手指，他不仅能使用信息高速公路应用程序找到一家合适的医院，而且能在开车前往的路上在那家医院进行电子挂号，这样就完全避开了书面工作。医院的计算机会根据他的伤势为他找一个合适的医生，他能从信息高速公路上的服务器中检索我父亲的医疗记录。如果医生需要一个 X 光片，它就会用数字形式存储在一个服务器上，等待整个医院或全世界任何一位权威的医生或专家的即时检查。观看 X 光片的每个人的评论，不管是口头形式还是文字形式都将联入爸爸的医疗记录中。此后，爸爸可以在家观看 X 光片并倾听专家的评论。他可以同家里人一起看这些 X 光片，"看看这条裂缝的大小！听听这个医生说了些什么！"

从查看比萨饼菜单到一块儿看集中的医疗记录等大部分应用程序都已经开始在个人计算机上出现。对交互信息的共同使用很快就会成为日常生活中的一部分。然而，在此之前，信息高速公路许多部分的位置还必须确定下来。

第五章

通往信息高速公路的途径

在我们可以享用前一章中所描述的应用程序和应用装置的好处之前，信息高速公路必须存在。可是，目前它还并未建立起来，这一事实会使一部分人感到惊讶，因为他们发现从长途电话网络一直到 Internet，一切都被描述为信息高速公路。事实上在家庭里全方位的信息高速公路至少在十年内是无法得到的。

个人计算机、多媒体只读光盘存储器 (CD-ROM) 软件、高容量有线电视网、有线和无线电话网以及 Internet 都是信息高速公路的前身。每一个都预示着将来，但每一个都不能代表真正的信息高速公路。

建立信息高速公路的工作将会很艰巨。这不仅需要物理基础设施，例如光缆、高速转换开关和服务器，而且需要软件平台的发展。在第三章中，我讨论了硬件和软件平台的演化，它们使个人计算机成为现实。正如我在第四章所描述的一样，应用程序也将建立于一个平台——一个基于个人计算机和 Internet 的平台上。生产可以组成信息高速公路平台软件的竞争正悄然兴起，这一竞争与 20 世纪 80 年代发生在个人计算机行业内部的竞争没有什么两样。

运行于信息高速公路的软件要提供巨大的查询功能和安全性、电子邮件和电子公告板功能、与相互竞争的软件的联系以及记帐和会计服务业务。

信息高速公路各组成部分的提供者会做出可以使用的装置并制定用户界面标准，这样做有利于设计者开发应用程序，建立格式，并在系统上管理信息数据库。为了让不同的应用程序能够密切地协同工作，这种平台要给用户开发文件定义一个标准，以便用户感兴趣的信息可以从一个应用系统移到另一个应用系统。信息的分享可以使得应用系统尽最大努力来满足用户的需要。

因为相信为信息高速公路提供软件会有利可图，一些公司，包括微软在内，正竞相开发该平台的组件。这些组件是信息高速公路应用系统建立起来的基础。信息高速公路上成功的软件生产者将会不止一个，他们的软件将会互相关联。

信息高速公路的平台将会支持各种不同的计算机，包括服务器和所有的信息装置。许多这种软件的客户是有线电视系统、电话公司，以及其他的网络提供者，而不是个人，但是消费者将最终决定即将来临的是什么。网络提供者偏向于给消费者提供最好的应用程序和信息范围最广泛的软件。因此，开发平台软件的公司的相互竞争首先会围绕应用程序开发者和信息提供者展开，因为他们的脑力劳动会创造最高的价值。

随着应用系统的发展，它们会向潜在的投资者展现信息高速公路的价值。首要的一步是考虑建立起信息高速公路所需要的资金。一个美国家庭中的一个信息装置（比如一台电视机或一台个人计算机）连到信息高速公路上的花费，目前的估计在 1200 美元左右，根据内部结构和设备的不同，可能增加或减少 200 美元。这个价格包括将光纤与每一个邻近区域、服务器、开关和家中的电子设备相连。美国有大约 1 亿个家庭，这项工程仅在美国一个国家就需要 1200 亿美元的投资。

直到技术真正奏效，消费者会为新的应用系统交纳足够的费用等事项明确之后，才会有人投资。仅以用户们为电视服务，包括观众点播节目所交纳的费用来建造信息高速公路是不够的。投资者应当相信新的业务会带来和今天的有线电视几乎一样多的利润，并对此项建设进行投资。如果在信息高速公路上的投资收益并不显著，投资的钱就不会转化为物质，而信息高速公路的建设也会拖延下去。这就是其应有的状况，等到私人公司看到财政回收的可能性时再进行这项建设将会十分可笑。我认为，随着革新者将新的看法付诸于验证，投资者对于利润会充满信心。一旦投资者开始了解新的应用系统和业务，并且信息高速公路基础设施潜在的资金回收已被证实，筹集所必需的资金当不会有问题。这项支出并不会超过其他基础设施的花费。通往房屋的公路、水管、下水道和电线，每一项的花费都同此项费用不相上下。

我很乐观。过去几年中 Internet 的增长说明信息高速公路的应用会很快普及并证明大量的投资是正确的。Internet 指的是一个相互联网的计算机群，它们使用标准的"协议"来交换信息。它远远不是信息高速公路，但这是我们今天所拥有的对未来信息高速公路的最佳模拟，并且它会发展成为信息高速公路。

自从 1981 年 IBM 个人计算机进入市场之后，Internet 的普及是计算机世界中最重要的发展。与个人计算机的比较在很多方面都是贴切的。个人计算机并不完美，在某些方面具有随意性，甚至是低劣的。尽管如此，它的普及使它成为应用系统发展的标准。试图与个人计算标准作对的公司常常有很好的理由，但是由于过多的公司不断地使用并改进个人计算机，他们的努力往往成为泡影。

今天的 Internet 由相互连结的商业和非商业计算机网络松散地组合而成，其中包括用户订购的联机信息业务。服务器分布在世界各地，通过种种高能和低能路径与 Internet 相连。大部分用户通过带宽很低，每秒只能传送少量比特的电话网络，用个人计算机进入系统。调制解调器是将电话线与个人计算机连接起来的设备，它将 0 和 1 转换成不同的音调，从而允许计算机通过电话线相连。在 IBM 个人计算机发展的早期，调制解调器以每秒 300 或 1200 比特（或叫 300 或 1200 波特）的速度传送文件。以这种速度通过电话线传送的文件大部分是文本文件，因为每秒可传送的信息极少，传送图像将会极其缓慢。更快的调制解调器已经出现。目前，很多通过电话系统将个人计算机与其他计算机相联的调制解调器可以每秒传送和接收 14400（14.4K）或 28800（28.8K）比特。从一个实用的观点看，对很多种传送来讲，它的带宽仍然不够。一页文本一秒钟就可发出，但是一张完整

"在 Internet 上，没人知道你是一只狗"

（彼得·斯坦纳绘图，选自 1993 年《纽约人》杂志，版权所有）

的、屏幕大小的照片，即使经过压缩，以这样的速度传输也可能需要 10 秒钟。传送一张用于幻灯片的有足够分辨率的彩色照片需要几分钟时间。传送运动的视频信息需要更多的时间，以致于用这个速度来传送是根本不行的。

任何人都已经能够在 Internet 上给其他人发送信息，为公事、教育或者仅仅为了取得联系。世界各地的学生都可以相互传送信息。卧病在床的人们可以同也许永远无法碰面的朋友进行生动活泼的交谈。对面对面交谈感到不自在的客户可以通过网络签订契约。信息高速公路会加上录像，不幸的是这种录像会去除纯文本交换所允许的对社会、种族、性别和种类的盲目性。

在电话网上可以进行的 Internet 和其他的信息业务预示了信息高速公路运作的一些方面。如果我给你发一条信息，电话线会把它从我的计算机上传送到有我的"邮箱"的服务器上，从那里它直接或间接地传送到存有你的"邮箱"的服务器上。当你通过电话网或共同的计算机网与你的服务器相联时，你就可以检索（卸载）你邮箱中的内容，包括我发的信息。这就是电子邮件的工作方式。你将信息一次输入，可以将它传送给一个人或二十五个人，或者把它传送到"公告板"上。

正如其名字所示，电子公告板是提供信息给人们阅读的地方。当人们对信息做出反应时，公共交谈就产生了。这些交换一般不是同时发生的。公告板往往由为特定团体服务的话题组织起来。这可以使他们迅速有效地到达目标组，即所服务的对象。商业服务为飞行员、记者、教师和更小的群体

提供公告板。在 Internet 上，未经编辑的公告板叫作用户网
新闻组。在这些公告板里，成千上万的人们热衷于讨论诸如
咖啡因、里根和领带这样小的话题。你可以检索关于一个话
题的所有信息，或只是最近的信息，或某一个人的所有信息，
或与某一信息相关的其他信息，或者在某标题行有某一个特
殊字眼的信息，凡此种种，都可检索。

除了电子邮件和文件交换，Internet 还支持"Web 浏
览"，这个应用系统在 Internet 中也很流行了。"World Wide
Web"（缩写为 Web 或 WWW 全球网）指的是那些与提供带
图形图像的 Internet 相联的服务器。当你与这样一个服务器
相联时，带有超级连路的一屏信息将会出现。用鼠标器在一

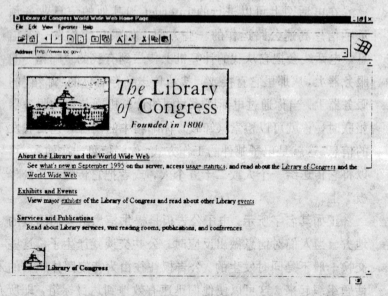

1995 年，美国国会图书馆在全球网上的主页，上有超级连路

个超级连路上点一下，它就会启动起来，含有更多信息和其他超级连路的新的一页就会出现在你的眼前。原来的一页可以存储在同一个服务器上，也可以存在 Internet 上其他任一个服务器上。

公司或个人的主要一页叫作主页。如果你创建了一个主页，你要把它的电子地址进行注册，然后 Internet 的用户只要输入其地址就可找到你。在广告充斥的今天，我们开始看到主页的引文正成为地址的一部分。建立起一个 Web 服务器的软件很便宜并且所有的计算机都可安装。浏览 Web 的软件也适用于所有计算机，并且一般来说都是免费的。将来的操作系统将把 Internet 浏览功能集成进去。

公司和个人在 Internet 上出版信息的简易性改变了"出版"的整个含义。Internet 本身将自己确立成为一个出版内容的场所。它拥有足够多的用户。因此从积极的反馈中获益匪浅：它拥有的撰稿人越多，它的内容就越丰富；它的内容越丰富，它的撰稿人也就会越多。

Internet 独特的地位源于几个因素。定义了自己的传输层协议的 TCP/IP 协议支持分布式计算，并且它的规模可大可小。定义 Web 浏览的协议极其简单，且允许服务器处理大量的网络传输。几十年前，像泰德·尼尔森这样的先驱就交互书籍和超级连路所做的很多猜测在全球网上已成现实。

今天的 Internet 并不是我所想象的信息高速公路，虽然你可以把它当作信息高速公路的开端。类似的例子是俄勒冈路。从 1841 年到 19 世纪 60 年代早期，30 多万勇敢果断的人乘着马车走出了独立国密苏里，穿过荒野，经过危机重重的

2000 英里的长途跋涉到达了俄勒冈或加利福尼亚的金矿区。
大约有 20000 人死于强盗、霍乱、饥饿或恶劣的自然环境。他
们所走的道路被命名为俄勒冈路。你可以轻而易举地说俄勒
冈路就是今天信息高速公路系统的开端。它横贯许多地区并
给轮式交通工具中的行人提供了双向运输。现代的州际 84
号公路和其他的高速公路有很长一段都沿着俄勒冈路延伸。
然而，如果把从俄勒冈路描述中所得出的结论用于未来的系
统将会产生误解。霍乱和饥饿不是州际 84 路上的难题。而对
于马车队来讲，紧接另一辆车行驶和酒后驾驶都不会造成什
么危险。

　　Internet 所留下的轨迹会为信息高速公路的许多因素指
引方向。Internet 是一个奇妙的、关键的发展成果，也是最终
系统中非常清晰的成份，但是在以后几年中，它会发生剧烈
的变化。目前的 Internet 缺少安全性，并且需要一个记帐系
统。对于未来的信息高速公路的用户来说，Internet 文化中的
很多东西就同俄勒冈路上的马车队和拓荒者对现在的我们
来说一样遥远。

　　实际上，今天的 Internet 在不久以前还不是 Internet。它
的发展速度相当快，因此对于一年以前甚至半年前的 Inter-
net 的描述都可能是极其过时的。这就加重了混淆。同发展如
此迅速的东西保持步调一致是非常困难的。许多公司，包括
微软在内，为了扩展 Internet，克服它的局限性，都在一起工
作以期定义出标准。

　　因为 Internet 是作为计算机科学项目而不是作为通信
工具发展起来的，因此它强烈地吸引着计算机罪犯，他们通

过闯入其他人的计算机系统，把自己的才能变成恶作剧，蓄意犯罪。

1988 年 11 月 2 日，与网络相联的成千上万的计算机的工作速度开始变得越来越慢。许多计算机最后达到暂时死机的状态。文件完好无损，但是在计算机系统的系统管理员努力恢复对其计算机的控制过程中，数百万美元的计算时间白白耗费掉了。这则故事广为流传的时候，也许大部分人才第一次听到 Internet。这一现象是一个恶作剧的计算机程序导致的，它叫蠕虫，可以从一台计算机传到网络上的另一台计算机，并在传播过程中复制（它被命名为蠕虫而不是病毒是因为它不传染其他程序）。这一程序利用了系统软件中的一个不为人注意的"后门"直接进入所要袭击的计算机的存储器。它将自己隐藏在存储器中，四处传递误导信息，这使得它难以被发现，也难以控制。几天以后，《纽约时报》确认这个计算机罪犯是罗伯特·莫里斯，康奈尔大学 23 岁的研究生。后来莫里斯证实他设计并释放蠕虫是为了看一下它会进入多少台计算机。但是他在程序设计中的一个错误使得蠕虫的复制速度比他预料的要快得多。莫里斯违反了 1986 年计算机欺诈及滥用法案，是触犯联邦法律的行为。他被判处缓刑三年，10000 美元的罚款和 400 小时的无偿公益劳动。

Internet 偶尔会出现故障和安全性问题，但并不算很多，因此成为数百万人可靠的通信渠道。它为服务器之间提供全球联络。给电子邮件、电子公告板和其他的数据交换提供了诸多便利。从只有几十个字符的短信息一直到有几百万个字节的照片、软件和其他文件的传递都可进行交换。向一个几千英里外的服务器请求数据和向一个一英里外的服务器请求数据花费一样多。

Internet 的计价模式已经改变了这样一种看法，即通信费用根据时间和距离而定。同样的事情也发生在计算机方面。人们如果买不起一台大计算机，就常常根据用机时间的小时数付款。个人计算机改变了这一切。

因为 Internet 使用起来并不昂贵，人们就认为这是政府资助的，事实并非如此。然而，Internet 是 20 世纪 60 年代一个政府项目 ARPANET 的结果。ARPANET 起初专门用于计算机科学和工程项目。对于相距遥远的项目合作者来说，它是重要的通信手段，但实际上这一项目并不为外人所知。

美国政府于 1989 年决定停止为 ARPANET 提供资金，计划以商业性的 Internet 取而代之，它是以其基础通信协议的名字命名的。即使成为商业性设施之后，Internet 的首批客户也大部分是大学里的科学家和计算机行业中的公司，他们用 Internet 收发电子邮件。

允许 Internet 如此便宜的金融模型是它最令人感兴趣的一个方面。目前的电话使用起来是根据时间和距离收费，需要经常与一个遥远的地方以电话联络的商业组织为了避免交纳上述费用，可以使用专线，这种电话线专门用有两个特定地点的电话联络。专线没有通信费，不管使用多少，每个月所交的数额都相同。

Internet 的基本设施包括许多这样的专线，它们由循线传输数据的开关系统连接着。美国有 5 个公司提供长距离 Internet 连接，每一个公司都从电信公司租用线路。AT&T

解体后，专用电话的收费竞争非常激烈。因为 Internet 的通信量如此之大，这 5 个公司都可提供尽可能低的价格，这说明它们可以以极低的价格传送极大的带宽。

"带宽"这个词值得做进一步的解释。正如所述，它指的是一条线路将信息传输到相连设备上的速度，带宽部分地取决于用来传送和接收信息的技术。电话网是为带宽低的私人双向连接设计的。电话是模拟装置，它通过变化的电流，也就是对声音的模拟，与电话公司的装置进行交流。一个模拟信号由长话公司数字化后，这个数字信号每秒包含大约 64000 比特的信息。

用来进行有线电视广播的同轴电缆比标准的电话线有更高的带宽潜能，因为它们能够传送高频的视频信号。然而，目前的有线电视不传送数字信息，它们使用模拟技术来传送 30 到 75 个电视频道。同轴电缆可以每秒轻而易举地传送几亿甚至 10 亿比特，但是要它们进行数字信息传送就必须增加新的转换器。长距离光缆可以把 10.7 亿比特的信息从一个中继站（类似于一个放大器）传送到另一个，它的带宽可有效地提供 25000 个电话对话服务。如果把多余信息去掉，例如去掉词和句子间的停顿，即对每个对话进行压缩，则可能进行的会话会大幅度增加。

大部分商业客户用一种特殊的电话线与 Internet 相联，这种电话线叫 T-1 线，它的带宽值较大，每秒可传送 150 万比特。使用者每月向当地电话公司交纳使用 T-1 线的费用，后者一年向把它们与 Internet 连接的公司统一交纳大约两万美元的费用。这种每年交纳的费用意味着客户可以随心所欲地使用 Internet，不管他们是经常使用还是根本不用，也不管他们的 Internet 通信只传送几英里还是横贯全球。这些费用的总和为整个 Internet 网提供资金。

这种方式很奏效。因为花费的基础是容量的大小，收费标准也就随之而定。电话公司追踪时间和距离需要大量技术和努力。如果他们不这样做就能够赚取利润的话，他们为什么要拣这个麻烦呢？这种收费结构意味着客户一旦拥有 Internet 连接，大量使用就不需额外交费，这也鼓励人们使用。大部分个人租不起 T-1 线，他们就同当地联机服务提供者联络，通过它们与 Internet 连机。联机服务提供者是一个公司，它每年交纳两万美元，通过 T-1 或其他高速方式与 Internet 连接。个人用一般的电话线给当地的服务提供者打电话，服务提供者就可将他们与 Internet 连接。这种服务一般月收费20 美元。20 美元可使你在黄金时间使用 20 个小时。

在以后几年里，为 Internet 联机服务的竞争会更加激烈。世界各地的大电话公司会开展这项业务，价格也会猛烈下跌。像 CompuServe 和美洲联机公司这样的联机服务公司将会帮助客户进入 Internet 作为他们业务的一部分。在以后几年里，Internet 会改进并提供简单存取、大范围可利用性、稳定的用户界面、简易查询指示以及与其他商业联机服务相融合。

Internet 仍然面对的一个技术难题是怎样处理"实时"内容——具体说来就是音频和视频信息。Internet 的基础技术不能保证文件以不变的速度从一点传送到另一点。网上的拥挤程度决定着信息包的传送速度。各种精心设计的方式确实可以双向传送高质量的音频和视频信息，但是全面的音频和视频支持还需要网络进行大量改进，也许几年内这是无法实现的。

而当这些变化确实发生的时候，它们会使得 Internet 与电话公司的声音网络进行直接竞争。两者不同的收费方式会使得这场竞争看起来十分有趣。

因为 Internet 正在改变通信的付款方式，它将来也许会改变信息的付款方式。有些人认为 Internet 说明了信息是免费的，或大体如此。虽然从宇航局的照片到用户书写的公告板条文等大量信息会继续免费，但我认为最引人注目的信息，不管是好莱坞的电影还是百科全书的数据库，都将继续是为获利而制作的。

软件程序是一种特殊的信息。现在 Internet 上有大量免费软件，其中一些是非常有用的。这些软件通常是作为研究生的项目或在政府资助的实验室里书写的。然而，我认为对于工具软件的质量、支持和全面性的要求意味着对商业性软件的需求仍会不断增长。很多在大学里写免费软件的学生和教员正在忙着为开办的公司书写商业计划，以便为他们提供具有更多功能的软件的商业版本。不管是靠产品赚钱的开发者还是只是为了把他们的产品传播开来的开发者，他们都会更容易使其产品公布于众。

所有这些都是未来信息高速公路的好征兆。但是，在它成为现实之前，我们必须应用一些过渡性技术来提供给我们新的应用系统。一旦全带宽的信息高速公路成为现实，它们或许达不到可能的要求，但它们毕竟是超出了我们现有状况一大步。这些演化性进步并不昂贵。因此它们与已经工作并证明需要的应用系统一起使用的费用也是合情合理的。

　　一些过渡性技术会依赖电话网络。1997 年以前，大部分快速调制解调器会支持声音和数据通过现存电话线的同时传送。如果你计划旅行，而你和你的旅行代理人都有个人计算机，她可能会给你看你正考虑的每一个旅馆的照片，或用小方格来显示比较价格。如果你给一个朋友打电话问他怎样把蛋糕堆得这么高，如果你们双方都有与电话连接的个人计算机，在交谈过程中，当生面还未膨胀时，他就能给你传送一个图表。

　　使这一切成为可能的技术是通过 DSVD 来实现的，它代表的是数字同时声音数据（digital simultaneous voice data）。到目前为止，它比任何事物都更清楚的表明了通过网络共享信息的可能性。在以后的三年中，DSVD 的使用会更为广泛。因为它不要求现存的电话系统作任何更改，所以使用起来并不昂贵。电话公司不用调整他们的交换机或增加你的电话费。只要对话两端的装置配备了合适的调制解调器和个人计算机软件，DSVD 就可进行工作。

　　另一个使用电话公司网络的中间步骤确实需要特殊的电话线和交换机。这种技术叫做 ISDN（集成服务数字网络：integrated services digital network）。它开始以每秒 64000 或 128000 比特的速度传送话音和文件，这表明 DSVD 所做的一切它都可胜任，只是速度比 DSVD 快了 5 到 10 倍。中频的应用都可使用，你可以得到文本和图片的迅速传输，动态视频也可传送，但质量平平，不能用来欣赏电影，但用来看日

常的电视会议已经可以了。全面的信息高速公路需要高质量
的视频信息。

每天都有成百上千的微软雇员用 ISDN 将他们的家庭计
算机与我们的公司网络相连。ISDN 于十多年前就已发明出
来了，但是没有个人计算机应用的需求，几乎无人使用它。令
人迷惑不解的是，电话公司在处理 ISDN 的交换机上投资了
大笔金钱却不知道它将如何使用。好消息是个人计算机将驱
动这种爆炸性的需求。一个为了让个人计算机支持 ISDN 的
内插卡在 1995 年要花费 500 美元，但在今后几年，其价格应
降到 200 美元以下。线路的花费因地点的不同而不同，但在
美国一般是每月 50 美元。我预测它会降到 20 美元以下，与
一个普通的电话连接价格差不多。许多公司正在说服世界各
地的电话公司来降低这些费用以便鼓励个人计算机拥有者
使用 ISDN 入网，我们也是其中之一。

有线电视公司有自己的中间技术和策略。他们想使用现
有的同轴电缆网络为当地提供电话服务，从而与电话公司展
开竞争。他们已经用实例证明了特制电缆调制解调器可以将
个人计算机与有线电视网连接。这就使得有线电视公司提供
的带宽比 ISDN 的大。

对有线电视公司来说，另一个中间步骤是把他们可传送
的广播频道数增加 5 到 10 倍。利用数字压缩技术把更多的
频道挤入现有的有线电视，就可以做到这一点。

所谓的 500 频道，实际上常常只有 150 个频道，有了它
近似点播式电视（near-video-demand）才能实现，虽然它只
对有限的电视节目和电影有效。这样你就可以在屏幕显示的

节目单里进行选择而不是只选一个频道数字。一部流行的电影可能会在 20 个频道上播放，每个频道开始播放的时间间隔为 5 分钟，因此你可以在任何想看的 5 分钟内开始观看。你可以从所提供的电影和电视节目开始播放的时间中进行选择，然后置顶匣会转换到合适的频道上。半小时的《CNN 要闻》可能会在 6 个频道上播出，而不是只在一个频道播放，下午 6 点的广播会在 6：05、6：10、6：15、6：20 和 6：25 的时候再次播出。跟现在一样，每隔半个小时都会有一场新的实况转播。用这种方式，500 个频道也会很快用尽。

有线电视公司迫于压力增加频道，部分也是对竞争的反应。像休斯电子公司的 DIRECTV 这样的直接广播卫星已经把数以百计的频道直接发送给家庭。有线电视想以迅速增加频道的办法来避免失去客户。如果建立信息高速公路的唯一原因是为了传送一定数目的电影，那么一个 500 频道的系统就足够了。

500 频道的系统大部分仍然会是同步的，它会限制你的选择，最好也只是能提供一个低带宽的反向频道。"反向频道"是一个信息线路，专门用来把顾客信息装置的指令和其他信息通过电缆反向传送到网上。500 频道系统上的反向频道允许你使用电视上的置顶匣来订购产品或节目，回答民意测验或智力题，并参加各种多人合作的游戏。但是低带宽反向频道不能提供最有趣的应用系统所要求的高度灵活性和交互性。它不能把你孩子们的录像发送给他们的祖父母，也不能让你玩真正的交互式游戏。

世界各地的有线电视和电话公司都会沿着 4 条平行的

路线前进：1. 一个公司会效仿其他公司所提供的业务。有线电视公司将提供电话业务，电话公司会提供录像业务，包括电视。2. 两种系统都会提供更好的方式用 ISDN 或有线电视调制解调器来连接个人计算机。3. 为了提供更多的电视频道和质量更好的信号，二者都会转向数字技术。4. 二者都会对与电视机和个人计算机连接的宽带系统进行验证。这 4 种策略都会激发在数字网络容量上的投资。为了成为某地区内第一个网络提供者，电话公司和有线电视公司之间会展开激烈的竞争。

Internet 和其他的过渡性技术最终会归入真正的信息高速公路。信息高速公路会将电话和有线电视系统二者最好的特性结合起来：和电话网络一样，它可以提供私人连接，因此每个应用网络的人都可以按个人计划发展自己的兴趣。它也可以和电话网络一样完全双向，这样丰富的交互方式便成为可能。另外它又和有线电视网一样具有很高的容量，这样就会有足够的带宽允许在一个家庭中多台电视机或个人计算机同时与不同的电视节目或信息源连接。

把服务器相连并把服务器与世界上的邻区相连起来的线路将来大部分会用清晰得令人难以置信的光缆做成，它是信息高速公路的"沥青"。目前美国所有用来传送电话的主要长途中继线路都是用的光纤材料，但是将家庭与数据通道连接起来的线依旧是铜线。电话公司会用光缆取代他们网络中的铜线、微波线路和卫星线路，这样他们就有了传送高质量视频信号所需的带宽。有线电视公司会增加它们所使用的光缆数。使用光缆的同时，电话公司和有线电视公司将会在网上安装新的交换机，这样数字视频信号和其他信息便可从任一点传送到其他点上。提高现存的网络来为信息高速公路做好准备所需的费用还不到往各家各户安装新的线路所需费用的四分之一。

你可以把光缆想象成把水输送到你所在街区的宽一英尺的总水管。它并不直接通到你的房屋，而是通过与总水管相连的小水管与你的家庭相连。刚开始的时候，光缆可能只通往邻区的分配点，信号会由传输有线电视的同轴电缆或提供电话服务的"双绞"线连接从邻区的光缆上传到你家。但是，如果你使用大量数据，光缆连接最终会直接进入你的家庭。

交换机是一种复杂的计算机，它可以把数据流从一个轨道转到另一轨道上，就像铁路车场上的棚车。数百万同时存在的通信流在大网络上流动，而且不管需要多少中途点，所有不同容量的信息都会被导向目的地并保证它们按时到达所要到达的地点。为了理解在信息高速公路时代这一任务的巨大性，你可以想象数十亿棚车沿着穿过交换机体系的铁路轨道运行并按计划到达目的地。因为这些棚车彼此相连，交换车场会因为让多车厢的长列车先过而发生堵塞。如果每个棚车可以单独运行并通过交换机找到自己的路线，到达目的地后再重新组合成一列车，那么堵塞现象就会大量减少。

信息高速公路上输送的信息会被分解成小的信息包，每一个信息包将沿着网中规定的路线单独运行，也就是单个汽车导航路线。如果你定购了一部电影，它会被分解成数百万片，每一片都会通过网络到达你的电视机。

通过使用异步传输方式，简称 ATM（不要与自动取款机相混）的通信协约就可完成对信息包的路线规定。ATM 将成为信息高速公路的建筑砖瓦之一。世界各地的电话公司已经开始依赖 ATM，因为它充分利用了光纤令人惊叹的带宽。ATM 的一个长处在于它能保证信息的及时传送。它将每个数字流分解成相同的信息包，每个信息包里有 48 个字节要传送的信息和 5 字节的控制信息，控制信息使得信息高速公路的交换机将信息包迅速送往目的地。到达终点后，这些信息包将会重新组成信息流。

ATM 以高速传送信息流，起初速度为每秒 1.55 亿比特，然后可提高到每秒 6.22 亿比特，最后可达每秒 20 亿比特。此技术还可使低价传送视频与传送话音电话一样简单易行。正如芯片技术的提高降低了计算机的价格，ATM 因为能大量传送老式话音电话，它的使用将会降低长途电话的收费。

高带宽电缆连接会将大部分信息装置与信息高速公路相连，但有些设备将用无线连接。我们已经开始使用一些无线通信设备，例如移动式电话、页面调度程序和用户电子遥控器。它们可以发放无线信号，并可以移动，但其带宽非常有限。如果这方面有大的突破，未来的无线网络工作速度会加快，有线网络的带宽仍会大得多。移动式设备可以收发信息，但用来接收单个视频流既昂贵又不方便。

允许我们在移动中进行通信的无线网络会从今天的移动式电话系统和一种新的无线电话服务——个人计算机服务中发展起来。当你还在路上并想从你家里或办公室里的计算机里提取信息时，你的便携式信息装置会与信息高速公路的无线部分相连，交换机会把无线部分与有线部分连接，然后再与你家里或办公室里的计算机或服务器相连，这样就可把你需要的信息传送给你。

公司和大部分家庭还可以使用当地不算昂贵的无线网络。这些网络允许你与信息高速公路或你自己的计算机系统连接，而且使用时间如在一定范围内，还可免收时间费。地方无线网络会使用与大范围无线网络完全不同的技术。然而便携式信息装置会自动选择与最便宜的网络相连，因此用户不必知道技术的差别。室内无线网络还可允许袖珍个人计算机用作遥控器。

无线服务在安全与保密方面明显地令人忧虑，因为无线电信号易被窃听。即使有线网络也能被抽头。信息高速公路软件必须采用加密传送以防止窃听。

因为经济和军事原因，政府很久就懂得了保守信息秘密的重要性。保守个人、商业、军事或外交信息安全（或破译它们）的需要吸引了几代人的才智。解读一条编码的信息总是令人感到高兴。查尔斯·巴比奇使 19 世纪中叶的译码艺术取得了戏剧性地进展，他曾经写道："就我看来，译码是最令人着迷的艺术之一，并且我恐怕在它上面浪费了太多时间。"在我还是个孩子时，我就发现它很迷人。那时和各地的孩子们一样，我们一群人用简单的密码做游戏。我们用字母表中的一个字代替另一个，这样就把信息编成了密码。一个朋友发给我一条以 "ULFW NZXX" 开头的密码电文，我就很容易猜出它表示 "DEAR BILL"，其中 U 代表 D，L 代表

E，以此类推。有了这七个字母，迅速解开其他密码就毫无困难了。

过去的战争胜利了或失败了，取决于世界最强有力的政府有没有编制密码能力，而这种能力今天任何一个有个人计算机并对此感兴趣的中学生都具备。不久以后，任何会使用计算机的孩子都会传输密码信息，而地球上的任何政府都会觉得它难以破译。这就是神奇的计算能力传播的深刻寓意之一。

如果你通过信息高速公路发出一条信息，你的计算机或其他的信息装置就可以用只有你才能使用的数字签字"签名"，信息将被加密，因此只有其特定的接收者方可破译。你可以发出一条信息，它可以是各种信息，声音、图像或数字货币。接收者基本上可以肯定这条信息确实是你发出，在指定时间发出，没有经过丝毫窜改而且其他人无法将它破译。

使这种现象成为可能的机械装置根据的是数学原理，其中包括"单向功能"和"公共密钥加密"原理。这些都是高深的概念，所以我准备对他们一带而过。但是请记住不管技术上这个系统是多么复杂，使用起来都将极其简单。你只要告诉你的信息装置做什么，一切就会毫不费力地发生。

"单向功能"是一种操作要比解开容易的功能。打碎一片玻璃是单向功能，但这对编码来说毫无用处。密码术所需的单向功能是：知道一条特殊信息，解码就会异常简单，而不知这条信息，解码就会十分困难。数学中有很多单向功能，其中之一与质数有关。孩子们在学校里就学过质数，质数只能被 1 和它本身整除。在前 12 个数字中，2、3、5、7、11 是质数。4、6、8、10 不是质数，因为它们都还可被 2 整除。9 这个数不是质数，因为它还可被 3 整除。质数的个数是无限的，而且除了它们是质数外，没有其他特征。如果把两个质数相乘，所得的数字也能被这两个质数整除。举例来说，35 能被 7 和 5 整除，寻找这样的质数叫做"分解因子"。

将两个质数 11927 和 20903 相乘，可以很容易地得出 249310081。但是将它们的积 249310081 分解因子得出上述两个质数却要困难得多。这种单向功能，也就是分解因子的困难，预示了一种巧妙的密码：目前使用的一种最复杂的加密系统。即使最大的计算机将一个大的乘积数分解还原为组成此数的两个质数也要很长时间。建立在分解因子上的密码系统有两个不同的译码钥，一个用来给信息加密，另一个不同但却相关的是用来解密的。有了加密钥，把信息译成密码就相当简单，但只用它在可行时间内解密却不太可能。解密需要一个单独的密钥，只有信息的特定接收者或不如说接收者的计算机方可拥有。加密钥的基础是两个巨大的质数的乘积，而解密钥的基础则是质数本身。一台计算机可在瞬间内造出一对新的独特的密钥，因为对于计算机来说，选出两个大的质数并把它们相乘非常容易。加密钥造出后可公之于众而不会冒任何危险，因为即使另一台计算机将其分解因子后来取得解密钥也是非常困难的。

对这种加密方法的实际应用将成为信息高速公路安全系统的核心。世界将会依赖使用这一网络，因此有效地处理安全性非常关键。你可以把信息高速公路想象成一个邮政网络，在那里人人都有一个邮箱，它不可窜改并且有一把牢固的锁。每一邮箱都有一个狭缝，因此每个人都可放入信息，但只有邮箱的主人才可用钥匙取出信息。（一些政府会坚决主张邮箱有第二道门，门钥匙由政府保管，但在此处我们将忽略政府方面的因素而集中讨论软件可提供的安全性。）

　　每一用户的计算机或其他的信息装置会使用质数来创造一个公开的加密钥和一个相应的只有用户本人知道的解密钥。在应用中它是这样工作的：我有信息要发给你。我的信息装置或计算机系统查找你的加密钥并在发出之前将信息加密。虽然你的密钥是公开的，但没有人能读懂加密的信息，因为公开密钥中不包含解密所需的信息。你收到信息后，你的计算机会用与你的公开密钥相对应的私人密钥将信息解密。

　　你想答复，于是你的计算机就查找我的公开密钥，然后用它给你的答复加密。无人可读这条信息，尽管它是用公开密钥加密。只有我能读懂它，因为只有我才有私人的解密钥。这种方式非常实用，因为没有人事先买卖密钥。

　　质数和它们的乘积要多大才能保证有效的单向功能呢？

　　公开密钥加密概念是威特菲尔德·迪菲和马丁·海尔曼于 1977 年首次提出的。另一组计算机科学家隆·里维斯特、阿迪·沙米尔和雷奥纳德·阿德尔曼，不久就提出了使用质数分解因子的想法，这也是以他们名字的首字母命名的 RSA 密码系统的一部分。他们提出，分解一个 130 位的两个质数的乘积数需要几百万年的时间，不管使用的计算能力多大。为了证明这一点，他们找到下面这个 129 位数，并向世界挑战要他们找出它的两个因子。这个数就是圈内人熟悉的

RSA 129：

114 318 625 757 888 867 669 235 779 976 146 612 010

218 296 721 242 362 562 561 842 935 706 935 245 733

897 830 597 123 563 958 705 058 989 075 147 599 290

026 879 543 541。

他们坚信用这个数做的公开密钥加密的信息将会永远安全。但是他们既没有预料到第二章中讨论的莫尔定律的全面效应，也没有预料到个人计算机的成功。前者大大提高了计算机的能力，而后者则使全世界的计算机和用户数目得到了显著提高。1993 年，世界各地 600 多个研究人员和爱好者通过使用 Internet 协调各自计算机的工作向这个 129 位数发动了进攻。不到一年，他们就分解出了这个数的两个质数，其中一个长 64 位，另一个长 65 位，这两个质数分别为：

3 490 529 510 847 650 949 147 849 619 903 898 133

417 764 638 493 387 843 990 820 577

和32 769 132 993 266 709 549 961 988 190 834 461 413

177 642 967 992 942 539 798 288 533

　　加密的信息是："吹毛求疵和鱼鹰是两个有魔力的单词"。

　　从这次挑战中得出的一个教训是：如果加密的信息确实重要并且高度机密的话，公开密钥的长度为 129 位仍不够长。另一个教训是：任何人对加密的安全性都不应过份肯定。

　　将密钥只增加几位数字分解起来就会困难得多。今天的数学家相信用可预测的未来计算能力分解两个 250 位长的质数的乘积要用数百万年。可是谁知道呢？这种不确定性，也就是有人会用简单方法将大数字分解因子的可能性，表明信息高速公路的软件平台将会设计成这样一种形式，那就是它的加密系统将会随时更换。

有一件事我们大可不必担心，即质数会用尽或两台计算机偶然会用同样的数字作为密钥。适当长度的质数数量比宇宙中原子的数量还要大得多，因此两个密钥偶然相同的机会微乎其微。

密钥加密的方法不仅仅可以保密，它还可以保证文件的真实性，因为用私人密钥编码的信息只能用公开密钥才能译码。它的工作方式如下：如果我有信息在发出之前需要签字，我的计算机会用我的私人密钥将其加密。现在这条信息只有用我的公开密钥，也就是你和所有其他人都知道的密钥方可解密。这条信息确实系我发出，因为没有其他人有用这种方式加密的私人密钥。

我的计算机接收这条加密信息，再用你的公开密钥将此信息重新加密，然后通过信息高速公路把这条双重加密的信息传送给你。

你的计算机收到信息后用你的私人密钥对其解密，这解除了第二层编码，但用我的私人密钥编的第一层密码仍然存在。然后你的计算机用我的公开密钥再次对其解密。因为它确实是由我发出的，如果这则信息解密正确，你也就知道它是真实的了。即使信息有些微小改动，信息就不能正确译码，而窜改或通信错误也就会很明显。这种特殊的安全性可使你同陌生人甚或不信任的人进行交易，因为你能确认数字货币的有效性以及签名和文件的真实性。

　　把时间特征加入到加密信息中可以进一步提高安全性。如果有人企图窜改文件书写或发出的时间，窜改很易被察觉。这使得照片和图像的可信度得到恢复，过去因为对它们进行窜改是轻而易举的事，所以它们易受攻击。

　　我对公开密钥加密的描述过分简化了这个系统的技术细节。比如，因为它相对缓慢，它不会是信息高速公路使用的唯一加密形式。但是公开密钥的加密将会成为文件签字的方式，真实性会得到保证，而其他各种加密钥会得到安全分配。

　　个人计算机革命的主要好处在于它赋予人们能力的形式。信息高速公路的廉价通信在更重要的层次上影响了人们。受惠者不仅仅是与技术打交道的个人。随着越来越多的计算机与高带宽的网络相联，以及软件平台为庞大的应用系统提供基础，人人都可使用世界上绝大多数的信息。

第六章

内容革命

五百多年以来，人类的知识和信息都是以书面文件保存的。你现在手中就拿着一本（除非你读的是只读激光盘（CD-ROM）或未来的联机版本）。毫无疑问，纸张将与我们同在，但是它作为查找、保存和传播知识的重要性正在逐步下降。

你一想到"文件"，可能就会想到一张张上面印有东西的纸，但这是其狭义概念。一份文件可以是任何形式的信息。报纸上的文章是一种文件，而其最广义的概念还包括电视节目、歌曲以及交互式图像游戏。因为所有的信息都可以用数字形式储存，因此在信息高速公路上查找、存储和发送文件就会相当简单。如果内容除了文本还有图画和影像的话，书面文件的传送就会困难得多，而且局限性很大。为了获得交互性、生动性，或者这些性能与其他因素相结合的性能，未来以数字形式存储的文件将包括画面、声音和程序指令。

在信息高速公路上，丰富的电子文件能做到纸张所无能为力的事情。信息高速公路所具备的强大数据库技术允许人们使用交互探索的方法给文件建立索引并进行检索，它们的传播会变得极其便宜和简单。简言之，这些新的数字文件将会取代许多印刷的书面文件，因为它们可以用新的方式帮助我们。

但是纸张做成的书本、杂志和报纸在很长一段时间内依然具有许多压倒其数字替代品的优势。读一个数字文件，你需要有一台个人计算机这样的信息装置。书本个头小，重量轻，分辨率高，而且一本书比一台计算机便宜得多。至少十年之内，在计算机屏幕上阅读一个连续的长文件不如在纸张上阅读方便。数字文件要想得到广泛应用必须提供新的功能，而不仅仅是模仿旧媒体。电视机也比书本和杂志庞大、昂贵，分辨率也低，但这些并未限制它的流行。电视把图像娱乐带入了家庭，它是如此迷人，以至于可以与书本和杂志平起平坐。

计算机技术和屏幕技术改良的不断累积最终会带给我们一种轻便的电子书（或 E-Book），它与今天的纸张图书类似。在盒子里面装着一本书，它的大小和重量与今天的精装或简装本大体一致，它可以显示高分辨率的文本、画面和图像。为了寻找你想要的章节，你可以用手指或声音命令翻页。用这种设备，对网络上的任何文件都可以进行访问。

电子文件的真正重要的地方并不仅仅是我们可以在硬件设备上阅读它们。从纸张图书到电子图书只是一个过程的最后阶段，这一过程已在顺利进行之中。数字文件令人兴奋的一点是对文件本身的再定义。

这会引起强烈的回响。我们不仅要重新考虑"文件"的含义，而且还要考虑"作者"、"出版商"、"办公室"、"教室"和"课本"的含义。

目前，如果两个公司正在洽谈签约，合同初稿可能会输入计算机并打印在纸上。它可能被作为传真发给另一方，让他们把要编辑、增补、修改的地方写在纸上或将改后的文件反馈给第一方。另一方改动之后，打印出一张新的书面文件并通过传真发给第一方，编辑过程再重复一遍。在这场交易中，很难弄清哪一方做了哪些变动。协调所有变动和传输文件所需花费甚多。电子文件可以使这一过程得到简化，它可以把合同文本及对文本所作的修正和注解一并来回传送，同时显示出这些修改和注解是什么人所为，并且在打印出来的时候，所有这一切都将附在原始文本的旁边。

几年之后，数字文件，签上用以辨别真伪的数字签名，会成为原件，而打印出来的文件将成附件。许多行业已不再使用打印机和传真机，而是通过在计算机和计算机之间传递电子邮件来交换可编辑的文件。没有电子邮件，这本书写起来就困难得多。我所征求的读者意见是通过计算机传送的，看一看他们的修改意见并看一下是什么人、在什么时候提出的非常有益。

十年之内，即使在办公室里，也会有一大部分文件不能在纸上完全打印出来。它们就像今天的电影或歌曲。你仍然可以用二维方式把它们的内容打印出来,但阅读起来就像读乐谱而不是欣赏音乐。

有些文件用数字形式非常合适,因而很少使用纸张版本的形式。波音公司决定用一个巨大的电子文件包容所有工程信息,以便来设计其新型的 777 喷气式飞机。在以往的飞机设计中,为了协调设计组、制造组和外围合同组的合作,波音公司总是使用蓝图并制作昂贵的飞机全尺寸模型。为了保证各个工程师设计的飞机零件确实能在一起正常工作,模型必不可少。在 777 的设计过程中,波音公司放弃了使用蓝图和模型的方法,而从一开始就使用了一个电子文件,这个文件包容了所有零部件以及它们在一起是如何工作的数字三维模型。在计算机终端工作的工程师能够看到设计并可看到其内容的不同形式。他们能够追踪任一领域内的进展,寻觅有趣的检验结果,标注有关费用的信息,并能用在纸张上无法进行的方式对设计中的任一部分进行修改。每一个人都能在同一文件上工作,寻找个人最关切的问题。每一改动都可共享,每一个人都能知道谁做了什么修改,在什么时候以及为什么。使用数字文件,波音公司可以节省近 10 万张图纸以及撰稿和复制所需的很多人力和时间。

用数字文件工作起来比用纸张快得多。你能迅速地传输信息并在瞬间检索它。使用数字文件的人们已经发现通过它们进行快速查询和追踪是多么的简单,因为对它们的内容进行重新组合非常容易。

饭店预订簿的组织结构所根据的是日期和时间。下午 9

点的预订要远在下午 8 点的下面。星期六晚餐的预订要紧随着星期六中餐的预订。饭店经理或任何其他人都能迅速找出谁、哪一天、什么时间进行的预定，因为预订信息就是按这种方式排列的。但是，不管什么原因，如果有人想用另外一种方式查找信息，这个简单的次序表就毫无用处了。

如果我打电话说："我的名字叫盖茨。我妻子预订了一顿饭，是在下个月的某一时间。您能查一下是什么时间吗?"这时，你可以想象一下这位饭店总管所面临的难题。

他有可能会问："对不起，先生，您知道您预订的时间是在哪一天吗?"

"不知道。那也是我想知道的。"

"会不会是在周末?"总管问道。

他知道他将不得不以手工方式一页页翻看预订簿来查找，并且希望能用任何可能的方式缩小日期范围以减轻此工作的负担。

饭店可以使用书本式预订簿，因为预订的总数不大。航空公司的订票系统就不是一个小册子，而是一个数据库，其中包含世界范围一天之内几百架班机的大量信息：航班、机票价格、预订、座位安排以及付款信息等。美国航空公司的 SABRE 订票系统在计算机硬盘上存储的信息有 44000 亿个字节，比 40000 亿个字符还要多。假设 SABRE 系统中的信息要做成一份书本式订票簿，它的页数超过 20 亿。

只要我们还有书面文件或文件集，我们都是以直线方式安排信息的，用关键词索引、目录和各种各样的相互参照条目来提供可交替使用的查询方法。大多数办公室的公文柜都是按照客户、工作站或项目的字母顺序排列，但是为了加快访问速度，一套同样的文件经常按照时间的先后归档。专门编索引的人用建立可替换查找信息的方式给一本书增添了价值。在图书馆的目录计算机化之前，新书将被列在不同的卡片目录上，这样读者可以凭一本书的书名、它的任一作者或主题找到这本书。这种看似多余但却有用的方法方便了信息的查找。

我小的时候特别喜爱家中 1960 年版的《世界图书百科全书》。笨重的书卷里仅包含文本和插图。它们能够说明爱迪生的留声机看起来怎样，却不能让我听听它刺耳的声音。它有毛虫变成蝴蝶的照片，却没有图像将这一变化栩栩如生地呈现出来。如果它能就我所读的内容进行测验，或其信息总是与时代步调一致，那将会锦上添花。当然，那时我并没有意识到它的这些缺点。我 8 岁时开始读第一卷，并决心把每一卷都读完。如果关于 16 世纪的按顺序排列的全部文章或所有关于医药的文章不那么难读的话，我可能会读的更多。相反，我读了"无毒蛇"，然后是"印第安那州的加里城"和"气体"。尽管如此，我还是很喜欢读这部百科全书，并坚持读了 5 年一直到中学为止。然后我发现了更复杂和细致的《大不列颠百科全书》。我知道我永远不会耐着性子把它们都读完。而且那时我的绝大多数业余时间都用来满足我对计算机的热望了。

目前印刷出版的百科全书由近 24 卷组成，内有数百万字的文本和成千上万的插图，通常价格为成百或上千美元。这是一笔不小的投资，尤其是考虑到信息过时的速度之快。

微软 Encarta 软件的销售额超过了印刷或其他媒体的百科全书，它做在一个一盎司重的 CD-ROM（全称是 Compact Disc-Read Only Memory）上。Encarta 包括 26000 个论题，900 万字的文本，8 小时的声音，7000 张照片和插图，800 张地图，250 张交互图表和表格，还有 100 张动画和电视夹片 (clips)。它的价钱还不到 100 美元。如果你想听埃及的"ud"（一种乐器）发出的声音，1936 年英国国王爱德华八世的退位演说，或看解释机器如何工作的动画，所有这些信息都在 Encarta 里面，而任何一种纸张印刷的百科全书都无法拥有这些信息。

　　印刷的百科全书中的文章后常有与此主题相关的文章清单。要阅读这些参考的文章你必须找到它们，而它们则可

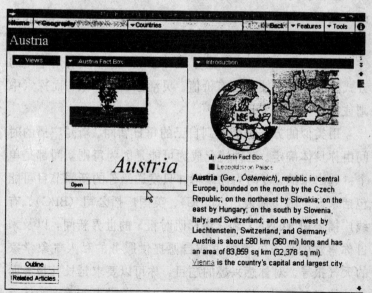

1995 年，微软 Encarta 电子多媒体百科全书

能在另一卷中。在 CD-ROM 百科全书中，你只要在参考文章处点一下，那篇文章就会出现。在信息高速公路上，百科全书的文章将包含与相关主题连接的指令，这里相关主题不仅是百科全书涵盖的内容，而且有其他来源。对你感兴趣的问题你能探索到多少细节，这里将没有极限。实际上，信息高速公路上的百科全书将不仅仅是一本参考书，与图书馆的卡片目录一样，它将成为一扇知识之门。

目前印刷的信息难以定位。寻找关于某一特定题目的全部最好信息，包括书本、报刊文章以及电影胶片，几乎是不可能的。把所发现的信息集合在一起也将耗费大量时间。比如，你想读关于最近所有诺贝尔奖获得者的传记，将这些传记搜集到一起要花整整一天。然而电子文件将会是交互的，对一种信息发出要求，文件就会响应。如果你改变了主意，文件会再次响应。一旦你熟悉了这种系统，你会发现用不同的方式阅读信息会使它更有价值。灵活性引发探索，而探索中则往往产生新的发现。

用类似的方法你能看到自己的每日新闻。新闻广播的时间由你具体确定。这种情况成为可能是因为每则新闻都是单个挑选出来的。专门为你编辑并只发送给你的新闻节目可能包括来自全国广播公司（NBC）、英国广播公司（BBC）、有线广播公司（CNN）和《洛杉矶时报》的世界新闻，以及来自你喜欢的地方气象学家或自愿提供服务的私人气象学家的天气报导。对你感兴趣的题目，你可以要求延长其报导而其他的只要要闻。你在看新闻节目时，若觉得所看到的还远远不够，就可以轻易地从另一家新闻节目或文件信息处要到更多的背景或细节材料。

　　在所有书面文件形式中，小说是为数不多不能从电子组织中得益的形式之一。几乎每一本参考书都有索引，而小说没有，这是因为人们没必要在小说中查找资料。小说是线性的。同样，我们看电影也是从头看到尾。这不是一种技术判断而是艺术性的，因为它们的线性是故事叙述过程本身固有的性质。发挥电子世界优势的新型小说已经诞生了，但线性小说和电影仍受大众喜爱。

　　信息高速公路将会使廉价传输任何形式的数据文件简单易行。成百万的人和公司会在网上制造并出版文件。一些文件的目的在于赚钱而另一些则对任何一个注意到它的人都是免费的。数据存储价格低廉得令人惊奇。个人计算机硬盘驱动器价格很快就会达到 100 万字节的信息只要 15 美分。100 万字节将包含 700 页的文本，相当于每页花费 0.021 美分，即本地复印中心每页 5 美分收费的百分之一。因为还有重新使用存储空间存储其他内容的可能，它其实是每单位时间存储器的价格，也就是说，是租用空间的价格。假设硬盘存储器的平均寿命是三年，那么每页每年分摊开来所付的价钱是 0.007 美分，而硬盘的价格一直在下降，在过去几年里大约每年下降 50%。

　　因为文本的数字形式非常紧凑，所以存储它就特别容易。一幅画抵 1000 个词的说法在数字世界中更是千真万确。高质量的照片图像占据的空间要比文本多，而视觉图像（每秒可出现一串或 30 个新图像）则需更多空间。尽管如此，这几种数据传送的价格仍然很低。一部艺术片的压缩数字格式大约要占 40 亿个字节，这相当于大约 1600 美元的硬盘空间。

存储一部电影花 1600 美元听起来价格并不低。然而考虑到一般地方录像出租店通常以大约每部 80 美元的价格购买一部走红新片的录像带，每部片子至少要买 8 份录像带。而这 8 份录像带每天只能租给 8 位顾客。

一旦磁盘和管理磁盘的计算机与信息高速公路相连，仅拷贝一份信息就足以供每个人使用。把人们最喜欢的文件用不同的服务器拷贝下来，这样在大量用户想访问时就可迅速为他们提供服务。目前仅一家录像出租店就为走红的录像带花去了多少钱哪！而磁盘服务器仅用一次投资就可同时为数以千计的顾客服务。每个顾客所要交纳的费用只是短时期内使用磁盘存储器的费用和通信费。而这些费用也变得极其少，因此每个用户所交的费用几乎为零。

这并不表明信息将会免费。但传播信息的花费会很少。如果你买了一本纸张式书籍，你的一大部分钱都付给了这本书的制造和发行者，而不是付给作者。树将会被砍伐下来，磨成纸浆，然后做成纸。再把书印刷并装订起来。大部分出版商在某书的第一版印刷中所投入的资金是他们认为该书能迅速卖出的最大册数所需的资金，原因在于印刷技术只有在书籍大量成批印刷时才是有效的。投入造成库存的资金对出版商来说是一种财政冒险：他们也许永远卖不完这么多书，即使他们能做到这一点，也需要相当一段时间。同时，出版商还得把书存库，然后装运给批发商后再运给零售书店。这些人也在存货上投入了资金，并希望得到利润上的回报。

当顾客选择一本书并为它付了款时，作者所得利益与花在木头纸浆以及运送信息等外在方面的资金相比只是大馅饼中的一小片。我喜欢称此为传播"冲突"，因此它阻碍了多样性，并把作者的钱浪费在了别人身上。

信息高速公路基本上没有冲突，关于这一点我在第八章中会作进一步的探讨。这种信息传送冲突的消除极其重要。它会赋予作者更多的权力，因为顾客不用为信息的传送付钱。

谷登堡发明的印刷机给信息传播冲突带来了第一次真正意义上的改变，它使得任何科目的信息都能迅速而又便宜地发送出去。因为印刷机可提供低冲突的复制，因此创造了一种大众媒体。书本的激增敦促人们读书写作，但是人们一旦掌握了这些技巧，就可以利用书面文字做更多其他事情。商业上人们可以做存货记录并书写合同。情人们可以相互写信。一个人自己可以记笔记、写日记。这些应用本身并不足以吸引大量的人努力学习读和写。直到有了创造文化人的"安装基础"的真正原因，书面文字作为一种信息储存方式才确实有了实用价值。书给文化修养提供了关键的媒体，因此完全可以说印刷机教会了我们读书。

印刷机可以印出大量文件，但只写给少数人看的文件怎么办呢？小规模印刷需要新的技术。如果你只想多要一本或两本书，则可以用复写纸。油印机和其他机器则可以成打地印出文件，但是要完成这些机器的任何一种印刷过程，你都得在准备原件的时候就为该过程做好规划设计。

20 世纪 30 年代，切斯特·卡尔森因为深切地感受到准备专利应用（其中包括用手复制图纸和文本）的困难，开始准备发明一种复制少量信息的更好方法。他提出了一种方式，1940年取得专利权时命名为"静电印刷术"。1959年，与他合作的公司，即后来的施乐公司，制造出第一台成功的流水线复印机。914复印机，因为能简单而又廉价地复制数量不多的文件，引起了给少部分人发送的信息种类和信息量的猛增。市场研究的预测是施乐的第一台复印模型机最多只能卖出3000台。事实上，他们卖出了大约20万台。复印机推广后的第一年，文件复制数每月可达5000万。到1986年为止，每月复制文件数超过了2000亿，从那时起，这个数字就在不断上涨。如果此技术不是如此便宜和简单的话，大部分复印件也许永远不会产生。

光复印机和后来产生的与它同水平的台式激光打印机，以及个人计算机桌面印刷软件，为专门给少数人设计的时事通讯、备忘录、政党图、广告传单以及其他针对小规模读者的文件提供了便利。卡尔森是又一位减少了信息传送冲突的人，他的复印机获得的巨大成功表明，一旦你减少了传送冲突，令人惊奇的事情就会发生。

当然，复制文件要比创作一篇有价值的文章简单多了。一年中可出版书的数目没有固有的限制。一般的书店有一万种不同的图书，而一些新的超级书店可能会有10万种。所出版的所有普及性图书中，只有一小部分，还不到10%的书为它们的出版商赚到了钱，但有些图书则大出人们的意料而取得了成功。

我喜欢举的最近的一个例子是《时间简史》，它的作者是斯蒂芬·威·霍金，一位才华横溢的科学家，他患有肌萎缩性脊髓侧索硬化症（洛·格里格也患有此症），这种病使他终年呆在轮椅上，因此与人交流十分困难。如果我们只有几个出版商，他们中每个人每年只能出版几本书，那么霍金关于宇宙起源论文出版的可能性有多大呢？假设一位编辑可出版的书单上只剩了一个空位，他必须在出版霍金的书还是麦当娜的《性》之间进行抉择。显然他会选择麦当娜的书，因为它看起来能卖到100万册，确实如此。但霍金的书卖出了550万册，而且至今仍有读者在购买。

　　这种以前未受赏识后来却畅销的书常常令人惊讶（其作者除外）。我非常喜欢的一本书《麦迪逊镇桥》是第一部由一位商业学校的通信老师创作的小说。它的出版商并未将其定位为畅销书，但是谁也不会确切地知道什么最符合公众的口味。和大部分试图猜透市场决策的中央规划一样，它从根本上就是亏本的生意。在《纽约时报》的畅销书单上，几乎总是有一两本书让人不知其来龙去脉，因为与其他媒体相比，出版书的花费相对要少，所以出版商还能给它们一个机会。

　　电视或电影广播的花费要高得多，因此在这些方面冒险比较艰难。在电视的早期时代，每个地区只有几个电视台，而且大部分节目安排针对的都是尽可能多的观众。

　　有线电视增加了可选择的节目数，虽然它开始时并没有此目的。有线电视开始于本世纪40年代晚期，当时是作为给边远地区提供较好的电视接收方式进行的。广播接收被小山阻挡的观众建起公用天线向当地的电缆系统传输信号。那时没有人想象得到广播电视接收效果很好的人们也愿意交费用电缆观看一成不变的音乐电视或 24 小时只播放新闻和天气的频道。

当电视台的数目从 3 或 5 增加到 24 或 36 时，安排节目的动力发生了变化。你负责为 30 频道制作节目，如果你只是模仿 1 到 29 频道的节目，你就吸引不了很多观众。相反，有线频道的节目制作者被迫限定观众范围。与特制的杂志和时事通讯一样，这些新的频道以满足少量爱好者的强烈兴趣的办法来吸引观众。这与平常的节目制作正好相反，它们总是试图给每个人都准备点节目。但是制作节目所需的费用和频道数量少仍然限制了可制作的电视节目数量。

虽然出版一本书比播出一个电视节目花费要少的多，但是与电子印刷相比，它的花费仍然不小。为了印刷一本书，出版商必须为印刷之前的制造、传送和销售付款。信息高速公路将会创造一种媒体，其入口障碍将比其他媒介低。Internet 是至今为止最大的自动出版工具。它的电子公告板已经显示出了一些变化，当人人都能使用低冲突发送方式，并且个人能发送自己创作的图像、信息或软件的时候，这种变化就会发生。

电子公告板为 Internet 的普及做出了很大贡献。在公告板上出版，你只需输入你的想法并把它贴在一个地方。这表明在 Internet 上会有大量垃圾，但也有少量珍宝。一般的信息有一页或两页。贴在受人喜欢的公告板上或发给专题讨论组 (mailing list) 的一条信息可能会到达并吸引数百万人。或者它只是呆在原地，日渐憔悴而无任何影响。因为是低冲突方式发送，有人甘冒后一种风险。网络带宽如此之大，需要花费的其他因素又是如此之少，因此没人会考虑发送信息的费用。如果你的信息只是呆在原地而无人理会，最坏的结果只是你可能会感到有点窘迫。另一方面，如果你的信息很受欢迎，则很多人会看到它，并把它作为电子邮件发给朋友并附上自己的赞辞。

用电子公告板通信，其速度之快，费用之低，令人惊异。信件和电话通信对于一对一的讨论算是不错的方式，但如果你想与一群人用这种方式联系就会十分昂贵。打印并邮寄一封信要花将近 1 美元，一个长途电话基本上也要花这么多。而打电话你还要事先知道电话号码并约好谈话时间。因此，即使与较小的一群人取得联系也需要大量的时间和精力。在电子公告板上，你只需把你的信息一次输入，然后每个人都能得到它。

Internet 上的电子公告板包含的话题很多。一些信息并不当真。有些人会在信息中夹杂一些幽默然后发送给专题讨论组或把它贴在某个地方。如果它确实有趣，人们就会把它作为电子邮件四处发送。1994 年底发生了这么一件事，一则假报导说微软公司要买下天主教堂。在我们的电子邮件系统上，成千上万份这一信息在微软内部传送。我就收到了 20 多份，它们是公司内外不同的朋友和同事发送给我的。

也有更多当真的例子。人们用网络来动员与自己有同样的兴趣或对同样的事物表示关切的人。在最近发生的俄罗斯的政治冲突中，冲突双方都能通过电子公告板上的公告与全世界人民取得联系。网络可以使你与碰巧和你有共同兴趣的人取得联系，而这个人你从未见过也从未用书信联络过。

电子公告板上出版的信息按照论题来分组。每一公告板或新闻组都有名字，每一个对它感兴趣的人都可在此"逗留"。这里有有趣的新闻组的名单，或者你能看到听起来很有意思的名字。如果你想看看关于超自然现象的材料，你就进入到超自然新闻组 (alt. paranormal)。如果你想与其他不相信某种动物的人讨论，你可以到怀疑新闻组 (sci. skeptic)。或者你可以与 copernicus. bbn. con 组相联，在国家学校网络试验台里找一套从幼儿园一直到 12 级老师用的教学计划。几乎你能说出的所有话题在网络上都有一个组讨论它。

我们已经看到谷登堡的发明开了大量印刷的先河，但由它所引起的阅读和写作的能力普及，最终导致了大量个人之间的通信。电子通信则发展了另外一种形式。它以电子邮件的面目出现，这是一种与一小群人通信的方式。现在数百万人利用网络的低冲突发送方式通过各种形式的张贴进行广泛的通信。

Internet 这一网络拥有巨大的潜能，但是期望不宜过高，这一点对它持久的可信性来说至关重要。Internet 的所有用户和 Prodigy、CompuServe 以及美洲联机公司这样的商业联机服务公司的用户加在一起，总人数也只占人口的一小部分。调查表明美国所有的个人计算机用户中有近 50% 的人有调制解调器，但是定购联机服务的人数还不到 10%，而且数目减少的速度非常快，许多订购者不到一年就退出了。

发展真正的联机服务内容需要大量投资，这种内容会令个人计算机用户高兴和激动，并且会把联机用户数目从 10% 提高到 50%，我甚至相信会达到 90%。目前尚未有这种投资，部分原因是能帮助作者和出版商收取用户费用或赚取广告费的简单机构才刚刚起步。

商业联机服务赚取利润，他们向信息提供者交纳的版税只是客户交纳费用的10％到30％。虽然提供者或许对客户和市场了解更多，但计价——对客户的收费方式——和促销都由服务公司控制。信息提供者所获利润还不足以鼓励他创造出新的令人振奋的联机信息。

以后几年中，随着联机服务的发展，这些问题都会得到解决，并会刺激提供者创造奇妙的信息。那时将会出现新的收费方式：每月订购，按小时收费，按所使用项目收费以及收取广告费，因此信息提供者会获得更多利润。一旦如此，一个崭新的成功的大众媒介就会应运而生。这也许需要几年时间，需要诸如ISDN和电缆调制解调器这样的新一代技术。但是不管怎样它会诞生。它的出现将会为作家、编辑、导演等每一位智力财富的创造者提供众多的机会。

每一个新媒体产生后，它提供的首批内容总是来自于其他媒体。但是为了充分利用电子媒体的能力，它的内容需要专门创造。至今为止，联机服务的大部分内容都是其他媒体"倾倒"的垃圾。杂志或报纸出版商只是简单地把已做好用来出书的文本放在联机服务上，通常还会减掉画面和图表。纯文本公告板和电子邮件也会很有趣，但并不真正能与我们生活中信息的丰富形式相竞争。联机服务内容应包括很多图表、照片以及到达相关信息的连路。随着通信速度的加快，商业机会的清晰化，更多听觉和视觉因素会包括进来。

CD-ROM（激光唱盘的多媒体版本）的发展为联机内容

的创造提供了值得吸取的教训。CD-ROM 式多媒体标题可以把各种不同类型的信息、文本、图表、照片、图像、动画、音乐和录像合成一个文件。今天这些标题的大部分价值在"多"而不在"媒体"。它们是未来文件形式的最佳近似。

CD-ROM 上的音乐和音频很清晰，但很少能达到激光唱盘（CD）上的效果。CD-ROM 上可以存储达到 CD 质量的声音，但其使用格式庞大，因此如果存储了太多达到 CD 质量的声音，就没有空间存储数据、图表和其他材料。

CD-ROM 的动态图像仍需改良。把今天个人计算机可以显示的图像质量与几年前只能显示邮票大小的图像相比，进步令人惊奇。长期的计算机用户第一次在其机器上看到图像时激动万分。但是那不断晃动的颗粒状图像并不比 50 年代的电视画面好看。有了更快的微处理芯片和更好的压缩技术，图像的大小和质量都将得到提高，最终会比今天的电视画面还要好得多。

CD-ROM 技术使得一种新型应用程序得以实现。购物目录、博物馆游览以及课本都以这种新颖的形式进行了重版。每一种科目都可以包含进去。竞争和技术会迅速提高标题质量。CD-ROM 将被一种新的高容量磁盘取代，这种盘看起来像 CD 但可容纳的数据却是它的 10 倍。这些密纹 CD 的附加容量可用一个盘容纳两个多小时的数字图像，即它们能容下一整部电影。它的画面和声音质量会比家里接收的电视信号质量还要好，而在用户的交互控制下，新一代图表芯片还可允许多媒体标题中包容好莱坞质量的特技。

多媒体 CD-ROM 目前很流行，这是因为它们可以给用户提供交互性而不仅仅模仿电视。交互性的商业吸引力已经由 CD-ROM 游戏的推广体现出来，比如布劳德邦的《神秘》和维尔京交互娱乐公司的《第七位客人》，它们都是侦探小说，是小说和谜团的混合体，允许游戏者用任何顺序收集线索解开谜团。

这些游戏的成功鼓励了作者创作交互性小说和电影，他们介绍一下人物和主要情节，然后由读者/游戏者做出决定，他们的决定能改变故事的结局。没有人建议每本书或每部电影都让读者或观众影响其结局。一个让你一连几小时只想坐在那里享受它的好故事是一个奇妙的娱乐物。我不想给《伟大的盖茨比》或《*La Dolce Vita*》换一个结局，F. 司各特·菲茨杰拉德和费特里克·费里尼已经替我安排好了。欣赏伟大小说必不可少的那种怀疑悬念是脆弱的，也许经不起人们大量使用交互性手段。你不能在控制情节的同时尽情发挥想象力，交互小说与旧式小说就像诗和戏剧一样既相似又不同。

网络上也会有交互故事和游戏。这样的应用系统可以共享 CD-ROM 的内容，但是必须对软件作一些准备工作，以免 CD-ROM 用在网络上速度过慢。这是因为，正如早些时候所讨论的，带宽，或者说信息从 CD-ROM 传送到计算机的速度，要比现存的电话网络的带宽大得多。经过一段时间，网络会达到 CD-ROM 的速度并超过它。到那时，为两种形式创作的内容会相同。但这需要若干年时间，因为 CD-ROM 技术正在不断改进。同时比特率在这两种形式之间的差异使它们依然为两种不同的技术。

预示着 CD-ROM 和联机服务的技术已经改善了很多，但是仍然没有多少计算机用户制作多媒体文件。为此需要做更多的努力。数百万的人们有录像机并为它们的孩子和假期生活录像。然而，要剪辑录像，你就必须是一位专业人员并且要有昂贵的器材。这些都会改变。个人计算机字处理软件和台式印刷软件的进步已经使得数百万人可以较便宜地得到制作简单纸张文件所需的专业水平的工具。台式印刷软件已经前进到了这一步，许多杂志和报纸都是用你能在当地任何一家计算机商店里买到的同类个人计算机和压缩软件制造出来的，你可以用它们为你女儿的生日晚会设计请柬。用来剪辑影片和创造特殊效果的个人计算机软件将会变得和台式印刷软件一样平凡。而专业人员同业余爱好者之间的差异，会成为才能而不是使用工具的差异。

乔治·梅利斯于 1899 年在电影《魔术师》中将一个女人变成了羽毛，从而成为电影中第一批特殊效果之一，从此以后，电影制作者总是使用这种电影手法。最近，特殊效果技术通过采用图像数字操纵又前进了一大步。首先，一张照片被转换成很容易被应用软件操纵的二进制信息。然后改变数字信息并把它恢复成照片形式，使之就像电影中的一个画面。如果做得巧妙，改变几乎令人无法察觉，而且结果也可以很壮观。计算机软件可以使《侏罗纪公园》中的恐龙栩栩如生，也赋予了《狮子王》中吼声如雷的野生动物群以生命，还造就了《假面》中疯狂的卡通效果。莫尔定律提高了硬件的速度，软件也越来越复杂了，随着这一切的发生，可能获取的成就已经没有了极限。好莱坞会继续推动艺术的发展并创造令人瞩目的新效果。

软件程序还可能用来虚构场景，这些虚构的场景会和摄影机创造出的看起来一样逼真。看《阿甘正传》的观众会认出与肯尼迪、约翰逊、尼克松总统在一起的场景是虚构的。每个人都知道汤姆·汉克斯并没有真正到过那儿。但是发现加里·西内西在扮演被截肢者时，将其两条好端端的腿切去的数字处理技术却要困难得多。合成形象和数字剪辑的使用使电影替身演员的处境更为安全。很快你也能用一台标准个人计算机通过软件来制造这样的效果。个人计算机和照片编辑软件用来操纵复杂图像的简便性，会使伪造照片文件或不易令人察觉地修改照片变得更为简单。随着合成技术价格的降低，对它的使用就会越来越多；如果我们能使霸王龙复活，那么猫王埃尔维斯的复活还会远吗？

即使那些并未想成为下一个C. B. 德米勒或莉娜·渥特姆勒的人通常也会把多媒体包括进他们每天创建的文件中。一些人开始时可能会敲入、手写、或口述一个电子邮件信息："在公园里吃午餐可能不是个好主意。看看天气预报。"为了使消息更具有参考价值，他可以把光标移到代表当地电视气象预报的符号处，把它从屏幕上拉过来，移入自己的文件中。他的朋友们得到信息后，在他们的屏幕上就能看到天气预报，这种通信看起来很专业化。

学校的孩子们可以制作自己的影集或电影，并在信息高速公路上把它们传送给朋友或家人。我空闲的时候喜欢做一些特殊的问候卡和请柬。比如，如果我给我的姐姐做一个生日卡，为了使它具有个人特色，我有时会加入一些令她回想起以往趣事的图画。将来我还可以加入一些用几分钟工夫就可定型的电影片断。制作照片、图像或谈话的交互式"影集"将会非常简单。各种类型和规模的商业都可以用多媒体通信。恋人们可以用特殊效果把一些从文本、旧电影上剪下的一个图像片断和一首喜爱的歌揉合在一起组成一封情书。

随着视觉和听觉保真度的提高,这些方面的真实性将被模拟得维妙维肖。这种"虚拟现实"(VR)会允许我们"去"我们永远不能去的地方,"做"我们我们无法做的事,以其他方式这些根本无法实现。

飞机、赛车和宇宙飞船的交通工具模拟器已经具备了一种虚拟现实感。迪斯尼乐园里一些最受人欢迎的航行就是模拟航行。软件交通工具模拟器是为个人计算机创造的最受人喜爱的一种游戏,例如微软飞机模拟器,但是它们强迫你发挥自己的想象力。在诸如波音这样的公司中,几百万美金的飞行模拟器会让你有一个更好的航行。从外部看,他们是盒状、细长腿的机械动物,就和《星球大战》电影中的一样。在其内部,飞机座舱视频显示提供复杂数据。飞行和维修工具与一台模拟飞行特征(包括紧急状况的下的飞行)计算机相连,它模拟的精确性连飞行员们都夸赞是非凡卓著的。

两年前,我与两个朋友在747模拟器里进行了一次"飞行"。在一架真正飞机上只能容纳一个人的飞机座舱里,你坐在控制盘前。窗外,你可以看到计算机产生的彩色视频图像。在模拟器"起飞"时,你会看到可辨认的机场和它周围的事物。波音飞机场的模拟可能会显示,比如飞机跑道上的一辆加油卡车和远处的瑞内尔山。你会听到并不存在的机翼四周风的呼啸声，还有不存在的起落架缩回的沉闷金属声。模拟器下的六个液压系统翘起来并晃动飞机座舱。一切都像极了。

　　这些模拟器的主要目的是为了给飞行员们一个获得处理紧急状况经验的机会。我在操纵模拟器时，我的两位朋友决定让一只小飞机飞过以此来惊吓我。我坐在飞机驾驶员的座位上，忽然一驾塞斯纳机的逼真图像闯入我的视野，我对此"紧急状况"毫无防备，于是就径直撞了上去。

　　一些公司，从娱乐大公司到刚起步的小公司，都计划把小规模的模拟旅行器放入商业区和市区。随着技术价格的降低，娱乐模拟器可能会变得和今天的电影院一样普通。过不了多少年，你就能在自己的起居室里进行高质量的模拟。

　　想去探索火星表面吗？通过 VR 进行探索将会安全得多。去参观一下人类永远不能去的地方怎么样？一位心脏病医生也许能"游"过一位病人的心脏，用使用传统方法永远不能做到的方式对其进行检查。一位外科医生在拿着解剖刀面对真正的病人之前可以多次练习一个复杂的手术，其中包括模拟的大事故。或者你可以用 VR 去你自己设计的幻境里游荡一番。

　　要使 VR 开始工作，必须有两种不同的技术，即创造情景并使它对新信息有反应的软件，还有允许计算机把信息传送给我们感官的设备。软件必须解决怎样把人造世界的外表、声音和感觉描绘得细致入微。这可能听起来极其困难，但实际是容易做到的一部分。我们可以为今天的 VR 写出更多软件，但我们需要更多的计算机能力来使它真实可信。但是以技术发展的速度来看,这种能力很快就会有了。VR最困难的地方是要让用户的感觉对信息确信无疑。

听觉是最易哄骗的感觉,你只要带上耳机就可以了。在现实生活中,你的两只耳朵听到的声音会略有不同,这是因为它们在你头上的位置和所朝的方向不同。你下意识地利用这种不同来分辨声音是从何而来。通过对某一特定声音每只耳朵会听到的部分进行计算,软件能重新再现这一效果。这个方法工作得相当出色。你带上一套与计算机相连的耳机,就能在左耳朵里听到一声细语或在你身后走动的脚步声。

眼睛要比耳朵难以哄骗,但是对视力的模拟仍然很直接。VR设备中总会有一套特殊的带有透镜的眼镜,它把每只眼睛的焦急集中在自己的小计算机显示上。一个头部跟踪传感器可以让计算机判断出头部朝着的方向,因此计算机能合成你将要看到的东西。把头转向右侧,眼镜所描绘的景象就会在右侧的远方。抬起脸,眼镜就可显示天花板或天空。现在VR眼镜太沉重、太昂贵并且没有足够的清晰度。驱动它们的计算机系统仍然太慢。如果你迅速地转动头部,景象就会落后。这很容易让人晕头转向,一小会儿之后,大部分人就会感到头疼。令人欣慰的是大小、速度、重量和成本正是按照莫尔定律发展的那种技术会很快加以纠正的东西。

欺骗其他的感官要困难得多,因为没有适当的方式把计算机与鼻子或舌头或者是皮肤的表层连接起来。至于触觉,普遍的想法是做一件全身紧身衣,里面布满细小的传感器,还有与皮肤整个表层连接的强迫反馈装置。我认为紧身衣不会常见,但它们是行得通的。

典型的计算机监视器每英寸有 72 到 120 个小色点（叫做象素），监视器上共有 30 万到 100 万个象素。全身紧身衣可能与小触觉传感器点相接，每一点和一个特定部位接触。让我们把这些小触觉因素叫做"触元"。

如果紧身衣有足够的触元，如果它们能得到很好的控制，那么就可以复制任何一种触摸知觉。如果大量的触元都准确地在同一深度与各部位相触，结果是"表层"感觉起来很光滑，就像一片磨光的金属紧贴着皮肤。如果它们以各种各样随意分布的深度推进，感觉起来就像质地粗糙的纺织品。

VR 紧身衣将需要 100 万到 1000 万个触元，具体数目由单个触元能传送的不同层次深度数来定。人类皮肤的研究表明，一件全身紧身衣每英寸必须有 100 个触元，指尖、嘴唇，还有两三处其他敏感的部位则需要更多触元。实际上，大部分皮肤的触觉分辨力很低。我猜测对质量最高的模拟来说，256 个触元就足够了。这个数字与大多计算机显示给每一象素的颜色数字相同。

计算机为了把感觉输入触元衣所必须进行计算的信息数量是当前个人计算机上图像显示所需信息量的 1 到 10 倍。这并不需要很高的计算能力。我相信一有人做出第一件触元衣，用那时的计算机来驱动它们将不会有任何困难。

听起来像是科幻小说？实际上，关于 VR 最好的描述就来自像威廉·吉布森写的所谓的电子垃圾科幻小说。他书中的一些人物不是穿上一件紧身衣，而是直接把计算机电缆插进他们的中枢神经系统。解决这种事情如何发生的科学家们还需要一段时间，当他们真的解决此问题时，信息高速公路将会建立起来很久了。一些人因为这种想法而恐惧，而另一些则感到好奇。这种技术可能会首先用来帮助身体上有缺陷的人们。

关于虚拟现实中虚拟的性体验问题，有许多臆测（或一厢情愿的想法），而且势所必然地多于对虚拟现实其他用途的臆测。性体验赤裸裸的内容和信息本身一样古老。怎样将新技术应用于这最古老的欲望，从来不需用很多时间。巴比伦人用楔形文字在土板上留下了色情诗句，而首次利用印刷机做出的东西中就有色情书画。磁带录像机成为常见的家庭工具大大促进了儿童不宜录像片的销售和出租，而且今天的色情 CD-ROM 也很多。在 Internet 和法国微型电话系统的联机服务和电子公告板上都有很多客户订购他们的色情定向服务。如果以历史上出现过的种种模式为向导，那么高级虚拟现实文件的早期大市场将是虚拟的性体验。但是还是以历史的眼光来看，随着每一个这种市场的增长，一目了然的内容将会变成一个越来越小的因素。

想象力是所有新型应用程序的关键因素。仅仅再现现实世界并不足够。伟大的电影远远超出了在胶卷上对真实事件的图形描绘。革新家 D. W. 格里菲思和塞杰·艾森斯坦用了大约十年的时间使用早期电影放映机和照明电影摄影机，并且断定电影不仅仅能记录真实生活或一部戏，它还可以做得更多。电影是一种崭新的动态艺术形式，它吸引观众的方式与戏剧的方式截然不同。先驱们看到了这一点，并发明了我们今天看到的电影。

下一个十年会出现多媒体的格里菲思和艾森斯坦吗？我们有一切理由相信他们已经在对现有技术进行修修补补，并期望看到他们能做些什么，以及能利用现有技术做些什么。

我期待多媒体试验会持续到下一个十年，以及再下一个十年，直至永远。最开始的时候，出现在文献中的有关信息高速公路的多媒体元件将会是一个由当前媒体所组成的综合体——一条扩充通信的聪明途径。但是，随着时间的推移，我们会开始创造新的形式和模式，它们将极大地超出我们现在所知道的一切。计算机能力呈几何级数扩展，这将持续不断地改进工具并挖掘种种新的潜力，这些潜力那时看起来将会是遥远而牵强附会的，就像我在这儿所设想的某些事情今天看起来似乎是不现实的一样。天才和创造力一直在以一种令人无法预测的方式造成种种进步现象。

有多少人具有成为史蒂文·斯皮尔伯格、简·奥斯丁或阿尔伯特·爱因斯坦的天才呢？我们知道他们这种人至少各有一位。也许命运就只给我们分配了这一位。尽管如此，我仍然相信存在许许多多的天才，只不过他们的抱负和潜力都因经济上的困扰和工具上的欠缺而被扼杀了。新技术将为人们提供表达自己的新手段。信息高速公路将为新一代的天才们提供艺术上和科学上梦寐难求的种种机遇。

第七章

对商业的启示

随着文件变得越来越灵活，多媒体包含的内容越来越丰富，信息传播受到纸张的局限越来越少，人们合作和交流的方式会变得更丰富，更少受到地点的限制。几乎每一种活动领域，如商业、教育和娱乐，都会受到影响。信息高速公路对通信状况的改革甚至比它对计算机领域的改革还明显。这一点在工作场所中已经初见端倪。

因为效率最高的商业机构具有超过他们对手的某种优势，各个公司都渴望掌握那些能使它们具有更高生产力的科学技术。电子文件和网络给商业机构提供了改善它们的信息管理、服务及内外合作状况的机会。个人计算机已经对商业产生了巨大影响。但只有当一个公司里里外外的个人计算机都被密切地连接在一起时，人们才能感觉到个人计算机的最大影响力。

今后的十年里，世界范围内的商业都将会有所改观。软件同人们的关系将会更密切，公司将把它们机构的神经系统建立在网络上，不但通向每一个雇员，而且与供应商、咨询专家和用户打成一片。结果就会出现一些更有效率、其规模往往也更小一些的公司。从更长远的观点来看，当信息高速公路使得在地理位置上接近城市服务不是那么重要的时候，许多商业机构就会分散它们的经营，城市本身也会跟公司一样变小。

只消再过五年，在城市商业中的通信带宽就会增长 100 倍，网络供应商们竞相把网络利用率高的用户集中连接起来。首先使用这些高速网络的将是商业机构。每一个新的计算机技术都是最早被商业机构所采用，因为先进的信息系统所带来的经济利益是很容易被证实的。

大大小小的商业管理者都将为信息技术所必将提供的潜能而眼花缭乱。在他们投资之前，他们应该记住：计算机只不过是一种有助于解决特定问题的工具而已。它并不像某些人所希望的那样是一个神奇的、万能的灵丹妙药。如果我听到一个商业主说："我要赔钱了，我最好买一台计算机。"那么我会告诉他，在投资策略上，他最好三思而行。技术充其量只可能延缓对更基本变革的需要。任何技术运用到商业中的第一条规律是：运用在高效率的工作中的自动化技术将会提高它的效率；第二条规律是：自动化技术运用到低效率的工作中，将会降低它的效率。

　　任何规模的公司管理者都不要急于去购买最新、最好的设备配备给每一个雇员，而应该首先退一步考虑：他们究竟希望自己的生意如何运作？它的基本过程和关键的数据库是什么？信息是如何理想化地流动的？

　　例如，当用户打来电话时，是否有关你的生意的所有的信息，包括帐目的状况、所有的申诉、你的机构中的哪个人曾与这位客户一起工作过等情况，都能立刻显示在屏幕上？做这件事的技术非常简单，而且越来越简单，客户们关心的是它所提供服务的水平。如果你的系统不能提供产品的生产信息或不能立刻报价，那么你将可能输给一个具有更高技术优势的竞争对手。例如，一些汽车公司正在集中服务信息，以便任何一个商人都能够很容易地检查一部车的完整的服务历史，以防旧病复发。

　　一个公司也应该考查一下它内部的全部过程，比如雇员复查、商业计划、销售分析和产品开发，并且决定如何让网络和其他电子信息装置使这些工作更有效率。

　　我们看待计算机和使用计算机作为商业工具的方式，都已经发生了很大的变化。在我小的时候，我印象中的计算机不论体积和功能都很大。银行有一堆计算机，大的飞机公司用计算机来记录预订票。计算机是大机构的工具，也是大公司对于使用铅笔和打字机的小公司所具有的部分优势所在。

　　然而在今天，个人计算机，顾名思义，即使是在大公司，它也是为个人工作服务的工具。我们想到并利用个人计算机来帮助我们完成自己的工作。

　　那些独立工作的人能够利用个人计算机来更好地写作，

编撰时事通讯和探索研究新观点。一位卢德派的成员也许会问:"假如丘吉尔曾使用一个文字处理程序,那么他的文章能够变得更好吗?西赛罗能够在罗马元老院做出更精彩的讲演吗?"这类批评者的言外之意无非是,没有现代工具,也做成了许多伟大的事情,所以要是说良好的工具能够提高人类的潜能,那就太冒昧了。我们虽然只能推测一个艺术家的作品如何才能得到提高,但是有一件事很清楚,即:个人计算机改善了商业进程、效率和准确性。让我们来看看那些普通的记者。历史上曾有过许多伟大的新闻工作者,但是今天,核对事实,从现场传播消息,与新闻提供者、编辑、甚至读者保持电讯联络等,已经变得非常容易了。此外,诸如高质量的图表和图像也更简单了。我们只需看一下科学论题所描述的内容就可以了。二三十年前,除了在一些有关科学的书籍和一种装帧精美的专业杂志,如《美国科学》杂志中之外,要找到高质量的科学插图是非同寻常的事。而今天,一些报纸也刊载科学故事,这在一定程度上是因为它们使用个人计算机软件,能够快速地产生详细的图像和图解说明。

各种规模的商业机构都已经由于个人计算机而获得不同程度的利益。小公司已经被证明是最大的受益者,因为低廉的硬件和软件更有利于小公司与大的跨国公司进行竞争。大的组织机构更倾向于专业化:一个部门写宣传册,另一部门负责财务,第三个部门则专门负责为客户提供服务,等等。当你打电话向一个大公司咨询你的财务事宜时,你当然希望专家给你尽快的答复。

但在过去,对于一个小公司的期待值与大公司相比是不一样的，因为他们不可能雇用专家。当个人开办一家企业或一个商店，他一个人既要起草产品说明书，又要负责财务，又要和客户打交道。一个小企业主得处理如此众多的工作，实在是令人惊叹。其实，有些经营小公司的人可以买一台个人计算机以及相关的一些软件，这样他所有要做的那些不同的工作就可以获得计算机的帮助。这样做的结果是，小公司可以更有效地和大公司竞争。

对于一个大公司而言，个人计算机的最大益处来自于不断改善信息资源共享。大量商业事务通过会议、决策、内部程序保持协调，这需耗费许多管理经费，而个人计算机则可以克服这一点。电子邮件在大公司要比在小公司有用得多。

微软公司在国内开始使用信息装置的首要步骤之一就是逐步取消由计算机打印的汇报文件。在许多大公司，当你进入一位高级行政人员的办公室，你会看见关于每月财务数据的计算机资料被装订成册，整齐地叠放在桌上。在微软公司，这些数据可以在计算机屏幕上显示出来。如果一些人需要更多的细节资料，那么他或她可以针对时间、地点或任何其他因素来查询。当我们第一次把财务报告系统安装于联机服务上时，人们开始以一种全新的方式看待这些数据。举例说，他们开始分析"为什么我们在一个地区的市场份额与其他地区的份额不一样"。当我们都来研究这些数据时，我们发现了错误。我们的数据处理组道歉说："出现这些错误我们非常遗憾，我们每月编辑一次，并提供这些数据，这已经有五年了。同样的问题一直在那里出现，但无人提及。"事实上，人们一直不曾充分利用打印出来的信息去发现错误。

那种利用计算机获取信息的灵活性，是很难向不使用它的人说清楚的。我几乎不再看纸张文件上的财务报告，因为我更喜欢在计算机上看他们。

1978 年电子表格第一次出现时，相对于纸和笔而言，它们无疑是一次飞跃。由于有了它们，就可以根据数据表中的每一元素来安排制定计划方案。这些方案能够运用于表的其他元素。一处购买力的任何变动，将立即影响其他元素。因此，关于销售、发展或利润率变化的规划都可以用假设方案来检验，而每一变化的影响马上就会显示出来。

目前一些电子表格程序能使你用不同方式来查看数据表，运用简单的命令就允许对数据进行筛选与整理。我所知道的最好的电子表格应用程序是微软 Excel，其重要特点表现在中心表格上的使用者几乎能用无数种方法来查看综合信息，其数据处理操作十分简便。对信息进行综合处理的标准可以改变，作法是用按鼠标选择键，或是用鼠标将表头从一边拽到另一边。无论是高级的总结报告还是分析任何数据类型或是逐个检验细节，要改变内部信息都是很简单的事情。

中心报表每个月由计算机分发到所有微软公司的经理手中，其内容包括办公室制作的销售数据、生产情况、目前和以前财政年度的销售渠道。每位经理能很快根据这些数据形成个人见解来满足各自的需要：销售经理可从比较本地区或以前年份的销售情况来制定预算；生产经理可以查看他们的产品销售情况和销售渠道。凭借计算机，几千种可能性不过是"咔嗒"一声就完成了。

计算机运算速度的不断增长很快将使计算机显示出高质量的三维空间画面。比起今天的二维显示，它将使我们用一种更有效的方法来显示数据。由于其他方面的进展，用口头提问的方式考察数据库将变得简便易行。例如可以这样提问："什么产品卖得最好？"

	A	B	C	D	E	F
1	Year	1995				
2	Salesperson	(All)				
3						
4	Sum of Sales	Region				
5	Product	East	North	South	West	Grand Total
6	Gasoline	1,722	8,019	53,160	71,935	134,836
7	Heating Oil	27,498	11,098	4,891	36,670	80,157
8	Lubricants	2,294	1,531	993	3,527	8,345
9	Grand Total	31,514	20,648	59,044	112,132	223,338

表格显示的是 1995 年的销售数据，是从产品类型和销售区域两方面总结出来的数据

	A	B	C	D	E	F
1	Year	1995				
2	Salesperson	Adams				
3						
4	Sum of Sales	Region				
5	Product	East	North	South	West	Grand Total
6	Gasoline	1,722	8,019	2,420	15,154	27,315
7	Heating Oil	6,955	11,098	2,516	9,886	30,455
8	Lubricants	-	1,531	436	1,512	3,479
9	Grand Total	8,677	20,648	5,372	26,552	61,249

同一份表格在点了一下"售货员"这一选项之后的结果，是从产品类型和销售区域两方面总结的一个售货员于 1995 年的销售数据

Region	(All)						
Sum of Sales	Product	Year					
	Gasoline		Heating Oil		Lubricants		Grand Total
Salesperson	1994	1995	1994	1995	1994	1995	
Adams	40,251	27,315	28,804	30,455	3,435	3,479	133,739
Barnes	31,135	56,781	45,045	26,784	622	2,015	162,382
Cooper	40,936	50,740	28,770	22,918	1,475	2,851	147,690

把"产品"和"年度"两条移到横行首位之后的同一份表格,"售货员"一条移到纵行首位,是以售货员和产品类型两个方面总结出来的1994年和1995年的销售数据

　　这些革新成果将首次出现在高容量办公软件包中:文字处理程序、电子表格程序、显示程序包、数据库以及电子邮件。一些建议者声称这些工具的功能已经足够,不再需要更新的版本了。但是有些人认为计算机软件出现在大约五到十年之前,在后来的几年里,语音识别、接口标准化以及与信息高速公路联网等因素都得到综合考虑,而被设计在一个核心应用程序中。我想无论是个人还是团体都将对这些改进过的应用程序所带来的高效率表现出极大的兴趣。

　　由于网络发挥了作用,因而生产力将会得到最大提高,工作习惯将会产生最大改变。个人计算机最初的用途是为了更容易产生出打印在纸张上的文件,并通过传送打印结果的方式使人们能共享这些内容。第一个个人计算机网络系统允许人们共享打印机并在中心服务器上存储文件。许多这种早期网络连接的计算机还不到20台。当网络日益扩大,它们能一个一个地连接成网,而且可以连接到Internet上,这样每

一个用户都可以与其他所有的人进行交流。现在，交流的信息大多是简短的文本文件，但最终它们将会像我们在第六章中讨论的那些文件一样具有全方位丰富多彩的效果。一些希望给每一位雇员提供资源共享益处的公司常用巨资设置广泛的信息网络，这种现象日益增多。例如微软在希腊的子公司为加强同世界范围内的信息网络的联系而花的钱就比发放薪水所花的钱还要多。

现在，电子邮件成为交换信息的最主要的工具。印刷习惯也在演变，如果你想要一句话让人看了发笑，想要它表达的意思很幽默，你可以加上一个冒号、一个连字号和一个括号，就成了∶-)，这个合成符号如果侧过来看就成了一张笑脸。例如，你写道："那是否是一个高妙的想法，我没把握。∶-)"——这张笑脸表明你的这句话是善意的，用一个反括号，笑脸就变成一张哭丧的脸∶-(，一种失望的表情。这些"情绪符号"可以说是感叹号的远亲。但是，当电子邮件过渡到具有视听功能的传播媒介时，这种情绪符号恐难以幸存。

一般说来，商业界内部分享信息总是通过交换书面文件、安排电话交谈或聚在谈判桌或数字白板前等渠道进行的。要以这种方式达成好的决策，就需要花大量的时间，进行费用昂贵的面对面会谈和陈述。这种方法极可能毫无效率，而一些公司还是冒着输给竞争对手的风险，单一地使自己受制于这种方法，而其对手却只运用了较少的资源和较少的管理者就做出了较快的决策。

由于我们微软公司从事的是科技业务，所以我们很早就开始使用电子通信。80 年代初期，我们安装了第一个电子邮件（e-mail）系统。虽然我们只有 12 个雇员，但它的效果很好，并很快成为内部通信的主要方法。它被用于替代书面备忘录、技术问题的讨论、旅行汇报以及电话口信，这为提高我们这个小公司的效率立下了汗马功劳。今天，我们已拥有几千雇员，但它依然是必不可少的。

电子邮件用起来极为方便。要写入并传送电子信息，我就在标有"编写"（compose）的大按键上敲击，屏幕上便显示出一个简表。首先，我输入我要与之通信的人的姓名或是从电子通信地址簿选择的人名。我甚至可以指示把我的信息传送给一组接受者。例如，我时常把信息输送给从事微软办公（Microsoft Office）软件项目设计的重要雇员。在我的通讯录中有一栏称为"办公"（Office），如果我选择了它，信息就会送到每一位相关人员处。当信息被传送时，我的姓名便会自动地在"寄件人"这个位置上显示出来。然后，我输入信息的标题，以便接收者对它有些大概的了解。最后，我把信息输入。

一条电子信息通常只是一两句并不诙谐的话。也许我将向三四个人传送此类信息："让我们取消星期一上午 11：00 的会议，每个人用这段时间来准备星期二的会谈。怎么样？"对此，往往只是很简洁的回答：好的。

如果这样的交流看起来很简单，那么请记住：微软公司的一个普通雇员每天会收到几十条这类电子信息。一个电子邮件就好比会议上作出的一个陈述或提出的一个问题——是人们在通信过程中所想到或要质询的东西。为了商业目标，微软公司设有电子邮件系统，但是，像办公室里的电话，它还为社会或个人提供其他多样的服务。例如，徒步旅行者可以为要找到坐骑上山而把电话打给"微软徒步旅行者俱乐部"的所有成员。不用说，有关公司的许多浪漫故事都得益于电子邮件系统。当我的妻子梅琳达首次跟我外出时，我们便利用了它。由于某种原因，人们在通过电话联系或面对面地联系时，都很害羞，而通过电子邮件对话，这种害羞相对要少些。这会带来好处，但也可能带来问题，这要视情况而定。

每天，我都要花几个小时来阅读来自全球的雇员、客户和合作者的电子邮件，并作出答复。公司中的每一个人都可把电子邮件传送给我，而我是唯一一个读它的人，因此谁都不必担心礼仪问题。

如果我的电子邮件地址不是半公开的，很可能我就不会花这么长的时间。在一本名为《富翁及名人电子邮件通讯录》中，记录有我的和拉什·林伯夫、参议员泰德·肯尼迪的电子邮件地址。当约翰·西布鲁克为《纽约人》杂志撰写一篇关于我的文章时，我们的会晤主要是通过电子邮件系统进行的。这是一条很有效的对话途径。当此邮件出现时，我很高兴，但它也暴露了我的电子邮件通讯地址。这给我带来了很大的麻烦，如雪片般的邮件向我飞来，包括问我如何完成家庭作业的学生、索要钱财的人和由于某种原因而把我的电子邮件名列入他们的名单表中的一些对鲸鱼感兴趣的人。我的地址还招致陌生人粗鲁的或是友好的信息以及来自新闻界的令人气恼的言辞（"如果截至明天，你还不答复，我就要公布你跟那位袒胸露乳的女招待间的事情"）。

在微软我们有专为申请工作、产品反馈和其他合法通信而设置的电子邮件地址。但还有很多邮件传送给我本人，所以我不得不改变我的地址。可还是有三个带有一连串信件的电子邮件死死地缠着我。第一个只是一般性地威胁说，如果不回音，将招致厄运；第二个很具体地说，你将会在性生活上遭受惩罚；第三个，整整缠了我 6 年，讲述了一个烹饪制作小甜饼的方法以及某公司将该烹饪法高价出售给一位想获得这个方法的妇女，并告诉我说这位妇女希望我把此方法公之于众。在各式各样的说法中，提到了不同的公司名称。显然，这是想对某一家公司或任何公司进行报复，所以这条信息才会周年不断地重复传送。这种信息是混杂在一些确实应该给我的邮件中，而且常常是在一些重要的邮件之中。幸运的是，电子邮件软件一直都在改进，现在它已经拥有这样一个特性，就是可以让我首先获得早经我指定的发送者的邮件。

当我旅行的时候，每天晚上，我都把我的便携式计算机和微软公司的电子邮件系统连接起来，补充新的信息，同时把我在这一天旅行中所写下的东西传递给公司的职员。许多接收我的信息的人甚至都没有意识到我不在办公室里。当我从遥远的地方和我们共同的网络联系起来时，我也可以点一下某个图标，以便了解销售情况，检查计划的实施情况，并可以得到任何基本的管理数据。当我在千万里之外和几个时区之外时，检查一下我在公司中的电子邮箱才能让我放心，因为坏消息几乎总是从电子邮件中传来。所以假如没有什么坏消息传来的话，我就用不着担心。

现在，我们把电子邮件用于各种以前从未预想到的领域。举个例子说，微软公司每年都有一个向慈善机构捐钱的募捐活动。在活动的开始，每个职员都会收到鼓励他们参与的电子邮件。电子邮件的内容中包括一个电子许诺卡程序，只要点中邮件中的图标，许诺卡就出现在雇员的计算机的屏幕上。他（她）可以许诺交现金也可以签字认可自动扣除工资的部分。如果，你选择了后者，这个信息将自动进入微软公司的工资数据库。通过这种方式，雇员可以直接指定把他们的捐赠交给地区募捐中心，也可以交到其他的非赢利性的机构中。如果他们愿意，他们可以选择把自己的捐赠物交给募捐中心支持的一个或几个慈善机构，甚至可以进入一个服务器获取一些关于他们社区中慈善机构或自愿者的信息。活动自始至终实现了全电子化。作为公司的领导，我可以天天分析总体情况，从中发现我们是否正在积极地参与，或者决定是否有必要搞一个稍微大一点的活动来宣传这种募捐的重要意义。

今天，除了由公司操作的以文本为基础的电子邮件系统（微软公司自己使用的这种操作系统）外，还有许多商业服务项目，诸如 MCI 邮政和 B. T. Gold（由英国电讯公司操作）等。有许多操作软件来自所有的联机系统，如 CompuServe，Prodigy 和微软网络等。他们起着与电报及后来的电传系统相同的作用。同电子邮件系统连接的用户可以向拥有标准的 Internet 电子邮件地址的一个确定的用户传递信息。各种私人和商业电子邮件系统都拥有一个转让信息的"大门"，这些信息被某一个电子邮件系统中的一家用户传送到另一电子邮件系统中的另一家用户。由于在 Internet 上传输信息不是非常保密，对于某些通信来说，隐私还是个问题。尽管如此，你还是可以把信息传递给几乎每一个有个人计算机和调制解调器的人。如果接收者没有电子邮箱，一些商业公司，比如 MCI 公司，也可以通过传真、电传或传统的邮递方式来传递信息。

电子邮件的进一步发展将简化我们的许多活动，这些活动可能效率甚低，而我们至今还未认识到。举个例子来说，付帐就是这样。通常，公司打印出一份帐单，把它塞进信封，然后再送到你家中。你打开帐单，核对你自己的记录，看看总数和单价是否无误，然后写下支票，赶紧把它邮回去，保证它在规定期限到达。我们已经习惯了这种过程，根本就没有想这是多么浪费时间。假如你觉得帐单有误，你要给公司挂电话，等在电话机旁，希望去和管事的人通话解决问题，而这个人很可能根本不是管事的人。这样，你就不得不等其他人给你回电话。

你很快就可以在你的个人计算机、袖珍个人计算机、电视——你所选择的这些通信设备——来查看内含帐单的电子邮件了。当一个帐单传过来后，这些装置将显示出你过去的付款情况。如果你对帐单有疑问，你可以随后询问——随你方便——发出一封电子邮件："这么高的帐从哪来的？"

成千上万的美国行业已经通过电子系统交换信息，这个系统就是电子文件交换系统，也叫 EDI。这种系统允许有合同关系的公司自动地进行某些特定的交易。尽管许多公司正在致力于将 EDI 和电子邮件的优点全部放入一个系统中，但是由于各种交易活动需要组织得井井有条——重新订货或检查装货的状况——因此，传统的 EDI 不适合于特定的信息交流。

虽说电子邮件和 EDI 的优点之一在于它们的异步性，但它们依然有可能进行同步通信。因为有时你想给某人打电话，希望能直接与他交谈并立即得到答复，而不愿只是留下一个口信。

近几年内，将有一种把同步和异步通信因素结合在一起的混合通信系统产生。甚至在信息高速公路完全到位之前，这些系统就将使用 DSVD（以后也可用 ISDN）电话联系，它允许声音和数据的同时传送。

这些系统将以如下方式工作：当公司在 Internet 上邮寄有关他们产品的信息时，部分信息将包括一个说明，这个说明可告诉一个客户如何能够同步地与一个销售代理人联系，代理人可以通过声音和数据来回答问题。例如，如果你正在 Eddie Bauer 的主页（一个电子目录）上求购靴子，你想知道你所喜爱的靴子是否适用于佛罗里达州的沼泽地或能否在冰河上行走，你就可以按下一个按钮，接通代理人的线路并与之通话。代理人会很快明白你正在挑选靴子，并将为你提供你所选择的有关你自己的任何其他信息。这些信息不仅只是你的衣服和鞋子的型号、式样和偏爱的颜色，而且还包括你的体育爱好，以及过去你从其他公司所购买的物品，甚至你所提供的价格范围。而有些人则会选择不必提供任何有关他们自己的任何信息。Eddie Bauer 的计算机可以把你的查询转到上次你与之交谈的那个人那里，或者也可以使拥有此产品（此处是靴子）专家的代理人出现在你的屏幕上。用不着寒暄，你就可以询问问题，如"这种靴子能够在沼泽地里使用吗？"或其他任何你想问的问题。代理人不一定必须坐在办公室里，他可以在随便什么地方，只要他有一台个人计算机并显示出他此刻有空。如果他能使用正确的语言进行操作且拥有合适的专家，他就可以帮这个忙。

如果你决定要改变你的遗嘱，你可以打电话给你的律师。那么她可能会说："让我们快速浏览一遍你的遗嘱。"她将在她的个人计算机上调出你的遗嘱文本，你的遗嘱就会在她的屏幕上显示出来，就如同在你的屏幕上一样。通过DSVD系统或者是ISDN系统或与此类似的系统的帮助可以实现这一功能。当她看过这一文件后，你们就可以共同讨论你的需求。这时，如果她对操作十分熟悉的话，你甚至可以看着她进行编辑。如果你不愿仅仅在一边儿看着文件在你的律师的机器上运行，也想帮助编辑的话，你就可以参与进去一起工作。你们将不但可以互相交谈，而且你还可以在你的计算机屏幕上看到与对方的相同的图像。

你不必拥有一个相同的软件，只需在互连的一个终端上进行操作即可，在这个例子中，是指律师的终端。在你的终端上，你只需要一个合适的调制解调器和DSVD的软件即可。

声音/数据互连的另一个重要用途是可以帮助公司改进产品的维护问题。微软有数以千计的雇员，他们的工作就是回答关于微软软件的产品维护的问题。事实上，我们拥有多少制造这些软件的工程技术人员，就拥有多少回答关于软件的产品维护问题的人员。这真是太好了，因为这样一来我们就可记下所有的反馈信息，并通过这些信息来改善我们的产品性能。虽然我们可通过电子邮件了解很多这方面的问题，但我们的大多数客户依然打电话给我们。这种电话交谈是没有效率的。如，一位客户打进电话来，诉说他那台计算机以某种方式设置，但出现的是错误信息。产品维护专家听到这种描述后，给他提出了一些可在几分钟内完成的操作建议，然后等他操作完毕，他们再继续通话。这样，平均一个电话要打 15 分钟，有时需要 1 个小时。但一旦每个人都使用了 DSVD 系统，产品维护专家将可以看到询问者的计算机屏幕上有些什么（当然要在客户的明确同意之下）并直接检查他们的计算机，而不用仅靠他们描述自己所看到的现象进行检查。这件工作应十分小心，以确保个人的隐私不受他人侵犯。这个过程将减少打电话时间的 30%—40%，它可以使客户更加满意，也可以减少花费和生产价格。

在 DSVD（或 ISDN）电话连接系统中传输的图像不必一定是一个文件。一个或两个参与者也可以传送他们自己的静止图像。如果你想打电话买一个产品，你可能期望公司的服务代表也微笑着站在那儿。但是，当你作为一个消费者的时候，你可能选择只传送你的声音。而且，无论当时你衣着如何，你都可以为自己挑选一个合适的形象出现在屏幕上。或许你还想拥有一些自己各种表情的照片，微笑、大笑、沉思、甚至发怒。在交谈过程中，你可以随时改变屏幕上的形象以配合你的情绪或你的想法。

电子邮件系统和共享屏幕技术可以减少许多不必要的

会议。特别是那些大部分与会者只是听而不说，学而不问的
报告会议，完全可以被电子邮件系统传送的文件和其他有关
表格及附件等代替。在与会者已通过电子邮件系统交换背景
资料的条件下，面对面的会议将变得更有效率。

在软件的帮助下，定出会面的时间也将会变得十分容
易。例如，你想面对面地和你的律师谈一些问题，你的日程
计划将通过计算机网络——甚至电话网络——与她的日程
计划进行比较，挑出一个你们俩都有空的时间。然后，约定
的时间将分别显示在你们各自的电子日历上。

同时，这也是一个预约餐厅和预订戏票的好办法。但是，
这引出了一个有趣的问题。当一家餐厅的生意清淡，一场戏
剧并不受欢迎，或是你的律师不想让你知道你是她唯一的客
户时，这些公司和个人的计算机仅仅会对要求预约的日程计
划作出答复。这样，你就无法通过你的日程计划了解你的律
师所有的空闲时间。你要求一个两小时的会面，答复将是：
"我们可以把你安排在星期二的上午11点。"

客户希望通过电子邮件系统同他的律师、牙医、会计师
或其他专业人员预约会面的时间以及交换文件。例如，你想
就是否应该使用一种未经注册的药物而请教你的医生。要知
道，在没有预约的情况下想与医生会面是很困难的。但是，你
可以通过电子邮件系统，与所有和你打交道的专业人员联
系。我们将看到一种竞争，这种竞争性取决于一个专业团体
采用这些通信工具的有效程度，取决于该专业团体究竟能在
多大程度上使这些工具更有效、更容易获取。我敢肯定，那
时我们会看到这样的广告，宣传某公司在使用个人计算机通

信方面是如何如何的先进，以此招徕客户。

当信息高速公路畅通无阻的时候，人们不仅可以传输声音和静止图像，而且可以传输高质量的电视图像。越来越多运用电子传输和共享屏幕技术的电视会议将会出现在人们的日程计划表上。无论与会者身处何方，他都可以通过一幅电视屏幕：一块数字白板、一台电视机或者一台个人计算机的屏幕，看到同样的图像。屏幕的一部分可能显示出其他与会者的形象，另一部分可能显示出一份文件。而且，如果有人修改了文件，其变化会立即反映在屏幕上。这样，就为在地域上相隔很远的合作者们开辟了广阔的合作道路。这是一种同步信息共享或者说是实时信息共享技术。也就是说，计算机的屏幕会即时反映人们的操作。

例如一个新闻小组通过电子邮件系统来共同修改一份新闻稿。小组的每个成员只需坐在自己的个人计算机或笔记本计算机前，就能对稿件进行润色、修改，增加一幅合适的照片或一段相关的录像。同时，这些修改将会造成的实际结果立刻就会显示在每个人的计算机屏幕上。

我们已经对电视会议习以为常了。每个观看电视新闻，比如以远距离辩论为特色的《晚间直播》节目的人，就是在观看一场电视会议。虽然主持人和嘉宾可能远隔重洋，但是他们就像面对面一样地交换意见。观众也如同身处现场一样。

目前，如果想要开电视会议，必须拥有由特殊电话线连接起来的专用设备。微软公司在全球每一个办事处都至少提供这样一个可供开电视会议的办公室。虽然它们被频繁地使用着，但一切设施仍是井然有序的。这种便利为我们免去了许多商业上的奔波，使其他部门的职员能够"出席"职工会议，使客户和分销商不用长途旅行就能"参观"我们设在西雅图的总部。这样的电视会议将会越来越受欢迎。因为它省时、省钱，而且比仅仅传送声音的电话会议，甚至是面对面的传统会议更有效率，因为，如果人们知道他们正面对摄影机时，似乎就会更加集中注意力。

我曾注意到，这真的使得某些人开始习惯于这样。如果某个人出现在电视会议的屏幕上，他或她就会比会议室的其他人更易于引人注目。我第一次注意到这一点是在西雅图时，当时我们一群人正与身处欧洲的斯蒂夫通过电视开会。似乎我们所有的人都对屏幕上的斯蒂夫着了迷。如果斯蒂夫脱下他的鞋，我们就会相互看对方的反应。当会议结束时，我能详细地告诉你有关斯蒂夫新理的发型的情况，但我可能说不出与我在同一会议室里的其他人的名字。我想随着电视会议的普及，这种扭曲现象将会消失。

在当前，要建起一间电视厅还相当昂贵——至少得花四万美元。然而，与微型计算机连接的桌面系统正在出现。它们将显著地减少这笔费用和繁文缛节。我们的设备通常与每秒运行384000比特的ISDN线路连接，这就提供了很真实的画面和高质量的声音。在美国国内的通信大约要20美元到30美元一小时，国际间的通信大约250美元到300美元一小时。

电视会议的花费，就像其他所有以计算机为手段的服务一样，将随着科技和通信的费用下降而下降。用摄像机与个人计算机或电视相连的小型电视设备将使得我们很容易地用更高质量的图片和声音和更低的价钱在信息高速公路上会面。随着ISDN与个人计算机的连接变得更普遍，电视会议将变成一个标准的商业会议过程，就跟我们现在使用复印机复印一份文件加以散发一样。

一些人很担心，一旦会议上没有了人所独有的某些生动活泼的微妙的东西，那么电视会议和共享屏幕岂不使公司的集会自发地变成了一幅幅大会合影了么？人们将如何窃窃私语？如何在一个冗长乏味的演说者面前东张西望？或者如何递小纸条？实际上，在电视会议上私下的联络将会更简单，因为计算机网络将会提供另外的个人联络设备。会议总有不成文的规则。但当计算机网络作为电视会议的媒介时，一些规则将不得不变得明确起来。人们将能够公开地或私下地、个人地或集体地发出信号以表示他们感到厌烦吗？一个参与者能在多大的程度上被允许将他的或她的电视录像或声音与别人分开？私人的谈话，一个个人计算机与另一个个人计算机的联系，应该被禁止吗？以后，随着我们使用这些设备，新的会议礼仪规定将会产生。

家庭的电视会议将自然又有些不同。如果这会议只有两个参与者，那么将等于一个电视电话。当你在外地向你的孩子问好或让兽医看你的狗或瘸腿猫的情况，这都是很有用的。但是，当你在家时，很可能在大多数的电话中，特别是与陌生人通话时，你关掉了摄影机。你可能宁愿传送你自己、你家人或别的你相信能够表达你个人感情同时又能保护你的可见性隐私的一叠照片。这有点像为你自己的回话机规定一个留言。如果是为了一个朋友或由于商业需要，则可以打开现场录像开关。

我在上面讨论过的所有这些同步和异步的照片、电视录像或者文件等图像都是真实事物的图片。随着计算机的功能变得日益强大，一台标准的个人计算机有可能构制出真实性很强的人工合成图像。你的电话或你的计算机将有能力产生出和你的面孔一样栩栩如生的数字图像，显示你正在听电话或甚至正在说话。你将和平时真正说话时的情形一样——你刚在家里接了电话，湿淋淋地从浴室里出来。当你谈话时，你的电话将合成一个你穿上最合适的商业服装的图片。你面部表情将与你的话语相匹配（记住，小型计算机的功能将会变得很强大）。你的电话将能够轻而易举地在传送你的话语的同时配上别人的嘴形的图片，或者搭配你自己的一个理想的形象。如果你正在与一个你从未见过的人谈话，同时你又不想露出一颗黑痣或一个松懈的下巴，那么就可以使你的通话者不能区分你是否真的看上去那么像卡里·格兰特（或玛格丽特·埃雅），也使他看不出你是否从你的计算机中得到了一些帮助。

所有的这些电子新发明——电子邮件、共享屏幕、电视会议和电视电话——是我们克服物理性隔离的办法。等到这些东西变得十分普及时，不但我们的工作方式会改变，而且我们的工作场所与别的任何场所之间的差别也会随着改变。

1994年，在美国有700多万远程电信工人采用了新的工作方式，他们不再为了上班而每天奔赴办公室，而是利用传真、电话和电子邮件等手段直接在家里上班。特别是一些作家、工程师、律师和一些自由职业者，他们相当一部分的工作时间就是在家里度过的。如果我们以销售成果来评价一位推销员，那么只要能售出商品，至于他是在办公室中完成的，还是在家里，或干脆是在大街上谈成的生意，这又有什么关系呢？许多采用家庭上班方式上班的人认为，在家里上班更为自由、方便些，也有一些人认为，上班时老是呆在家里，容易得幽闭恐怖症，另有一些人则认为自己缺少自控能力，在家里干活缺乏效率。预计今后几年内，还将有上百万工人——至少是临时工，愿意凭借"信息高速公路"在家里上班。

由于电话线四通八达，其工作大部分是在电话中完成的工人则将成为这种新工作方式的主力军，如电话售货员、售后服务员、预订代理人和产品维护专家，他们将完全可以在家里得到和他们能在公司办公室计算机屏幕上得到的一样多的信息。从现在起的未来十年内，招聘广告将要刊登出某一项工作的一周总工时，及要求在某一特定地点，比如办公室里工作的所谓"内定"时间。某些工种要求工人有私人计算机，以便他可以在家里工作。这样，为客户服务的机构在雇用临时工时，就会显得异常便利。

当雇员和雇主不共处一地的时候，管理工作就须适应这种情况，要使每一个人学会把自己训练成为独当一面的生产能手。新的反馈机制必将形成、发展，老板和工人就能确定所做工作的质量了。

我们往往以为整天在办公室里坐着的员工是在整天工作，而当他（或她）改为在家里上班时，则认为只有当他（或她）手里拿着活计，才是在工作（可能完全是另一种效率）。如果小孩儿哭了，这时父亲或母亲就可以点一下"暂停"键，放下手上的活儿，去照看小孩儿。当重新把精力集中到工作上时，他/她又可以发出工作正常的信号，网络就会重新开始处理需要处理的工作。临时工将会因此而具有新的意义。

这样一来，一个公司也就没有必要拥有如此多的办公室了。只要把工人在办公室里上班的内定时间错开，那么一间办公室或一个小隔间就可以供许多工人办公。现在，已经有一些公司把大量昂贵的私人办公室换成了少量的普通办公室，如阿瑟·安德森会计所、欧斯特-杨会计所等，其普通办公室只供那些出差回来的会计师们使用。将来，公用办公室里的计算机、电话、数字白板等可以为当天的使用者作出专门设置。在一天的部分时间中，办公室的数字白板上会显示出一个雇员的日程表、家庭合影、小卡通等。而在随后的部分时间中，同一个数字白板上又将会显示出另一个雇员的个人照片艺术品等。无论一个工人在哪里登录工作，由于有了数字白板和信息高速公路，他或她所熟悉的办公环境就会亦步亦趋地和他/她在一起。

信息技术所造成的影响将比地理位置以及对雇员工作的监督等造成的影响要大得多。几乎每一种商业机构的性质都将不得不受到重新审查。审查内容包括结构问题和内部全日职工与外部顾问和公司等的平衡关系问题。

只有当公司找到若干更好的组织形式时，工程学上的重新规划工作才能开始进行。到现在，大多数的商业组织把重新规划活动的工作重心放在组织内部流通信息新方法的改革上。下一步的任务是划清公司、消费者和供应方三者之间的界限。为了重组工作，我们需要知道以下几个关键问题：消费者将怎样了解有关产品的情况？消费者是怎样订购产品的？当地理障碍逐渐变小时，将会产生什么样的新的竞争对手？怎样才能使公司的售后服务工作做得最令用户心满意足呢？

公司的结构将发生演变。要削平各大公司通常具有的等级差别，电子邮件是一种有力的手段。如果通信系统足够良好，公司就不需要设立那么多管理层。曾经作为上下级指令传输链条上的中间管理人员，现在也不再显得像过去那样重要了。微软公司天生就是一个信息时代的公司。我们的目标就是在我和公司中的任何人之间不得设有超过六个以上的管理层次。在某种意义上说，由于电子邮件，在我和公司的任何成员之间都不存在着等级差异。

由于现代技术使公司寻找和求助于外界专业知识越来越容易，一个巨大而富于竞争力的咨询市场将发展起来。假如你想找个人帮忙设计一份能够立即引起反响的广告，你就可以求助于信息高速公路上的应用软件，找出那些有资格又乐意在限定时间内工作的顾问。软件将先为你查寻有关资料，帮你剔出那些不合格的人。你还可以询问："有没有候选人以前曾为我们工作过，水平是否达到八级以上？"使用这套系统不用花多少钱，你甚至可以用它来找婴儿保姆，或是为你割草的人。如果你正在找当雇员或是当合同工的工作，这一系统将为你提供潜在的雇主，并只需敲一下键盘就能把你的履历表通过电子方式传送过去。

由于内部拥有某种专业技能比利用外界技术相对来说更有效益，公司会重新权衡他们将保持多大规模的法律或财政部门这类雇佣问题。在业务繁忙的期间，不用增加雇员和办公空间，公司就能便利地得到更多的帮助。通过网络能够成功获取可用资源的公司会更有效率，而这将会激励其他企业效仿。

由于信息高速公路为寻找和利用外部资源提供了便利，许多公司最终会变得越来越小。说到生意，公司规模的大小并不重要。好莱坞的长期雇员规模小得令人咋舌，他们以每一部电影为出发点，就演员或设备签订合同。一些软件公司仿效这种做法，按需要雇用计算机编程人员。当然，公司仍然会为全日制雇员规定许多份内职责。公司需要完成的有些工作，若和外面的专家讨价还价会极大地影响效率，特别是当他们不得不赶进度的时候。但有若干职责不得不在结构上和地理上分散开。

地理上的分散比公司结构本身所造成的影响更大。之所以今天许多重大的社会问题层出不穷，是因为人口集中于都市里。城市生活的缺点是相当明显的：交通阻塞、高昂的生活费、犯罪、与外界的隔膜等等。城市生活的好处包括工作方便、容易获得服务、教育、娱乐以及朋友。在过去的 100 年中，这个工业化了的世界的大部分人经过对其优缺点进行有意或无意地权衡之后，还是情愿住在都市里。

信息高速公路改变了这种权衡。对于那些和它有关联的人，它卓有成效地减少了在大城市之外生活的缺陷。如果你是个处在这种服务系统中的咨询人员或雇员，你将能够便利

地从任何地方与雇佣机构合作。作为消费者，不用离开家门
你就能得到金融的、法律的甚至一些医疗方面的忠告。当人
人都努力调节好家庭生活和工作的关系时，机动性就显得越
来越重要。你不必总是外出走亲访友或是玩游戏。通过信息
高速公路，文明的魅力将展示出来，虽然我并不是主张你的
客厅里也要像纽约或伦敦剧院那样拥有百老汇或是西区音
乐。然而，屏幕尺寸和清晰度的改进将增强所有的放映效果，
包括家庭电影。教育节目将会增多，所有这些将解放那些愿
意放弃城市生活的人。

　　州际高速公路系统的开放极大地影响着美国人对居住
地的选择。它使得人们更容易到达新的郊区，汽车制造业也
因此而蒸蒸日上。如果信息高速公路的开通也能鼓励人们从
市中心迁移，那么那些城市设计者、地产开发商、学校管区
将得到有益的启示。由于大的人才库分散开来，公司在如何
创造性地处理好与定居在外地的工作人员合作的问题上就
会感到更大的压力，而这又将促使一个正反馈循环的形成，
从而刺激郊区生活的兴起。

　　一个城市的人口即使减少十分之一，都会使地产的价
格、各种设施的磨损以及其他的城市系统产生重大变化。如
果任何一个大城市的普通办公室职员每星期在家里呆上一
两天，那么汽油的消耗量、空气污染和交通阻塞现象都会明
显减少。然而，总体效果却难以预见。如果搬出城外居住的
人大部分是收入丰厚的有知识的职员，那么城市的计税基准
就会降低。这将会进一步加重城市居民的苦恼，从而鼓励其
他收入丰厚的居民也搬到城外。与此同时，城市的各项基础

设施的超负荷现象就会减轻，租金会下降，因此那些仍在城里的居民会有更多的机会来提高生活水平。

由于大多数人还习惯于他们从前熟悉的一切，不愿意改变他们所熟悉的种种模式，因此，要实施上述的重大改革仍需要几十年的时间。但新的一代会带来新的前景。我们的孩子在成长的过程中会习惯于运用远距离信息通信工具从事工作，这些工具对于他们来说就像电话和圆珠笔对于我们一样使用起来得心应手。但是技术绝不会等待人们有了准备后才发展。在接下去的十年中，对于我们的工作方式、工作环境、我们所服务的公司以及我们所选择的居住环境，我们都将会看到实质性的变化。我的建议就是尽可能地了解与你有关的各种技术。你知道得越多，你就越不会仓皇失措。技术所承担的角色就是要提供更大的灵活性和更高的效率。着眼于未来的企业管理者在未来的岁月里将会有更多的机会更好地施展自己的才能。

第八章

自由竞争的资本主义

1776 年，亚当·斯密在《国富论》中论述市场概念时说道，如果每一位买者都知道每一位卖者所出的价格，而每一位卖者也都知道每一位买者愿付的价格，那么"市场"中的每一个人就都能够在信息充足的情况下做出决定。与此同时，社会资源也会得到有效的分布。当前，我们还没有实现亚当·斯密的理想，因为买卖双方都很少能完全获得有关对方的充足的信息。

许多想购买汽车立体声设备的顾客都没有时间和耐心去仔细考察每一位卖者的情况，因此他们在购买时所依据的信息都是不精确和有限的。如果你花了 500 美元买了一件产品，而一两个星期以后，你却在报纸的广告栏中看到该产品的售价为 300 美元，你就会因为买亏了而觉得自己很傻。但是如果你仅仅因为没有做详尽的调查，使得所从事的工作以失败告终，那么你的感觉就会更坏。

现在，有些市场正在并且已经非常接近于亚当·斯密所描述的状态。买卖货币和某些其他特定商品的交易者就参与了这样一个高效的电子市场，而这个市场能为它们提供世界范围内有关供求及价格的几近完备和及时的信息。每一个人都能够获得有关同一交易的详尽的信息，这是因为有关报价、出价以及交易都会迅速地通过电线传送到每一位市场参与者的办公桌上。但是，大多数的市场效率都还很低。举例来说吧，如果你打算找医生、找律师、找会计或者其他专业人员，或者你想买房，那么你所获得的信息将是不完备的，很难对它们作出比较。

信息高速公路将扩大电子市场，并且使之成为最终媒介，一个无所不包的中介场所。通常一项交易中涉及的唯一的人物将是实际的买者或卖者。全世界出售的所有商品都能供你检验、比较，通常还可以订做。当你想要买什么东西，你就可以让你的计算机为你查找已有原始资料中的最优价格，或者请你的计算机与各卖主的计算机进行"讨价还价"。任何一个连入信息高速公路的计算机都能获得有关卖者和他们的产品以及服务的信息。遍布世界的服务器将接受投标，使种种业务得以完全成交，控制认证与担保，管理市场的所有其他环节，包括资金的流动。这将把我们带入一个崭新的世界，在这里花少量交易费用就能获得大量的市场信息。这是购物者的天堂。

每个市场，从廉价市场到信息高速公路，都有助于价格竞争并有效地使商品从卖方转到买方手里，没有太大的摩擦。这要感谢那些市场创造者——那些使买卖双方都走到一起的人。因为信息高速公路在一个又一个的领域担任市场创造者的角色，所以传统的中介人不得不为交易做出真正有价值的帮助来证明它的代理价值。例如，那些一直靠处在一个特殊的地理位置上而赢利的商店和服务部门可能会发现他们已失去了那一种地理优势。但那些准备增加投入的，不仅会生存下去，而且会兴旺起来，因为信息高速公路使顾客们随处可获得他们的服务。

这种想法将会使许多人感到恐怖。大多数变化使人感到某种威胁，我希望当商业活动能在信息高速公路上进行的时候，零售商业会发生戏剧性的变化。但是，因为发生了这么多变化，我想一旦我们适应了它，在没有了它时我们就会不知所措。消费者不仅可以通过竞争节约成本，而且可以有非常广泛的多样性的产品与服务供他们选择。如果人们继续用现在的方法购物，那么虽然商店会减少，但与存在许多商店时一样，他们的需求能得到满足。由于信息高速公路使购物简单化、标准化了，因此它也节省了时间。如果你要为你心爱的人买件礼物，你能有更多的可供考虑的选择，使你送出更理想的东西。你可以用购物省下来的时间去考虑在礼品包上加句有趣的话或制作一个名片，你也可以与接受礼物的人一同分享这省下来的时间。

我们都知道我们在投保、买衣服、投资、买珠宝、照相机、家电或是购买房屋时，一个见多识广的售货员具有的价值。我们也知道一个售货员的建议有时也有某些倾向性，因为他或她最终希望能使某种特定的存货卖出去。

在信息高速公路中许多信息直接来源于厂商。像他们现在所做的那样，卖方会使用各种各样的有趣而刺激的方法来吸引我们。广告发展为多样组合式：有电视插播广告，杂志广告，及附有详细说明的销售手册。如果一个广告引起了你的注意，你将能够直接地而且很容易地要求获取更多的信息。这一过程使你浏览了广告提供的所有信息，这种信息也许是电视、广播，或文字形式的产品手册。卖方会使你尽可能简便地得到他们的产品的信息。

在微软公司，我们想使用信息高速公路得到我们产品的信息。今天，我们印刷了成百万份的产品说明书与数据单，并把它们邮给求购者。但我们永远不知道数据单要写上多少信息；我们不想吓坏了漫不经心的咨询者，但有人想要详细地了解产品的特性。同样，既然信息飞速变化，我们常常不得不把刚印好的几千本产品说明书抛弃掉，因为他们所说明的那个产品正是我们马上就要升级的。

我们希望，要发布的绝大多数信息，能够改成以电子查询的方式进行，因为我们是为计算机使用者服务的。我们已经不再使用成百万的纸张式印刷品的方法，而改用了按季发送光盘和提供联机服务的方式，使我们的调查深入到专业软件设计者和微软公司一些最老练的客户中。

但是你不要仅依赖于我们或是其他制造商所说的话，你可以考察有关产品的评论以便找到偏见较少的信息。在你看过广告、评论和多媒体说明书后，你还可以要求查阅有关的政府颁发的正式的资料。通过核对，你就会知道卖方是否全面调查了所有者，然后你还可以进一步探究你特别感兴趣的某一方面，比方说耐用性问题。或者你也可以从销售顾问（无论是人，还是电子系统）处取得建议。他们将编写并发表对各类产品的专门的评论，当然你仍要向你认识的人征求意见，为方便有效起见，应采用电子邮件的形式。

如果你正在考虑与一家公司做生意或是要购进一种产品，你将能够调查别人对它的意见。如果你要买台冰箱，你就会找电子公告板，公告板上就有关于冰箱、冰箱厂商和零售商的评价。你应该养成在进行重大购买活动之前查询电子公告板的习惯。当你赞扬或抱怨一个唱片俱乐部、一个医生、哪怕仅是个计算机芯片，你会很容易地在电子系统中找到评论这家公司及其产品的地方，并把你的意见加进去。最终，那些对客户不尽心尽力服务的公司的信誉和销售额将锐减，而另一些做了大量工作的公司将通过采取这种新型式"口头"宣传方式，而吸引数量可观的客户。

但是我们应对这些种类繁多的意见，特别是对反面的评价加以仔细的考证。它们多数可能是由于盲从引起的，而不是出于一种要取得中肯信息的真诚愿望。

让我们设想一家经营空调的公司。它的99.9%的客户都对其产品很满意，但是就是那么一个客户，虽然他只占客户总数的0.1%，对该产品不满，也可能给这一牌子的空调以及出产它的公司和公司中的成员带来可怕的后果，他不断将这一信息传播开去。这种影响可用下面的例子来说明。假设处在会议室中开会的人们，每人的音量可以从0变至1000，正常的音量应保持在 3 为宜，可是有几个人想把音量提高至1000，于是他们放开声音喊起来。这将意味着，如果我正巧为买一台空调而到电子公告板来咨询，看到了这一幕。我将认为我此行很可能是浪费时间，因为我所看到的一切，仅仅是喧嚣而已，这对我和经营空调的公司来说都是不公平的。

　　网络系统其实早就在演化之中。随着信息高速公路成为社会的市中心，我们也会逐渐期望它能更多地改变我们的文明。世界各地的文化差异是这么大，所以信息高速公路也得分成若干不同的部分。某些部分服务于各种不同的文化，而另一些则专门致力于全球的共同习俗。迄今为止，尖端智力占着上风，而电子论坛参与者们的行为已经堕落至违反公众利益甚至是违法的地步。已取得著作权的知识产品，包括文章、著作和软件被非法复制，并且正在四处自由传播。暴发户到处涌现。色情文学在孩子们能接触到的地方轻而易举地兴盛起来。有的人一味地，甚至无休止地对产品和公司以及他们所不喜欢的人进行不负责任的攻击。电子论坛的参与者由于他们所做的一些评论而受到猛烈地侮辱性地攻击。与一个庞大的电子联合会的众多成员随心所欲地交换个人意见，这种情况是史无前例的。由于电子社会是如此有效，这些大呼小叫的人完全能够写一封充满憎恶的信件，并将其送至20个电子公告板上。我已经发现，在人们变得苛刻起来后，电子公告板已滑向了愚蠢的深渊。其他参加讨论的人不知如何是好，一些人退缩了，一小部分努力想发表合理的意见。但是这种尖刻的评论仍在继续，这就使电子社会的形象受到了损害。

尽管从根源上讲，Internet 确实具有一种学术合作的性质，它完全是依赖一种规范化压力而运作的。比如说如果一个人在讨论中提出一个与本题无关的评论，或更恶劣的是有人想在被其他人视作非商业化环境的电子论坛上出售某种东西，那么，这个假定的离题者或商人可能会遭到一阵羞辱性的狂轰滥炸。迄今为止，这种强制性法治行为主要是通过自封的"监察官"来施行，他们把那些被认为已经非法越过界线的反社会分子"狠狠地收拾一顿"。

商业性的联机服务雇佣了自愿人员和职业主持人来监督他们的电子公告板上的行为。有主持人的论坛能够通过禁止在某系统的服务器上保留侮辱性言行和已注册版权的信息，并通过这种方法来滤除一些反社会的行为。尽管如此，大部分 Internet 的论坛依然保持没有主持人的制度。任何事物都在继续发生，而且因为人们能够匿名地、不负责任地传递消息和信息，要承担的责任太少了。我们需要一个更复杂的过程来把一致的意见集中起来，而不必依靠"总检察长的消费者投诉部门"作为一个"过滤器"。我们将能找到一些办法使人们降低他们的"音量"，这样的话，信息高速公路就不会成为一个诽谤、污蔑的扬声器或发泄怒火的场合。

许多提供进入 Internet 服务的人正在开始限制进入一些论坛，包括赤裸裸地讨论有关性内容的论坛，对已注册了版权的信息的非法传递也已大大减少。一些大学正在使学生和全体工作人员把他们张贴的那些令人讨厌的公告挪走。这样做就触犯了某些人，因为他们把使用电子计算机的空间，看作是一个任何事情都可以进行地方。商业性服务也有类似的问题。有些人抱怨他们的言论自由受到了限制。家长们也会恼怒的，因为他们的 11 岁的孩子在对某主持人发表了一个令人讨厌的评论后，他们家的帐户被关闭了。各公司将在 Internet 创造出特殊的社会，并将竞相制定如何对付这些问题的规则。

政治家们已经在激烈争吵，想解决在什么时候应把联机服务看作普通的媒体，而什么时候应把它看作出版者的问题。电话公司依法被认为是普通的媒体。它们传递信息，但不承担任何个人责任。如果一个人打猥亵电话骚扰你，电话公司会和警察局通力合作，但是没有人会认为有人偷偷打电话给你并说脏话是电话公司的错误。另一方面，杂志社和报社都是出版者。他们依法对他们报刊内容负责，可以因为诽谤被诉。他们同样对保持他们的名誉和所编辑的文章的完整性具有强烈的兴趣，因为那是他们业务的一个重要部分。一些有责任心的报社在公开发表针对某人的评价时会进行非常仔细的审查，部分原因是由于它不希望招惹诽谤诉讼，也因为不准确的报道会有损他们的声誉。

联机服务与普通的传播媒介和出版商是同时发生作用的，这便是问题的所在。当它们作为出版商来活动时，他们提供的内容是他们收集、写作或编辑的。这就意味着有关诽谤的规则和编辑为其名誉而自我管理等规则也应运用于这一服务行业。但我们也希望联机服务能像通常的邮电行业一样，在给我们提供电子邮件传送服务时，不进行检查，或不承担其内容的责任。同样，闲谈热线、电子公告板、电子论坛等鼓励使用者们不受编辑监督地进行交流，它们是一种新的通信方式，不应当作为服务器上出版的具体内容来同样加以对待。然而，最近一位纽约法官为一起诽谤案的审理扫清了障碍：他裁定涉及此案的联机服务不仅仅是一个信息传播者，而且是一个信息出版者。可能等你读到本书时，此类事情已被澄清了。解决这一问题的代价是很高的。如果那些通信系统网的提供者们完全被当作出版商来看待，他们将不得不监督并重新确认他们所传递的消息的内容。这将造成一种不太受欢迎的审查制气氛，并导致自发交流行为减少，而这种自发交流在今天的电子世界是十分重要的。

理想化地说，这一工业将制定出一些准则，使你看到一个公告板或文章时，会有迹象表明——是否有某一位"出版者"已经看过它，编辑过它，并注意着其中的内容。问题是这些标准该是什么样的？谁来监督它们？为女同性恋而设的公告板不应该被强迫接受反同性恋观点。同样地，一个有关某产品的公告板也不应受到从竞争对手传来的消息的压制，使孩子们远离所有公告板是件羞耻的事。同样，迫使所有公告板都去接受某个愿意为公告板中的一切内容承担义务的人的评价是不现实的，而且可能是对言论自由的损害。我们最终最有可能获得的也许是诸如电影评估之类的东西，它们将向我们表明，究竟那些刺目的嚣叫声是否已得到了控制，是否某一位"编辑"已经把他认为不合有关团体意愿的信息都删除了。

上面我所谈到的电子公告板是免费的、公用的，还有一些提供专业信息和专业咨询的地方是要收取费用的。谈到这里，你也许要问，既然我们可以获得大量的信息，为什么还需要一位专家呢？事实上，正是由于这个原因，我们才需要一位专家。不错，现在我们的确可以得到各式各样的消费资料，《消费者通报》就对大量的商品进行了客观的估价，但这种估价是面对全体消费者的，它无法满足你个人的特殊需要。如果你在信息高速公路上查询不到你所需要的确切的信息，你就可以花上五分钟甚至是一个下午，通过电视会议聘请一位经验丰富的销售顾问进行咨询。她会帮你选择商品，然后你的计算机会替你买到这些物美价廉的商品。

据我估计，咨询和销售合一的传统做法会越来越不流行，因为这种咨询看起来似乎是对消费者的免费服务，其实这部分费用是要由提供这类服务的商店和部门来承担的。他们必然会把这部分费用加到商品的售价中去。这些商店由于提供此类咨询而提高收费，要是同信息高速公路上运行的廉价商店竞争起来，就会越来越陷入困境。从一个批发商店到另一个批发商店的产品的价格，将持续不断地有一些略微的差别。这些差别反映了回报抽奖、送货次数以及所提供的无论多么有限的消费者资助等方面的差别。

一些销售商在销售货物的同时，提供一些所谓的咨询服务，并把费用计入卖价，但说到买一些比较贵重的物品，你很可能还是希望得到真正可靠的指导。如果在顾问的指导下，你在一家批发商店最终买到了价格较低的商品，那么，在某程度上，咨询的费用就被抵销了。顾问的收费也将会面临着巨大的竞争。设想一下，你利用信息高速公路提供的服务了解到在哪儿可以以最优价格买到一辆昂贵的小轿车，然后你买到了小轿车。信息高速公路服务在这里扮演了一个中间人的角色，这一服务的价格也许采取以小时计费的低标准收费制，或是按比例收取买价的一小部分。总之，服务费的高低将取决于服务的独特性。电子竞争将决定这种费用。

随着时间的推移，人们设计出来的应用软件将可以分析你的需求，为你提供更适当的建议。许多大银行已经开发出一种"专家"计算机系统来分析日常的存款、贷款业务，并且获得了巨大的成功。随着软件代理程序的普及，以及即时语音识别软件的改进，你就会慢慢地感觉到，当你查阅一份多媒体文件，就像和一个具有个性的真人说话一样。你可以打断它，向它请教更多的细节问题，或者让它把所作的解释再重复一遍。这种体验就像是和一位私人顾问在聊天，最终，只要能够获得你所需要的解答，买到合适的商品，不管你是在和一个真人交谈，还是在同一个非常好的替身（模拟物）交谈都变得不那么重要了。

今天的家庭购物电视网使得信息高速公路的电子折价贸易向前迈进了一大步。在 1994 年，通过这种电视网就已销售了价值近 30 亿美元的货物，而且请不要忘记，那时的电视网采取的还是一种同步化的方式，也就是说，零售摊上无数的商品会出现在你面前，你必须耐心的等待直到你所需要的那种商品出现。但在信息高速公路上，你将能够以你自己的节奏在全球各地的各种商品和服务之中漫游。比如，你正想买一件毛线衫，你就可以选择一个基本的样式，你会看到不同价格水平的各种款式，而且你想看到多少款式，就能够看到多少；或许你还可以观看到时装表演或是产品展示会。人机交互性特点将使娱乐性和便利性有机结合起来。

今天，注册了商标的产品经常出现在电影故事片和电视节目中。以往，如果一位剧中人物曾点过一瓶啤酒，现在他可就要点一瓶百威啤酒了。在 1993 年的电影《爆破人》中，Taco Bell 餐厅似乎成了唯一幸存下来的快餐店，是因为它的母公司百事公司为它花钱买来了这项特权。在电影《真实的谎言》中，阿诺德·施瓦辛格发现，计算机屏幕上运行的是 Windows 系统软件的阿拉伯文版。微软公司同样为此支付了费用。将来，公司不仅要把他们的产品搬上屏幕，而且还要为顾客创造便利的购买条件。你将拥有询问你所看到的任何图像的选择权。这就是信息高速公路所要提供的又一种选择。比如当你正在看电影《壮志凌云》，猜想汤姆·克鲁斯的飞行员太阳镜戴起来会很凉快，你就可以停止播放电影，查阅有关眼镜的信息。如果这部电影附有商业信息，你还可以当场买到它。或者你可以在画面上做个标记，回头再买。如果某部电影的一个画面放映的是一个游览胜地的度假旅馆，你就可以找到它的位置，查寻到房间的等级分类，而且还可以预订房间。如果电影明星手提一个漂亮的皮箱或手提包，那么信息高速公路将会允许你浏览厂商的全部皮货产品生产线，或是让你订购一个产品，或是把你引到一个方便的零售商那里。

因为信息高速公路是带有录像设备的，所以你可以随时看清楚你所订购的东西，这样就可以防止再出现我祖母曾经犯过的错误。那时我正参加夏令营，我的祖母就定购了柠檬球形糖并让厂商送给我。她订购的数量是 100，认为我将得到 100 粒球形糖，而实际上我却得到了 100 包。我把糖分给每个人，并受到了大家的特别喜欢，直到我们吃得口腔溃疡为止。在这种信息高速公路上，你可以通过摄像方式参观一下一家旅店。你不必担心你通过电话为母亲预订的鲜花是否真的如你所希望那样引人注目。你可以通过摄像机看到花店老板在安插花束，只要你愿意，你可以改变注意，可以把即将枯萎的玫瑰换成新鲜的银莲花。当你想购衣时，服装将会依照你所穿的型号展示出来。事实上，你还可以看见这件衣服与你已经买的或正打算买的其他衣物的搭配效果。

一旦你确切知道你想要买什么，你就可以通过这种方法买到。计算机不仅可以使现在成批制造的货物成批生产出来，而且也能按照客户的不同要求来定制。对一个生产厂商来说，按客户要求定制产品是获得利润的一个重要途径。数量越来越多的产品——如从鞋子到椅子，从报纸杂志到音乐专集——都将完全依照不同顾客的要求现场制作。而且这种产品的价格通常不会高于成批制造的产品价格。在许多产品部门按要求批量定制取代了一般性批量生产，这就像几个世纪前批量生产广泛代替按要求定做那样。

在批量生产之前，使用的是劳动密集型的方法，每次只能生产一样东西，这样就阻碍了生产力的发展和生活水平的提高。那时每件衬衣都是工人用针和线手工缝制而成的，直到第一台实用的缝纫机出现后，这种状况才改变。因为手工缝制的衣服很贵，所以普通的老百姓是不可能有许多衬衣的。在19世纪60年代，当批量生产的技术开始运用于制衣业时，机器生产出大量的样式相同的衬衣，因此衬衣价格急剧下降，甚至体力劳动者也有能力买几件衬衣了。

很快就将出现可以按照一套不同指令制作每一件衬衣的计算机化的成衣机器。当你定制时，你不仅要说明你的尺码要求，还要指出选择的布料、衣服的款式、衣服的领子以及所有其他可变的因素。这些信息可以通过信息高速公路传递到成衣生产厂商，工厂就可以生产出衣服以便尽快地送货。通过这一信息高速公路送货上门是一宗大生意：这里同样存在着激烈的竞争，随着数量的不断增多，送货的花销会降低而且速度会更快。

Levi Strauss 公司已经开始试验生产客户订做的女式牛仔裤。在越来越多的批发商店里，顾客只要多付约 10 美元，就可以在 8448 种不同的臀围、腰围、裆宽的尺码组合中任选一种，使牛仔裤完全按他们的特别需要制成，还可以增加尺寸和款式。批发商店通过个人计算机将客户的订制信息传送到田纳西州的 Levi 工厂里。在那儿，牛仔布是用计算机控制的机器裁剪的，并贴上条码签，然后送去清洗、缝制。做完的牛仔装又送回到订购的批发商店，或连夜装运直接送到客户手中。

可以预料，不出几年，我们每个人的服装尺码都会以电子数据登记，以便在买衣服时能很快从成衣里找出合适的衣服，或者是发出客户订单。如果你把这些信息告诉给你的亲友，他们给你买件衣服就容易多了。

按客户要求订购商品的信息是信息高速公路简明的咨询能力的一个自然扩展。那些在某些领域内具有很高造诣的学者、名人也可以发表他们的观点、建议，甚至是世界性评论，就像那些成功的投资者发布业务通讯那样。阿诺德·保默或南茜·罗派茨可以给高尔夫爱好者提供他们认为有用的高尔夫球资料；现在，在《经济学家》杂志工作的编辑也可以通过信息高速公路开展他或她的私人服务——提供各种不同来源的附带文本和录像的新闻摘要。利用这种新闻回顾服务的人可能每天花几美分请专家做中间人搜集一天的新闻，再付给出版这些入选的每条新闻的出版者一点钱，就不必花 60 美分去买报纸了。想读多少篇文章以及花多少钱，都由顾客自己决定。对于你自己需要的那份每日新闻，你可以预订各种新闻回顾服务，并让一个软件或一个人代你从中选取素材以便编成完全符合你的要求的"报纸"。

无论是人工或电信化的订阅服务，都将致力于收集与一定的价值观和兴趣相适应的信息。它们以各自的才华和商业信誉为基础，展开激烈的竞争。杂志在当今社会中充当着相似的角色，大部分都只是集中在某些范围较窄的兴趣上，相当于某种按订户要求制作出来的产物。一个热衷于政治的读者清楚地知道他或她在《国家评论》中读到的东西并不是"新闻"。这是保守政治领域的刊物，读者信奉的东西很少在其中受到挑战。与之相反，《国民杂志》却熟识读者的自由主义观点和种种偏见，致力于肯定他们的看法并向他们提供信息。

同样，电影制片商是通过剧场试映、印制海报及其他多种促销活动向你推销他们的最新影片。信息提供者将会运用各种技术方法竭力使你确信有必要去体验或尝试一下他们的商品。大部分信息将具有地方性，往往局限于邻近的学校、医院、商场甚至比萨饼连锁店。把一项商业活动与信息高速公路连接起来，费用并不昂贵。一旦通信的基础结构就绪，并有相当数量的用户接受，每一项商业活动都会愿意通过信息高速公路迅速与用户取得联系。

电信的潜在效率使一些人担心，如果他们使用信息高速公路来采购和获取新闻，他们将失去寻找那种在报纸上偶遇奇作佳篇或在林荫路上获得不期而遇的难得乐事的机缘。当然，这些"惊喜"几乎很少是"偶然"出现的。报纸都是由那些洞悉读者兴趣的经验丰富的编辑们设计的。《纽约时报》不时在头版发表一项数学上的重大进展，这条所谓的专业信息是为了从某个角度吸引大批读者的兴趣而安排的，包括那些自认为他们并不真正关心数学的人。同样，囤积居奇的卖主总是在想哪些商品对他们的客户是新的，哪些可能会引起他们的兴趣。店主在他们的橱窗里装满了各种商品，他们希望这些能吸引顾客的视线，并诱使他们走进商店。

信息高速公路会提供许许多多的机会让人精心安排出令人惊喜的事物。你的软件代理程序将时不时地诱使你填写一份显示你兴趣的调查表。这份调查表综合了各种能对你产生微妙影响的因素。至于你怎样和规范性进行比较，你的代理程序将给你反馈信息，从而使这个过程充满了趣味，那些反馈信息从总体上反映了你的品味，因此成了代理程序了解你的指南。当你使用系统来阅读和购买时，代理程序同样可以增进对你的了解。它同时跟踪着你的兴趣所在，你喜欢"巧遇"什么，它于是就开始追求什么！代理程序将以此为依据准备各式各样的新奇事物来吸引你的注意力，引起你的兴趣，使你无论何时需要这些不寻常的吸引人的东西的时候，

都不会失望。勿庸置疑,至于谁能有途径获得有关你的个人
档案的信息,会产生大量的争论及磋商。但至关重要的是,你
也得有这样一种途径才成。

　　为什么你需要建立这样一个个人情况档案呢?我当然不
想暴露我自己的一切。但是如果一个代理者知道我想看到这
些新型 Lexus 产品可能已经增加了一些安全性能的话,这将
是很有帮助的。或许,它能提醒我注意一些为我长期喜爱的
作家的新作,例如菲力浦·罗斯、约翰·欧文、厄内斯特·
J·吉尼斯、唐纳德·古纽斯、戴维·哈勃斯戴姆等人新出版
的作品。当一本涉及我所感兴趣的问题的书出版时,我会让
它提醒我。这些问题包括经济和技术、学习理论、富兰克林
·戴隆·罗斯福、生物技术,诸如此类。我读过一本名为
《语言本能》的书,深受启发。作者斯蒂文·皮克,是麻省理
工学院的一位教授。我想要知道讨论这本书的观点的新书和
文章。

　　你也可以经由其他人所建立的联系来发现惊奇的东西。
今天,用户都喜欢浏览 Internet 的 WWW(全球网络)系统,
查询显示页和主页,并可以由此顺藤摸瓜地了解其他公司的
有关主页和显示页信息开关。这些开关都用过热点、图标或
按钮来显示,只要你用鼠标一点,它们就能将你想要的文件
的内容调用到屏幕上来。

　　有的个人正在建立他们自己的主页,对个人主页考察一
下是挺有趣的。你想向全世界发表什么样的文章呢?你的主
页会有连接通路吗?如果有,通向何处?有谁会看你的主页
呢?

电子世界将允许公司可以直接向消费者出售商品。当然，每个公司都会提供一主页，使消费者更容易地了解其产品的有关信息。任何一家公司都有一套有效的信息传播战略，该公司——以我们为例，则是软件零售商——必须决定是否利用信息传播这一有利手段。公布最新的信息，包括为你传布信息者的名字的信息是很容易的；然而，重要的是也应该保护零售商的利益。即便是劳斯莱斯这样拥有极具排他性的信息传播系统的公司，也很可能拥有一个主页，从而可以使顾客从中了解其最新型的汽车及购买它们的地方。

零售商已经为微软做了大量工作。我们很高兴看到消费者能走进商店，看到我们的大部分产品，同时零售商能为他们提出参考建议。微软的计划是继续通过零售商出售产品，但其中一部分将实现电子化。

设想一家通过代理人经营得的很好的保险公司。这家公司会决定让顾客直接从主营业楼购买保险吗？它会让那些过去只在本地经营保险的代理人，使用电子技术在全国范围内经营保险业务吗？销售需求量是很难估量的。每个公司都必须确定影响它的关键因素，而竞争会显示出哪种方法最有效。

"主页"是采用一种电子广告形式，信息高速公路的软件平台使公司可以完全控制信息的显示方式。在信息高速公路上的广告人必须有创造力，吸引住那些已经习惯于无论何时都可以跳过几乎所有其他节目，只看他们想看的节目的观众。

现在我们看到的电视上的所有节目和杂志上的所有文

章所需的费用几乎都来自广告。广告人把信息放在最能吸引观众的节目与出版物中。做广告的公司花了很多钱以确保它们的广告战略有效地运行。同时，在信息高速公路上的广告人也希望获得某种保证，确保他们传播的信息终将到达他们心目中的听众那里——如果每个人都跳过广告不看，广告便一钱不值。对此，信息高速公路将提供多种解决办法。其中一个办法就是利用软件来解决，这种软件可以让顾客把除广告以外的所有东西"快进"过去，却用正常的速度播放广告。信息高速公路还可能满足观众看一组商业广告的要求。在法国，当商业广告组合在一起播放的时候，那短短的五分钟成了最受欢迎的一段时间。

今天的广告商用人以群分的原则确定他们的电视观众。他们知道一种电视新闻杂志总是要吸引一种类型的观众，而职业拳击则吸引另一类电视观众。购买电视商业广告时要考虑到观众的数量和人口统计资料。针对儿童的广告赞助儿童节目，针对家庭主妇的广告赞助日间播放的肥皂剧，而汽车和啤酒的广告则赞助体育新闻节目。电台广告人正在根据采样统计的方法，对某一节目的观众数量的信息进行综合处理。电台广告把许多人们不感兴趣的产品的信息传达给人们。

杂志常常并且能够只是涉及一个狭小兴趣范围，因此他们能够将它们的广告更集中的针对某些观众——汽车迷、音乐家、想减肥的妇女，甚至像玩具熊爱好者那样的少数人。买玩具熊杂志的人想看玩具熊的广告及关于它们的其他内容。事实上，人们买一本专题杂志，一半是为了其中的文章，一半是为了其中的广告。例如时装杂志，如果它的发行局面很好的话，那么杂志中一半多必是广告。它们使读者不必走路就可以获得"橱窗购物"的经验。广告人不知道杂志读者们的具体身份，但他们对普通读者层也有所了解。

信息高速公路可以根据更精细的个人差别将顾客进行分类，分别传送不同的广告信息，这样可以使所有人受益：对于观众，因为广告是根据他们的个人爱好而专门编辑过的，因此他们将觉得更加有趣；对于厂商和联机出版商，则因为他们将能够针对他们的观众和读者群传播广告。做广告的公司也可以将它们的钱花得更有成效。收集和传播个人偏好的材料将不侵犯任何人的隐私权，因为交互网络系统可以运用有关顾客的信息，并按指定的路线发出广告而避免暴露究竟是哪一个家庭收到了该信息。一家连锁饭店会发现，只有一部分有孩子的中产家庭收到了他们的广告。

一位中年部门经理和她的丈夫，会在家庭改善节目某一集的开头收看关于退休房的广告；而隔壁的一对年轻夫妇则会留心同一集节目开头有关家庭度假的广告。不管这两对夫妇是否在同一时间收看这一节目，这些内容具有较强针对性的广告对广告商来说更有价值，因为这样一来，一个观众只看了少量广告就等于赞助了整个晚上的节目。

有些登广告的厂商，如可口可乐公司，想让每个人都知道这一广告。但即使像可口可乐这样的公司，也会为有意于食物疗法的家庭专门送去食物疗法可乐的广告。福特公司会给富裕的家庭送去林肯豪华车的广告，给年轻人送去福特艾斯高特车的广告，给农村住户送去运货卡车的广告，而对其他人则推销唐若斯车。或者有的公司会给每个人送同一种产品的广告，而根据人们的性别和年龄采用不同的广告演员。这些公司当然会根据不同的对象而修订他们的广告的。为了最大程度地发挥广告的效用，就会要求在同一节目中根据不同的观众安排与之适应的广告，这会花费更多的精力，但由于这能更有效地利用这些广告，因此这样做仍是值得的。

现在杂货铺与街道干洗店也能做以前根本做不了的广告了。因为在计算机网络上，以个人为对象的广告会被不停地传播，所以即使对小广告而言，电视广告也会成为最经济有效的广告方式。一个商店可以以几个街道为对象针对很特殊的邻居或社区兴趣做广告了。

现在，针对少数听众的最有效广告方式是把广告进行分类。每类广告针对具有共同利益的一小部分人：如以想要购买或出售地毯的人为对象。将来，广告将不再仅仅局限于纸张或有限的文本。如果你想买一辆旧车，你可以在计算机上发出一个规定价格范围、汽车型号和你所感兴趣的特征等事项的问询表，很快计算机就会为你显示出符合你的偏好的各种汽车的清单。或者你可以要求你的软件代理程序在一辆合适的车子出现在市场上时，便通知你。卖车人的广告可以包括一张该车的电视图像，甚至还有维修记录。由此你可以了解这辆车的现状。你也可以用同样的方法了解一些其他的信息，如这辆车的运行里程，发动机是否更换过，是否有应急气袋等，或许你还想通过别的渠道查看公开的警察记录，看看该车是否有过肇事记录。

如果你想出售住房，你可以对它进行充分描述，包括它的照片、录像、楼层规划、纳税记录、实用性和保修单，甚至包括一点制造气氛的音乐。由于信息高速公路将使每个人都很容易地查看到这一广告，想买你房子的买主看到你的广告的机遇将会大大增加。不动产代理制和佣金制的整个体制，将会由于被代理人（买主）拥有这么多的信息而改变。

起初，网络分类广告不会很吸引人，因为一开始并不是很多人都使用它。但是，由于若干感到满意用户的口耳相传，越来越多的人会被这种服务所吸引。销售商增多，购买者也随之增多，反之亦然，于是这样就创造出了一种正反馈循环。这种服务在其最初运作的一两年内，当购买该服务的人数达到一个临界值的时候，信息高速公路的分类广告服务就会从一种好奇心转换成一种私人买主和卖主都汇聚起来的阳关大道。

立刻引起反响的广告——不写收件人姓名地址的大量胡乱邮寄的宣传品——免不了会产生更大的改变。现在，绝大多数这类广告的的确确是垃圾。因为我们砍伐了这么多的树木造纸来印刷它们，而很多根本连信封也未拆开就被扔掉了。在信息高速公路上的直接反应式广告将采取一种交互式的多媒体形式，而不是纸张的形式。尽管这种形式不会浪费自然资源，我们也必须寻求一种方法来避免发生这种情况，即你一天内收到了成千上万的免费邮件而不知如何处理。

无须担心这种山洪一样的邮件，因为，运用计算机软件，你可以很轻松地把它们分类，除去那些不相干的信息，而把宝贵的时间用于查阅你所感兴趣的资料。大部分用户会对那些电子邮件广告置之不理，除了那些与某些广告相关的人，广告商吸引用户的方法可能会是给你一点钱，5个美分或一个美元，只要你看他们的广告。当你查看广告，或当你和它进行交互问答时，你的电子会计就会在贷方贷记一笔金额，而登广告的厂商的电子会计就会在借方记录一笔金额。事实上，现在每年大众传媒和印刷品上所登广告以及直接邮递广告所花费用达数十亿美元，这笔费用将由用户来分摊，因为他们同意观看或阅读那些作为消息而直接送到他们手里的广告。

这种付款广告的邮寄方式会产生很特殊的效果，因为它们都经过仔细安排，发必中的。登广告的厂商会精明地向那些符合适当的条件的人发送值钱的广告。像法拉里或保时捷汽车公司会将价值1美元的广告发送到汽车迷的手里，指望他们在看到冷门的新车或听到汽车马达声时产生兴趣。如果1000个人里有一个人是因看了广告后才买汽车，对公司来说也是值得的。他们会根据顾客的具体情况来调整赠送额。这种广告对那些不在广告商的"A级"名单里的人来说是有利可图的。例如，一个十六岁的狂热的汽车迷想体验一下开法拉里车的感觉，而且不想为此花一文钱，那么他也可以得到这样一个信息。

这听起来有点新奇，但这就是自由竞争的市场机制的又一个用处。登广告的厂商因为占用了你的时间而定下了愿意支付的金额，而你也知道了你的时间的价值。

广告信息，正如你收到的其他邮件，将会保存在各种文件里。你可以操作你的计算机来将他们进行分类。朋友和家庭成员发来的尚未读过的信息放在一个文件里，与个人或商业利益有关的信息和文件放在另一个文件里。不认识的人发来的广告和消息按价钱将他们归类。分成 1 美分一组，10 美分一组等等。如果没有附加赠送费，则将他们消掉。你可以大略的看看每条信息，并将没有价值的处理掉。一段时间内你也许不会仔细查阅文件里的广告信息。但如果有人发来一条附带有 10 美元的信息，你可能会看一眼——即使不是为了得这笔钱，也可以了解一下究竟是谁认为和你取得联系就值 10 美元。

当然，你不一定非要收下别人给出的这笔钱。当你收到一条消息时，如果真是有人为了吸引你的注意力而寄给你一笔小费，你完全可以免去对方的支付义务。发送者的帐目贷方会提前核实这笔钱已被你退回。如果有人发给你一条附带 100 美元的消息，说他是你失散多年的弟弟，如果事后发现真是你弟弟，那么你可以免收他的这笔钱。另一方面，如果他只是想吸引你注意力向你兜售一些东西的话，你倒不妨继续保留这笔钱，"多谢了"。

在美国，每个家庭每月支付不少于 20 美元的广告费来赞助无线广播和有线电视。我们所理解的节目"不花钱"，其原因就是这些商业广告。顾客间接地为这些节目付了钱，因为广告的价钱已经算进了玉米片、洗发水和钻石等物品的价格之内。我们买一本书、一张电影票或预订了一场电影时，我们也就直接为这些娱乐节目或信息付了款。美国的每个家庭每月平均支付 100 美元用于购买电影票，订阅报纸、杂志和书刊，付有线电视费和光盘、磁带、录像带的租金等这一类东西上。

当你买了一盘磁带或光盘作娱乐用时，你再使用和转卖的权利就受到了限制。如果你买了甲壳虫乐队写的《修道院之路》（*Abbey Road*）的拷贝本，事实上你就购买了光盘或磁带本身以及在任何时候、没有商业目的的情况下重复播放音乐带上音乐的许可证。如果你买了一本平装书，你事实上买到的是纸和墨水以及你自己阅读，并让他人也阅读的这种特殊纸张上的特殊文字的权利。你没有文字的所有权，你不能复印它们，除非在很有限的条件下。当你看电视节目时，你也不能拥有它。事实上，美国人可以因为个人的某种需要而合法录制影带的权利，是由美国最高法院决定之后才得以确立的。

使用音乐和软件之类的智力财产需要许可证，在这方面，信息高速公路也将可以创新。音像公司或个人音乐制作人，可能愿意选择新的销售方式。你作为一个消费者，不需要光盘、磁带或其他种类的物理设备。音乐会被以信息比特的方式储存在信息高速公路的服务器上。"购买"一首歌曲或一个唱片集确实意味着购买能够获得适意的物品（比特）的权利。你可以自由自在地在家里、办公室、或者度假时听，而不必带一堆使用证书。只要在信息高速公路可以接通的地区内，你都可以证明自己是它的用户而充分利用自己的使用权。如果没有使用权，你不能在赢利性的音乐厅中演奏某个音乐带或者在做广告中用到它。但在非赢利情况下，你可以在任何地方演奏而不必付任何酬金给版权所有者。同样，信息高速公路将清楚地记录着你是否买了看某本书或某部电影的"许可证"。如果你买了，你可以在任何地方任何时间里用某种信息装置来观看。

这种个人的终生拥有购买方式就像今天我们买一盘音乐唱片或磁带、一本书一样，所不同的是这种购买没有实物在手。大家对这种情形已经很熟悉了。然而，还有很多种出售音乐娱乐或者别的信息的方法。

比如一首歌可以让你付一次钱听一次。你每听一次，存款就要减少一些，比如说 5 美分吧。照这样算，你听完一盘 12 首歌的唱片集后就得花 60 美分，完整听完一盘集子 25 次以后，就得花 15 美元，这相当于今天我们购买一盘光盘的钱。如果你只喜欢这集子中的一首歌的话，你可以只听这一首歌，听上 300 遍之后仍是 15 美元（每遍 5 美分）。因为数字信息的灵活性很大，所以当音质提高后，你就不必像以前人们买 CD 代替 LP 收藏起来那样，再次为同一首歌付钱了。

各种定价方案都会加以尝试，我们可能会看到那种过期无效的数字娱乐品，或者那种让你只能播放若干次后你就得花钱重买的数字娱乐品。唱片公司对一首歌的要价可以很低，但它只让你听 10 或 20 遍而已。要不然就先让你听一首歌或一个令人上瘾的节目，免费听上 10 遍后才问你买不买。这种吊胃口的做法将会部分代替今天广播的服务功能。作者可以允许你寄一首新歌给你的朋友，但在付费之前她只能听几次而已。如果一个顾客想买下一个音乐系列的全部作品，那么，可以为该系列作品定一个特殊的优惠价格，它比单独买每张唱盘要便宜得多。

即使是今天，购买娱乐品的花费也是有细微差别的。娱乐品有限的时效价值会影响出版商和电影制片人把他们的产品推向市场的方式。图书出版商常常通过两个发行窗口来推出他们的产品："精装"本和"平装"本。如果顾客想要而且买得起一本书，那么他或她花 25 美元到 30 美元就可以买到。顾客也可以等半年到两年才买这本书，这时他只要花 5 美元到 10 美元钱就行，而且书的版式较持久。

成功的电影放映场所的级别是依次不同的，先是首轮剧场、二轮剧场，然后是旅馆房间，一次付费电视以及飞机上的放影设备。接下来，它们就可以作为出租录像出现在 HBO 之类的有奖销售渠道中，最后可以出现在网络电视上。更晚一些时，它们则出现在本地电视或基本有线电视频道上。每一种新形式都可以把电影推向新的观众，这些观众错过了（偶然或有意地）前一种娱乐形式，现在便可以趁机利用新机会享用一番。

各种有内容的开放窗口几乎都必然会在信息高速公路上得到利用。当一部热门电影、多媒体节目或者一本电子图书发行时，最初一段时期是以高价销售的。有人愿意在首轮发行场所出高达 30 美元的价钱看一场。一个星期、一个月或一个季度后，价格将降到 3 至 4 美元，这种价格就跟我们现在入场时买票看一场电影的价格一样。市场投机商可能乘机捣鬼。一部新片上演了，你却不能在它发行的第一个月中先睹为快，除非你是信息高速公路中电子拍卖场里前 1000 名出价人之一。但是话又说回来，如果你有按期购买电影广告画的记录或者拥有与你所要观看的电影相关的商品的话，你就可以差不多免费看一些电影，而很少受到干扰。购买《小美人鱼》和《超人》录像磁带等有关商品，可以使迪斯尼公司让孩子们自由地看世界的许诺成为现实。

信息的可转让性问题将成为另一个重大的价格问题。信息高速公路将允许以光的速度将知识产权从一个人转让到另一个人。那些存在硬盘上的或者以书本形式存在的所有的音乐、书法以及别的智力方面的财富几乎大部分时间都是被闲置着的。假如你此时并没有看那本《大恐怖》或《虚伪之火》时，很有可能别的人也都没有看。出版商很想利用这种情况。如果普通的读者经常把他（她）的各种书籍和唱片集子借出去，那么市场上的这种东西就很少卖得出去，而且价钱也都要高一些。我们假设一张唱片正在使用之中，哪怕只有百分之零点一的时间，快速的借书将使这种唱片的销售量至少下降 1000 片。因此，借书这种行为应该给予限制，例如可以使借书者一年内只能借阅同一本书 10 次。

公共图书馆将只能成为一个公用场所，人们将能随意进入这个场所并利用里面的高级设备来获取信息高速公路资源。图书馆的管理者也将会把现在用来买书、唱片、电影片的费用以及别的报刊杂志订阅费的预算用来充实电子教育版权的基金。而如果著书者的作品是在某个图书馆中使用，他们可以放弃一部分或者所有的版权。

应该有新的版权法确认购买者享用具有不同形式的信息内容的权利。信息高速公路迫使我们更清楚地考虑一下用户对知识财产究竟拥有哪些权利。

人们将继续租看只能观看一次的（一次性）录像带，但可能不是从录像出租店里租借。相反，使用者将从信息高速公路上获得他们想要看的电影或其他节目。市场上的录像出租店或唱片销售店将日益失去市场。书店将会在很长一段时间内继续出售印刷的书籍，而对于非小说性作品和参考资料之类的书籍，电子产品将逐渐取代印刷品。

比起租借或购买娱乐性的东西来，高效的电子市场在这方面将会改变很大，几乎每个人或每个具有经纪人性质的行业都能感觉到电子产品竞争的热潮。

当网络上的电视会议可以提供法律服务的时候，小城镇的律师也将面对新的竞争。一个人买一小份私产说不定情愿咨询一个另外一个州的精明的不动产方面的律师，也不愿去请当地的法律多面手服务。然而，信息高速公路的资源将会使当地律师得到再训练，并成为她所选择的任一专业方面的专家。由于她收费低，所以她在这一领域内具有竞争力。当然，客户从中也可得到好处。由于电子市场的高效性和专门化，例行法律业务的价格，如起草遗嘱之类，也会降下来。信息高速公路也能传递一些复杂的医药、财务以及别的电视咨询方面的服务，而且会因为供不应求而越来越流行。在这里安排一次约会或打开你的电视或计算机屏幕开个 15 分钟的会，比你开着车赶往某处，停车，然后在会客室里坐等，最后开车回家或办公室，要简单多了。

各种各样的电视会议相对于那些需开车或坐飞机去开会的方式越来越具有选择价值。若你确实需要到某地去，这只是意味着这是个非常重要、而特别需要面对面进行的会议，或者是因为有什么十分有趣的东西需要你一定在场。所以，工商业方面的旅行正呈下降趋势，而休闲式的旅游正在上升，因为人们现在能在休闲中工作，他们知道在休闲中他们能通过信息高速公路和他们的办公室或家中保持联系。

即使旅游的总数量不会发生很大的变化，旅游业也会改变。旅游局和所有那种专业性的提供专门信息的职业一样，需要通过新的方式增加点有价值的东西。旅游局现在应利用数据库或者顾客手中没有的参考书谋求有实际效益的旅游活动。一旦旅游者们熟悉了信息高速公路的威力及所有储存在上面的有关信息，许多旅游者将乐于亲自查询。

精明的、有经验的、具有创造性的旅游公司将会获得成功，但他们更专业化，更多地采用预定旅游票的办法。假如你想去非洲旅游，你自己将能找到飞往肯尼亚的最便宜的票价，而旅游公司将会提供一些别的方面的东西。或许你只是想去东非，这样，他们将告诉你别的顾客所特别喜欢的东西，比如沙卧国际公园人太多；如你是想看那一群群的斑马，最好去参观坦桑尼亚。某些别的旅游公司或许决定专门出售来他们自己的城市的旅游票而非去其他城市的旅游票。

一个在芝加哥的代理商愿通过信息网络，向世界上任何一个想来芝加哥访问的人提供服务，而不是向那些想到其他地方访问的芝加哥人提供服务。来访的人不会认识旅行代理商，但这并不要紧，要紧的是代理商非常了解芝加哥。

虽然现在的报纸业会存在很长时间，可一旦消费者进入信息高速公路，报纸业将会彻底改变。在美国，各种日报主要依靠做些地方性的广告获得些收入。1950年当电视还是新鲜的玩意时，美国报业广告收入的25％来自全国性广告。但到了1993年全国性广告收入骤降至12％，这主要是受到电视竞争影响的结果。全国的日报业大幅度衰退，只好转而依靠地方性零售分类广告来资助剩下的报纸。分类性的广告对收音机和电视不是很有效。1950年，它只提供日报广告收入的18%，但到了1993年，这种广告收入增长了35%，这意味着数十亿美元的进款。

信息高速公路可以为单个的买者与卖者之间的联系提供多种更有效的方法。一旦市场上大多数的顾客用先进的电子方法购买东西，分类性广告的收入将面临极大的挑战，这将动摇报纸广告的根基。

然而，这并不意味着报纸业会在一夜之间消失，也不意味着报业公司不再有用，不再有利可图，不再提供新闻，不再提供广告服务。它们可以像别的起中间人作用的公司一样，敏于变革，利用自身独有的特点，在电子世界中站稳脚跟。

银行也是一个注定要发生变动的行业。美国大概有14000家银行向一般的顾客提供服务。大多数人把钱存入在自己家或常走的路附近设有分支机构的银行。虽然利率或服务很小的差异会使人们把钱存到别的银行，但很少有顾客会考虑把钱存到一个不常去的10里开外的某个支行。今天，移动你的银行帐户无异是徒耗时间。

但当信息高速公路使得地理因素重要性减小，我们将看到在信息高速公路上的联机银行将不再有分行——没有砖，没有洋灰浆，收费亦很低。这些低收费电子银行将极富竞争力，其交易将通过计算机来进行。现金的需求将更小，因为大部分的购买业务将通过一个财务个人计算机或一张电子"智能卡"进行，电子智能卡将兼有信用卡、自动机读卡和支票的特色和优点。当美国银行业走向一体化，并变得更有效率时，这一切都将一同到来。

许多大额存款和小额存款间的利率差别将会消失。这是由于信息高速公路便捷的通信使得一个新兴的中间人阶层能高效地集合小客户的钱，使其利率与大额存款利率接近。财务机构将实现专业化：一所银行可能选择自动贷款，而另一所则可能集中吸收存款。收益将产生于这些服务，但收益结构将基于广泛有效的竞争。

不久以前，小投资者想把他的钱投在储蓄帐户以外的地方是困难的。由互利基金、小面额"便士股票"、商业卡、债权和其他特殊证券构成的股票交易世界对那时的非华尔街人士来说，还是可望不可即的领域。

但那是在计算机改变这一切之前的情形。今天，在"黄页"上列出的专吃"回扣"的股票交易者为数甚多。许多投资者通过当地银行的机器或者电话认购股票。由于信息高速公路富有效率，投资选择面将极为广阔。和其他中间人的工作仅仅是介绍一项交易一样，股票交易者将可能不得不提供一些超出仅仅购买证券的东西。如果消息灵通，他们将使价值增值。财务服务公司将仍然获利丰厚。基础工业经济将改变，但随着信息高速公路使一般消费者直接进入财务市场，交易数量将激增。持币量相对较少的投资者，可以得到更好的建议并有机会参与到为现在的某些机构垄断的投资业中去赚取利润。

当我预言未来的某一行业的变化时，人们常常会怀疑微软公司是否计划进入该领域。微软的实力在于生产型的软件产品和提供相应的信息服务。我们不愿成为银行或仓库。

　　一次，当我谈及一家银行的数据库时，我把它说成是一条"恐龙"。一位记者写下一篇文章，说我认为所有的银行都是像"恐龙"那样大而无用，并且我们想与它们竞争。而我则不得不花了一年多的时间，奔波世界各地，告知各地的银行，我的意思被误会了。微软在我们所了解的商业上面临众多的挑战与机遇——无论是在支撑企业设计软件和为Internet服务器生产软件包方面，还是在其他业务方面。

　　我们在个人计算机领域取得的成功来自于同英特尔、康柏、惠普、DEC、NEC和很多像它们这样的大公司的合作和相互支持，甚至与曾经有过偶而竞争的IBM和苹果公司，我们都有广泛的合作和相互支持。我们建立了一个与自己的伙伴相依为命的公司。我敢打赌除了我们，其他人也能造出了不起的芯片，或造出了不起的个人计算机，或完成了不起的产品批发和集中工作。我们只是集中精力干了其中的一件事情。在这个新领域中，我们愿意同来自各部门的公司合作，帮助他们最大限度地利用信息革命所带来的机遇。

　　各个工业领域都会发生变化，这些变化是不稳定的。一些处理信息和批发产品的中间人将发现他们不再能使自己增值和改换工作领域，而另一些人将在这场竞争性挑战中奋起抗争。在服务业、教育业和城市事务中，更不用说信息高速公路本身需要的劳动力市场，几乎有无穷无尽的未竟业务。这种新效率将创造出多种令人振奋的就业机会。信息高速公路使任何人都能易如反掌地获得浩如烟海的信息，它将成为一种不可估量的培训工具。那些决定改变职业而进行计算机咨询的人将会有机会学习到最好的课本，听到最佳的讲座以及获得课程的必要信息，从而通过考试而获得承认。然而，无论如何，社会将从这些变化中受益。

实践证明，竞争机制是非常有效的结构经济体制，过去的十年充分证明了它的优点。信息高速公路将会进一步加强这种优点。它将使那些产品生产者比以往任何时候更有效地看到消费者究竟需要什么，也使得那些未来的消费者更有效地购买产品。亚当·斯密将会对此感到高兴。更重要的是，各地的消费者也将会对获得的好处感到心满意足。

第九章

教育：最佳投资

伟大的教育家都知道，学习不是一个人仅在教室里或老师监督下才做的事情，对一个要满足求知欲或解除疑惑的人来说，现在要找到合适的信息，有时会是困难的。信息高速公路将在任何时间、任何地点，给我们提供一切途径，使我们得到看上去似乎无穷无尽的知识。这是让人欢欣鼓舞的前景。因为将这项技术投入实践，使之改善教育，就会顺便给社会各个领域带来利益。

有人担心技术会使正规教育非人性化。但任何人只要看到过孩子们围着计算机共同工作，像我和我的朋友们1968年首次所做的那样，或者看到过在远隔大洋的教室里孩子们交换信息，他就会知道技术力量能使教育环境富于人性，会使学习变得十分必要、实用，而且充满乐趣。企业正由于信息技术所提供的灵活机遇而获得新生；课堂教育也将不得不随之发生变革。

哈佛教育研究生院的一位教授霍华德·加德纳争辩说，不同的孩子必须用不同的方式施教，因为个人理解世界的方式各不相同。成批教育无法考虑到孩子们认知世界的诸多方式。加德纳建议学校须在实用、设计课和技术传授方面齐头并进，以便各种学习者都能适应。我们会发现各种不同的教学方法，因为信息高速公路工具使得我们可以更容易地试用不同的方法并检测其有效性。

正如信息技术使得列维·斯特劳斯公司既能成批生产又能单独定做牛仔服一样，信息技术也会使学习成为一种大规模的各取所需的过程。多媒体文件和便于使用的自己编辑的工具，使得教师能对课程表做出因材施教的安排。同生产蓝色牛仔服一样，学习过程也可以在很大的范围内进行因人因材施教的安排，因为在这种情况下计算机会对产品——教学材料，加以协调，允许不同的学生沿着有一定区别的途径，按自己的速度学习。这一点不仅仅在教室里能做到。任何一个学生都将能够以成批生产的价格享用"量体裁衣"的教育方式。工人们将能够跟上他们各自领域的最新技术。

每一个社会成员，包括每一个孩子，都会轻易得到比今天任何人拥有的更多的信息。我相信正是信息的可用性激发了很多人的求知欲和想象力。教育将成为十分个人化的事情。

常有人表示这样的担心，即技术将取代教师。我可以毫不含糊地强调，它不会。信息高速公路将不会取代或贬低人类所需要的任何教育人才，因为它面临种种挑战：受托付的老师，有创造性的管理人员，有关的父母，当然，还有勤奋的学生。但是未来的教师将扮演什么样的角色，技术在这方面将起关键作用。

信息高速公路将把无数教师和作者的最好劳动聚集起来，让所有的人来分享。教师将能够利用这些资料作教学课题，学生们将有机会相互探讨这些资料。这一途径将有助于及时地把亲自受到最佳教育的机会传到甚至是那些不能有幸进入最好学校，或没有得到最好家庭支持的学生那里。这将鼓励孩子充分利用他或她的天赋。

然而，在这些先进技术的优越之处得以实现之前，那种对计算机在教室中的作用的看法不得不改变。许多人对教学技术持嘲讽态度，因为它被过分地吹嘘，但未能兑现它的诺言。现在学校里许多个人计算机功能不足，不便使用，它们没有为答复孩子求知欲提供信息的储存能力和联网功能。到目前为止，在很大程度上，计算机并未改变教育。

学校接受技术缓慢部分反映了教育机构许多角落里的保守主义。它反映了教师和管理人员的不安甚至是担忧，这些人的年纪一般都比较大。它也反映出分配给城市学校用于教育技术的预算数目太小。

在应用新信息技术上，一般的美国小学或中学远远落后于一般的美国商业机构，如对移动电话、寻呼机、个人计算机很熟悉的学龄前儿童，他们进的幼儿园所使用的却是黑板和投影仪，就反映了这一技术的状况。

美国通信委员会主席里尔·亨德就此评论说："在这个国家有成千上万的建筑物容纳数以百万计的人，却没有电话、有线电视，没有合理的宽带服务业务。"他指出，"这些建筑就是学校。"

尽管有这些局限性，真正的变化即将到来，但它不会很突然地出现。从表面上看，教育的基本模式将依然故我。学生将继续上课，听讲，提问题，参与个人或小组工作（包括一人做一步再往下传的实验），做家庭作业。

让学校拥有更多计算机看上去是个普遍承诺，但计算机被应用的速度因国家不同而不同。只有一些国家，例如荷兰，几乎每个学校都有计算机。像法国和许多其他地区，尽管计算机安置很少，但政府已发誓要在所有教室里装置计算机。英国、日本和中华人民共和国已经开始了将信息技术纳入国家议程的进程，并以职业培训为重心。我相信许多国家会决定增加教育投资，计算机在学校的使用率将赶上它在家庭和商业中的使用率。过一段时间——在发达程度较低的国家可能要更长些时间，我们很可能看到计算机被安在全世界每个教室里。

计算机硬件费用几乎是逐月递减，教学软件的大量购买也将会相当便宜。美国已有许多有线电视公司和电话公司许诺免费或降价为地处它们所在区的学校和图书馆建立联网。例如太平洋贝尔公司已宣布，将为加利福尼亚州每所学校提供免费 ISDN 服务一年，TCI 和 Viacom 为它们服务的每一个社区内的学校提供免费有线电视服务。

尽管教室仍将是教室，技术将使许多细节有所转变。课堂学习将有多媒体参与。家庭作业涉及对电子文件的研读像涉及书本一样多，也许更多些。鼓励学生探索特殊兴趣领域，对学生来说，这样做很容易。每一个学生都能让自己的问题得到回答，同时允许别的学生提问。一个班的学生将用一天中的一部分时间在个人计算机旁，以个人形式或分组形式探讨信息，然后，学生将把他们对所发现的想法和问题告诉老师，老师就能决定哪些问题应当提醒全班同学注意；当学生们用自己的计算机时，老师将自由地与单个人或小组一起工作，注意力更多地集中于解决问题而不是讲课上。

教育工作者，在现在的经济中与许多人一样，与其他许多东西一起，都是提供便利的人。与许多其他类似的工作者一样，他们将不得不适应并再适应正在变化的工作环境。然而，与其他职业不同的是，教书的前景看上去辉煌灿烂。由于新事物出现已改善了生活水准，献身教育事业的劳力比例一直呈增长态。给课堂带来活力和创造力的教育工作者将增多。同样老师将会和孩子们建立牢固的关系，因为孩子们喜欢由那些知道真正关心他们的成年人所教的课。

我们都遇上过起重要作用的老师。我高中时有一个出色的化学老师，他使他教的那门课极其有趣，与生物相比，化学显得很迷人。在生物课上，我们解剖青蛙——仅将它们大卸八块——我们老师并不解释为什么。我的化学老师把他那门课感性化了一些，并许诺说那门课会有助我们理解这个世界。在我二十来岁时，我读了詹姆斯·D·华森的《基因分子生物学》，确认我高中时的体验误导了我。对生命的理解是个了不起的课题。生物信息是我们能发现的最重要的信息，因为在今后几十年中，它将引起医学革命。人类 DNA 就像一个计算机程序，但比所创造过的任何软件都远远的先进。现在在我看来真令人惊奇：一个出色的老师可以使化学课有无穷尽的魔力，而另一个老师却使我觉得生物学十分枯燥。

当老师做了出色的工作，准备了精彩的内容时，每年仅有他们那几十位学生受益。对在不同地区的老师来说，在别人的工作基础上有所提高是困难的。计算机网络将使老师分享课程和材料，以便最好的教学实践能够推广。在许多情况下，通过录像看讲座远不如真正和老师呆在一间屋里更有趣。但有时能够听到一个特定老师讲课的价值超出了失去亲身听讲的情况。几年前，我和一位朋友在华盛顿大学目录录像带上发现了由杰出物理学家理查德·费曼所作的一系列讲座。我们能在费曼在康奈尔大学讲课十年之后，在假期观看他的讲座。假若我们呆在讲堂里或能够通过录像会议向他提问的话，我们可能会从讲座中学到更多东西。但他清晰的思路比任何教科书或教师更好地解释了许多物理学概念。他把课题讲得栩栩如生。我认为任何学物理的人都应该有这些容易得到的讲座。信息高速公路将把许多这样有独一无二价值的资料提供给教师和学生。

如果罗得岛的普罗文登斯地区有个老师碰巧有一种特别好的方式解释光合作用，那么全世界的教育者都能获得她的讲座笔记和多媒体演示。有些老师所用材料完全按其由信息高速公路上获得的样子使用，但另一些老师会利用容易使用的写作软件把他们所发现的零星东西改写并连接起来。从其他感兴趣的教师那里得到反馈将很是容易的，并有助于讲课的精炼。在很短时间内，改善后的材料就能出现在全世界的教室里，很容易判断什么材料受欢迎，因为网络会对材料被参考的次数计数，或对老师进行电子投票。想帮助教育事业的公司能够提供认可，并对那些编写教学材料起重要作用的老师给予现金奖励。

要一个老师每天花 6 个小时，一年花 180 天为 25 个学生准备深入而有趣的教学材料是很难的。如果让学生广泛看电视增长了他们的娱乐期望的话，这一点就格外正确。我可以想象一个中学理科老师从现在起花大约十年准备一个关于太阳的讲座，不仅解释这门科学，还解释使这门科学成为可能的发现史。当老师想选出一张图片、剧照或录像，不论它是一件艺术品还是一位研究太阳的科学家的肖像，信息高速公路都会允许她从综合图像目录中选择。她将能够从无穷的资料中得到的录像片段和有叙述的卡通的片段，只需要用几分钟就能拼出的一幅视觉图，而现在却需要花几天的工作来组织它。当她做关于太阳的讲座时，她会让图像和图表在合适的时间出现。如果学生问她太阳能量的来源，她可以用动画形式的氢原子和氦原子示意图来回答。她还可以显示太阳焰或太阳黑子或其他现象，或者她可以在白板上调来一段简短的关于聚变能量的录像。老师将事先为信息高速公路的服务项目组织好这些衔接；她将把衔接的顺序单提供给学生，以便在图书馆或家里的学习时间里，学生们能从他们认为有用的多个方面来复习这些材料。

想一下一位高中美术老师用数字白板来展示塞尚的《阿斯尼尔拉斯的浴者》（*Bathers at Asnieres*）的高质量数字复制

品吧，这幅画中年轻的男人们在 19 世纪 80 年代的塞纳河岸上休息，背景是航船和烟囱群。白板将用法语原文"Une Baignade à Asnières"念出这幅画的名字，并显示一张巴黎郊区地图，图上强调了阿斯尼尔拉斯镇。老师可以用这幅预示着点彩派的风格的画来阐释印象派的终结，或者她还可以把它应用到更广泛的话题上，诸如 19 世纪末法国的生活，工业革命这类话题，或者甚至是用眼睛看互补色的方式这类话题。

她可以指着站在图右侧远处的一个人戴的桔红色的帽子说："瞧！帽子在震动，塞尚欺骗了人们的眼睛。帽子是红的，但他添上桔色和蓝色的小点。你不会真正注意到蓝色，除非你凑近看。"当老师这样说时，画面将聚焦到帽子上，直至画布的质地成了透明的。这样一放大，蓝点将会很明显，老师将会解释道："蓝色是桔色的互补色。"白板上会显示一个色轮，老师或多媒体文件就会解释说："这个轮上安排的每种颜色都与它的互补色相对，红色与绿色相对，黄色与紫色相对，蓝色与桔色相对。眼睛有种怪癖，即盯着一种颜色看会产生其互补色的后形象。塞尚利用这种技巧，加上不为人注意的蓝点，使得帽子上的红色和桔色更鲜明。"

计算机与信息高速公路相连有助于老师监控、评估和指导学生的操作，老师将继续布置家庭作业，但不久作业中将包括与电子资料库关联的超课本的内容。学生创造自己的连接方式，在家庭作业中使用多媒体成份，作业被电子化地转到硬盘上或通过信息高速公路传出。老师保存一份对学生作业的累积的记录，这一记录可被随时查看或与其他教员分享。

特殊软件程序有助于总结学生技巧、进展、兴趣及预期各方面的信息，一旦老师免于乏味的书面工作并掌握学生足够的信息，他们就有更多精力和时间来满足学生们所显示出的个人需要。这一信息被用来调整教学材料和家庭作业的布置。老师和家长还能够轻易地回顾并讨论孩子取得进步的特点，其结果是——电视会议的广为运用——老师家长间的牢固合作的可能会增大。家长将处于更好的位置上去帮助孩子，或与其他家长共创非正式学习组，或为他们的孩子寻找附加的帮助。

家长可以通过教他们在校的孩子使用他们工作中所用的软件来帮助他们。有些老师和职员已经在用商业化软件管理他们的活动，并给学生使用现代工作工具的经验。大多数大学生和越来越多的高中生现在用个人计算机上的文字处理程序取代打字机和手写报告。广告板和图表应用程序常用来解释数学和经济学理论，并成了多数财会工作的标准部分。学生和教职工已发现了流行的商务应用软件的新用途。例如，利用大的文字处理程序能在不同种语言下工作的性能，可以使学习外语的学生从中受益。这些程序包括用于在多语制文件中检查拼写和查找同义词的辅助工具。

在有些家庭，孩子可能正在把计算机的使用教给家长。孩子与计算机相处默契，部分原因在于孩子们未被固定的做事方式所框住。孩子们喜欢挑战性行为，以便引起反应，而计算机正好有这种反应能力。家长有时会为他们学龄前的孩子对计算机的着迷感到吃惊，但只要想一下孩子参与的乐趣——或者和一位家长捉迷藏，或者戳着遥控看电视频道的转化，这种着迷就不难理解了。

我喜欢看我三岁的小侄女玩《只有奶奶和我》，一个以儿童读物为基础的 CD-ROM 游戏。她能记得这个卡通故事中的对话并能和人物交谈，就像她母亲给她读一本书时她所做的那样。

如果我侄女用计算机的鼠标点一下邮筒，邮筒开了，一只青蛙跳了出来；或有时一只手出现了，合上了邮筒的门。这种使她具有对在屏幕上所看到的事参与的能力——回答"如果我碰了这里会发生什么事"的问题——使她的好奇心持续高涨。这种相互作用，与潜在的故事线索特性相结合，使得她很投入。

我一直相信多数人的才智和求知欲比信息装置鼓励他们所用的那部分要大。多数人都有着这样的经验，当你对一个话题产生兴趣，会为找到有关这一话题的材料感到满足，因掌握这一话题而高兴。但如果查找信息时碰了壁，人就会泄气，你会想你永远也弄不懂这一课题。特别是当你是个孩子的话，如果你过于频繁地受到这样的挫折，你再试一次的冲动会被削减的。

我有幸成长在一个鼓励孩子多问问题的家庭。在我十四五岁时，我有幸与保罗·艾伦做了朋友。在我遇上他不久，我问汽油是从哪儿来的。我想知道"精炼"汽油是什么意思。我想确切知道汽油怎样驱动汽车。我已找到了一本关于那个话题的书，但那本书让人迷惑。然而，汽油是保罗所了解的许多问题中的一个，他以一种有趣而易理解的方式解释给我，也可以说，我对汽油的好奇心为我们的友谊添加了燃料。

保罗对我想知道的许多事都有许多回答（他还收藏了许多科幻书），我比保罗更擅长数学，我比他认识的任何人知道更多软件知识。我们互为对方的资料库。我们提问并解答问题，画图表，就相互信息相互提醒注意。这正是信息高速公路与它的使用者之间的相互作用方式。假如有另一个十来岁的孩子想了解汽油，不是在 1970 年，而是距今三四年以后，他可能无缘有保罗·艾伦在身边，但只要他的学校和图书馆有与丰富的多媒体信息相连的计算机，他就可以尽兴地深入挖掘这一问题。

他会看到解释汽油是怎样钻上来，运出去并得到精炼的照片、录像和卡通片。如果他想知道汽车内燃机与喷气飞机涡轮机的区别，他会了解到汽车燃料与飞机燃料的区别。他所要做的仅仅是提问而已。

他能够探索汽油复杂的分子结构——成千上百个单个烃分子的结合，同时也了解烃。由于所有这些附加的相关知识，谁会知道他的探索会导向什么样令人感兴趣的话题呢。

起初，新信息技术仅带来比如今的工具要多的利润增值。墙上的录像白板用可读的字体和从上亿的教学插图、幻灯、照片及录像中挑出的彩色图片取代老师黑板上的粉笔字，多媒体文件将可能取代现在教科书、电影、测试和其他教学手段的作用。因为多媒体文件要与信息高速公路上的服务项目相连，故它们可以保持其内容完全是最新的。

如今所用的 CD-ROM 有点相互作用的尝试。软件依靠以教材、听音和录像形式所提供的信息来对命令做出反应。CD-ROM 已正在学校里使用，孩子们在家用它做作业。但它们有着信息高速公路不会有的局限。CD-ROM 或像百科全书那样对范围广泛的话题提供一点信息，或对像恐龙这样的简单话题提供很多信息，但一次所提供的信息总量受软盘存储量的限制。然而它们比纸张教科书先进得多。多媒体百科全书不仅提供研究工具，还提供各种能兼并到家庭作业文件中去的材料，这些百科全书在老师的指导下运用：包括对是在课堂使用还是作为作业的建议。老师和学生用各种方式使用我们的产品——其中仅有一些是我们预期到的，每当收到这样的信件，我都很激动。

CD-ROM 是信息高速公路的一个明显的先驱。Internet 的 World Wide Web 是另一先驱。WWW 能提供有趣的教学信息，尽管其中大部分仍是单纯的课文。有创建的老师已经在使用联网的服务来设置有趣的新类型的课程。

加利福尼亚的四年级学生已做了对报纸的联网研究来阅读亚裔移民所面对的挑战。波士顿大学已为高中生创造了交互式软件，它能显示详尽的化学现象的视觉模拟，诸如食盐分子溶于水这样的过程。

新泽西州尤尼市克里斯托福哥伦布中学是在危机中创建的。在80年代后期，这个学区的孩子全州考试成绩极差而旷课退学率极高，以致该州有要接管它的打算。学校机构、老师和家长（多于百分之九十的家长是拉丁美洲移民甚至不能把英语作为第一语言），开始了一项创新性的五年计划来拯救他们的学校。

大西洋贝尔公司（当地的电话公司）同意帮忙找一种由个人计算机组成的特殊联网的多媒体系统，把学生的家和教室、老师和管理人员联系起来。该公司首先提供140台多媒体个人计算机，够七年级学生和老师在家用，同时一间教室至少有4台。计算机用高速线路联网并连接到 Internet 上，老师们受到如何使用个人计算机的训练。老师又为家长开了周末培训班，参加培训的家长在半数以上。孩子们被鼓励使用电子邮件和 Internet。

两年后，家长积极参与孩子在家使用个人计算机，并让自己与老师和管理人员保持联系，退学率和旷课几乎降到零。在新泽西州内城学校标准考试中，学生们的成绩比平均成绩高三倍，这个项目被扩大用到全校范围。

雷蒙德·W·史密斯，大西洋贝尔公司董事会兼CEO主席评论道，"我相信，一个愿意对教学方法做基本改变的学校机构的联合，一个持支持态度并想参与的家长体制，以及对家庭教室所做的认真而全面的调查，……会创造出一种真正的学习社会，在这种社会中学校和家庭互相加强互相支持。"

在一所接受不同种族学生的加拿大中学——雷斯特·B·皮尔斯学校，计算机是日常课程表上每门课程的有机组成部分，在1200多学生中，有300多台个人计算机，有100多种不同名称的软件在使用。学校说它的退学率是全加拿大最低的，与全国平均退学率百分之三十相比，仅为百分之四。每年有3500人来参观，看看一所中学怎么"把技术纳入学校生活的每一个方面"。

信息高速公路一投入使用，上亿本书的内容就可以为人所用。读者可以问问题；印课文；在屏幕上读它；甚至用他选择的声音让计算机把文章读出来。他可以问问题，信息高速公路就是他的导师。

具有社交界面的计算机会琢磨如何显示信息才能使特定使用者适应它。许多教学软件程序有各自的特征，学生和计算机互相了解。学生也许用口头方式问道："是什么引起了美国内战？"他或她的计算机将描述这场内战，并回答：这本质上是经济或人权引发的一次战争。回答的时间长短和方式因学生和环境不同而不同。学生可以在任何时间插话问计算机或多或少的细节，或者要求它用不同的方式来回答。计算机会知道学生已读到或看过哪些信息，并指出其中的联结点和相关性，从而进一步指出如何适当联结的办法。如果计算机知道学生喜欢历史小说、战争故事、民间音乐或运动，它会用那方面的知识来显示信息，但这只是吸引注意力的一种设施。这种机器，就像一个好的授课老师，不肯放弃一个有偏好的孩子，它会利用这个孩子的偏好教授范围更广的课程。

计算机会安排不同的学习速度，因为它能对单独学习者给予个别照顾，有学习障碍的孩子将得到很好的特殊照顾。无论她或他能力如何，每一个学生都能按各自的速度去学习。

计算机辅助学习的另一益处是使许多学生改变了对测验的看法。对许多孩子来说，如今的考试是相当压抑的。考试与不足感相联系："我考了低分，"或"我时间用完了，"或"我还没准备。"这样一段时间之后，许多没有考好的孩子心里可能会想，我最好装出考试对我不重要，因为我永远也不会名列前茅。考试能使学生对所有教育持否定态度。

交互网络允许学生在任何时候，不冒任何风险的环境下自己测验自己。自己管理的测验是一种自我探索形式，正如我和保罗·艾伦以前互相做的测验一样。测试成为学习过程中一个肯定的部分。出错不会招来责罚，而会诱发整个系统帮助学生克服他的误解之处。如果真有人绊住了，系统会把情况报告给老师。对测验的担忧和吃惊应该越来越小，因为即将到来的自我测验将使每个学生更好地理解他或她的进展情况。

许多教学软件和教科书公司已经在把交互式的计算机产品用于数学、语言、经济学和生物学，以这种方式给学生建立基本技能，比如，加利福尼亚州帕洛·阿尔托学术机构，正为高校研制一种交互的多媒体指令系统，来帮助其基础数学和英语课程的教学。这个概念叫"媒介学习"，它把传统教育与以计算机为基础的学习结合起来。每个学生在最近都参与分班考试，来决定他或她对什么话题感兴趣，以及在哪方面需要指导，然后这个系统为学生创造一个单独的授课计划，阶段性的测验监视学生的进步，授课计划在学生掌握了概念后可以被修正。这一程序还可以向指导教师报告出现的问题，以便教师给学生以单独的帮助。到目前为止，该公司已发现参与试验程序的学生喜欢这种新学习材料，但最成功的班级却是更多使用指导教师的班级。这些结果强调了这一观点，即新技术自身，不足以提高教育。

有些家长抵制使用计算机，因为他们认为计算机不能监视孩子所做的事，也不能加以控制。大多数家长看到孩子俯身于一本引人入胜的书时感到高兴，但当他在计算机前花几个小时时便不那么热心了。他们可能想到了电子游戏，孩子能够用大量时间玩电子游戏而学不了什么东西。到目前为止，更多投入计算机软件的资金是为了娱乐而不是为了教育，创造一个容易让人上瘾的游戏比用一种吸引人的方式展现给孩子一个信息世界要容易。

然而，当教科书预算和家长的花销转到交互性材料上，将会有成千上万个新的软件公司和老师共同工作创造出娱乐性质的交互学习材料。例如光幅伴侣公司（Lightspan Partnership）正在用好莱坞的技巧创造逼真的行动和动画程序。光幅公司希望它娴熟的生产技巧能抓住并持续吸引从 5 岁到 11 岁的小观众的注意力，鼓励他们花更多的时间学习。动画人物引导学生学完解释基本概念的课文，然后进入到让他们使用的游戏中。光幅公司的课程按两年年龄差距分组，并组织成一个系列，旨在对小学功课中的数学、阅读和语言艺术方面进行补充。这些程序可以用在家庭、社团中心及教室里的电视机上。在交互电视广泛运用前，这种程序将用在 CD-ROM 机上或 Internet 上供个人计算机使用。

所有这些信息，都不能解决如今许多公立学校面临的严重问题：预算削减、暴力、吸毒、高退学率、危险的周围环境，对生存比对教育更担心的老师。仅仅提供新技术是不够的，社会必须解决这些基本问题。

尽管一些公立学校面临主要挑战，它们也是我们的厚望所在。想象一下这样的情景：大多数城里的公立学校的孩子靠救济金，几乎不会讲国语，一无所长，前途未卜。这是20世纪早期的美国，那时有数百万移民涌到我们大城市的学校和社会服务中。

但是那一代人和他们的下一代在全球范围内过上了不同水平的生活。美国的学校问题不是无法克服的，只是极度复杂而已。既使现在，灾祸性的公立学校里每一年仍有几十位你未了解的成功者。这里我已经提到几个例子。深入讨论这一话题超出了本书的范围，但社区有能力并已经赢回自己的街道和学校，一次一条街、一次一个学校地争取。家长则必须坚持让孩子心甘情愿地来学校读书，如果采取"让学校（或政府）教育吧"这种态度，那么孩子是学不好的。

即使当最谨慎最中肯的教育环境得以建立，信息高速公路仍将有助提高后代每个人的教育水平，信息高速公路会允许有新的教学方法和更多的选择。基本教育可在政府基金的基础上创建并对所有的人免费，个人买主会竞争提高免费教材的费用，新买主可能是其他公立学校、公学老师或退休后自己经营的老师，也可能是以信息高速公路为基础的想提高其能力的私营学校服务程序。信息高速公路会是学校远距离试用新老师或他们的服务的一种方式。

信息高速公路使家庭学校变得简单了，它允许家长从一系列具有各种质量的课程中来挑选课程，同时又能保持对内容的控制。

　　用计算机学习是摆脱计算机学习的跳板，孩子仍需要用他们的手去接触玩具和工具。在计算机屏幕上观看化学反应可能是对化学试验室里亲自操作的很好的补充，但却不能取代亲身经验。孩子们需要和其他人及成年人进行人际交往来学会怎样与人合作这样的社会和人际技能。

　　未来的好教师将不仅仅是给孩子指出，在信息高速公路的哪个地方可以找到信息，他们还要能够做更多的事。他们仍必须弄清，什么时候提问、观察、启发或鼓励，他们仍必须以书面和口头的交流方式培养孩子的技能，并用技术作为出发点或一种援助。成功的老师扮演教练、伙伴、创新人物和通向世界的交流桥梁。

·　信息高速公路上的计算机将能够模仿并解释这个世界，创造或使用一个计算机模型可以是了不起的教育工具。几年前，亚利桑那州图森朝阳中学的一位老师，组织了一个学生俱乐部让计算机模拟现实世界行为。学生们在用数学方法为自己制造模型中发现了帮派活动的严峻后果。这个俱乐部的成功使数学课程不得不全部进行重新安排。新的安排围绕这样的想法，即教育不是要让孩子给出"正确"答案，而是教给孩子一些用来决定一个问题是否是"正确"的方法。

　　理科教学使自身更善于使用模型，孩子们通过测量真实的山高而学三角几何，他们由三点构成三角形而不是只做抽象的练习，已经有许多模型计算机在教生物了。《模拟生命》(SimLife)是一个很受欢迎的软件程序，能模拟进化过程。孩子们开始体验进化过程而不是仅得到关于它的事实。你不一定非要是个孩子，才能从这个系统中得到乐趣。这个系统让你设计动植物，然后观察它们是怎样在你所设计的生态系统中相互作用且进化的。《模拟生命》的出版者——Maxis 软件公司还生产其他程序，例如《模拟城市》(*SimCity*) 允许你设计一个城市，它带有诸如道路、公共交通等纵横交织的系统。作为游戏者，你成了市长和模拟社区的策划人，为了达到你自己为社区制定的目标而向自己挑战，而不是为了达到软件强加的目标。你建造农场、工厂、家庭、学校、大学、图书馆、博物馆、动物园、医院、监狱、港口、高速公路、桥梁甚至地铁，你要对付城市增长问题或像火灾这样的自然灾祸，你也可以改变地形。当你用建飞机场或提税的方式来修改你模拟的城市时，这些变化可能对模拟城市有可预言的或预想不到的后果。这是一种了不起的去发现真实世界是怎样运转的捷径。

也可以用模拟方式来了解这个世界将会发生什么，孩子们可以驾驶模拟的宇宙飞船在太阳系或星系中航行，和模拟宇宙玩游戏。那些可能认为自己对生物或城市建设或外部空间不感兴趣的孩子，在用计算机进行了模拟探索和试验之后，会发现自己对这些感兴趣，当科学以这些方式变得更有趣时，它应该让范围更广的学生着迷。

将来，所有不同年龄不同能力的学生都能够看到信息并与信息进行交互活动。例如，有一个研究气象的班将能看到在假想的大气环境模型中，模拟卫星的图像，学生会提很多"如果发生了什么事怎么办"的问题。像"如果风速以每小时 15 英里增大，明天天气会有什么变化？"计算机会模拟所预见的结果，像宇宙真实情况那样显示所仿真的天气机制。模拟游戏会越变越好，但即使在现在，它们中最好的已经是让人着迷且有高度的教育性。

当模拟变得具有完全的现实性时，我们就进入虚拟现实的王国。我确信总有一天学校会有真正现实的设备——也许甚至是 VR 室，就像现在有的音乐室和剧院一样——允许学生用这种引人入胜的交互方式探索一个地方、一个事物或一个课题。

然而，技术不会把学生隔离起来，最重要的教育经验之一是合作。在世界上最有创新意义的教室里，计算机和 Internet 网络正开始以方便合作学习的方式来改变学生间、师生间的传统关系。

哈莱姆的瑞尔福·邦奇 P·S·125 中学创造了一种计算机辅助的教学单位，给纽约内城学生演示怎样使用 Internet 搞研究，与全世界的电子笔友交流，并与哥伦比亚大学附近的自愿的导师合作。拉尔夫·步恩是全美国第一家把自己主页放到 Internet 的 WWW 中的小学。它的主页是学生自创的，包括与学校报纸、学生艺术作品有关的内容以及用西班牙字母图示的课文。

Internet 对学术机构高校的学术研究帮助尤大，它使得关系较远的机构和个人的合作更容易。计算机革新总发生在大学里，有几个大学是新计算机技术高深研究的中心，许多其他大学拥有大量计算机实验室供学生合作或做家庭作业。此外，现在一些代表大学的主页最有趣的在 Internet 的 WWW 的被邮遍全世界。

一些大学把网络用在不那么全球化的领域，在华盛顿大学，对一些年级的课程计划和作业被传入 WWW，讲座笔记也常在 WWW 出版，这是一种免费服务，如果我还在大学念书，我会喜欢这种服务的。在其他地方，一位英语老师要求他所有的学生都留电子邮件地址，并用电子邮件参与课后的电子讨论。班级成员的成绩根据其电子邮件的情况来给分，就像按他们课堂表现和家庭作业给分一样。

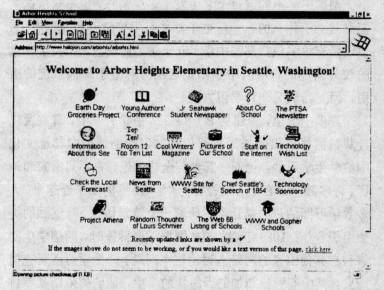

1995 年，阿尔伯高中的 WWW 主页

　　无论哪儿的大学生都已经知道了电子邮件的乐趣：即能用于教学目的，又能以不昂贵的价格与家人朋友保持联系，包括上了其他大学的中学时代的朋友。越来越多的大学生家长成了有规律的电子邮件的使用者。因为电子邮件看上去是与孩子们联系的最好方式，甚至有些小学也让孩子们有 Internet 帐户。我以前的湖滨中学现在把学校的网络与 Internet 相连，允许孩子们浏览联网信息，并进行国内国际电子邮件交换，几乎所有湖滨中学的学生都要求用电子帐户，在一段典型的为期 12 周的时间里，他们总共收到 259587 条消息

—— 平均每周每个学生有30条。在这12周内，大约49000条消息是由 Internet 发出的，学生发出了大约7200条。

湖滨中学不知道每个学生发了多少消息，也不知道这些消息是关于什么的，一些电子邮件与学校学习和活动有关，但无疑有很多包括湖滨中学 Internet 上的信息，是关于学生的校外兴趣的，湖滨中学不把这视为对电子邮件系统的滥用，而是当成另一种学习方式。

许多中学生，像纽约 P·S·125 中学的学生，日益发现计算机网络提供的长距离通信是如何帮助他们向其他文化中的学生学习的，他们一起参与全球讨论。在不同国家和地区，许多教室正在把有时被称为"学习圈"的圈子连起来，大多数学习圈的目的是让学生研究一个特定话题，与遥远的类似组织合作。1989年，当柏林围墙正要拆掉时，西德学生能够和在其他国家的同龄人讨论这个问题。一个学习圈研究捕鲸业，其中有阿拉斯加的因纽特的学生，他们的爱斯基摩村仍以鲸为食，该村落以外的学生是如此感兴趣，他们邀请一位上年纪的因纽特长者到班里参加学习圈的讨论。

用计算机网络的学生们的一个雄心勃勃的计划是"全球性研究观察造福环境"（GLOBE：Blobal Learning and Observation to Benefit the Environment）项目，这是由美国副总统艾尔·戈尔推出的创举。它希望得到不同的政府集资和个人捐助。这一项目需要在校生进行国际合作来收集关于地球的科学信息。孩子们持续地收集诸如温度、降雨之类的统计数据，并把这些数据通过 Internet 和卫星转接到马里兰国家海洋天气管理局的中心数据库。这些信息在那里用来构造地球的综合图片，这些综合图像又会被传回到学生、科学家和一般民众那里，没有人知道这些数据有多少科学价值，特别是很年轻的孩子收集的数据；但是收集事实数据和观看综合图片对许多国家的许多孩子而言是了解全球合作、交流和环境问题的一个很好途径。

信息高速公路的教育机会也对全球的非官方学生开放。任何地方的人都能学最出色的老师教的最好的课程，信息高速公路使得包括职业培训和事业晋升课程在内的成人教育更为方便。

许多家长、在职人员以及社团或政治领袖都会有机会参与教学过程，即使是时不时地教上一个小时。我想让渊博的

1995 年，康涅迪格大学的 WWW 主页反映出他们的考古资料

客人在他们自己家或办公室，通过电视会议参加讨论是实际的、不那么昂贵而且普遍的事。

让学生直接与无尽的信息及他们彼此之间联系，会给学校和整个学校带来策略问题，是否允许学生不分场合地在他们的便携式个人计算机带到任何教室？是否允许他们在分组讨论过程中独自探讨？如果允许，他们应有多大的自由度？他们能查一下他们不懂的一个词吗？他们是否会得到被父母认为在道德、社会、政治方面值得摒弃的信息？允许他们做一门不相干课程的作业吗？允许在课上互相发送笔记吗？老师能对每个学生屏幕上的内容进行监测并将之记录供以后打分用吗？

无论访问不受限制的信息会带来什么问题，但它带来的益处远远弥补了其不足。我喜欢学校，但我却在教室以外追求我最感兴趣的事业。我仅能想象出，与这么多信息相通会怎样改变我自己的学校经验。信息高速公路将从机构到个人地改变教育的重点。教育的最终目标会改变，不是为了一纸文凭，而是为了终身受到教育。

第十章

不出户，知天下

对 信息高速公路的种种担心之一是，它将会减少人们用于社交的时间。有人担心"家"会变成舒适的娱乐提供场所，使人再也不离开它，并担心安稳地呆在我们的私人圣殿中，我们会被孤立起来。我认为这种事不会发生。关于这一点，我在本章后面部分描述我正在兴建的房子时，我想我作了解释。

　　似乎在我一生的大部分时间里我都在构建这所房子（并且我好像用了更长的时间去读关于如何构建它的书）。房子里面配置了大量先进的娱乐设备，像个小电影院和点播录像系统。它应当是个有趣的居所，但我当然不打算一直呆在家里。当娱乐涌进家庭时，其他人也仍会继续去剧院，就像去公园、博物馆和商店一样。正像行为主义者不断提醒我们的那样，我们是社会性动物。我们有权花更多时间呆在家里，因为信息高速公路会创造许多新选择供家庭娱乐、个人和职业性的通信，也供就业所用。尽管种种活动的组合方式有所改变，我认为人们花在家庭以外和家庭以内的时间是差不多的。

　　在第一章，我提到了若干过去所做的、还不曾发生的可怕的反文化预言。更近一点，在50年代，有人说过电影院会消失，每个人都将呆在家里看新发明——电视。付电视费及后来花钱租电影录像带都激起类似恐惧。为什么有人愿意出停车费，雇婴儿保姆，买全世界最贵的软饮料和糖块来和陌生人一起坐在黑屋子里呢？但是流行电影仍然充斥剧院，我个人喜欢电影，并更喜欢外出看电影的那种体验。我几乎每周都看电影，我认为信息高速公路不会改变我这样做。

　　新型通信设施将使得与地理上相处遥远的亲友保持联系，比现今状况下容易做到。我们很多人都和远方的人费劲地保持一份常青的友谊。我以前常和住在另一座城市的一个女士约会。我们都在电子邮件上花了许多时间。我们找到了一种方式使得我们在某种程度上说来也算是在一起看电影。我们找一部在两座城市大约在同一时间放映的电影。我们开车到各自的影院，通过我们的移动电话聊天。我们看完电影在回来的路上再用移动电话讨论电影。将来这种"仿真约会"会好些，因为看电影的过程能与电视会议连接。

　　我已在一个联网系统中搭桥，允许游戏者因为游戏缺一个人而查看是否有别的人对加入这一游戏有兴趣。游戏者可以选择他们想在另一位游戏者面前出现的形象：他们的性别、发型、体格等。我第一次与这个系统有联系是我急于赴桥牌约会，我没有花任何时间树立我的机上形象。在我和朋友们开始游戏后，他们都给我发来信息，说我秃顶，说我没穿衣服（腰部以上，是屏幕上显示的唯一部分）。即使这个系统还不允许有将来系统会有的那种影像和声音交流，但它所具有的允许我们在玩游戏同时把文本信息传给对方的能力也使玩游戏变成了一场真正的热闹聚会。

　　信息高速公路不仅使与远方朋友联系简单多了，还能让我们找到新伙伴。通过网络形成的友谊自然会引导见面聚谈。现在我们与我们可能会喜欢的人联系的方法是很有限的，但网络会改变这种情况。我们将用不同于我们今天用的方式，来见到我们的新朋友。仅这一点就会让生活更有趣。假如你想找到一个人打桥牌，信息高速公路会帮你找到一个水平相当、住在你附近或其他城市及国家的牌友。这种让相隔甚远的参与者玩交互式游戏的方式并无什么新奇之处。多少代的棋手一直在用邮件来持续这种游戏。不同之处在于运行在网络上的应用程序使棋手们容易找到情趣相投者，还能够使棋手们像面对面下棋那样以同样的速度一起下棋。

　　另一点不同在于当你做游戏时，比如打桥牌或玩"星球勇士"时，你还能与其他游戏者聊天。我在前面讨论过的那种新型 DSVD 调制解调器会让你能够用一般的电话线传递与其他游戏者的对话，同时看计算机屏幕上打开了的游戏。

　　玩一场这种气氛友好的分组游戏，就像你在传统式牌桌上所做的那样，对发展伙伴关系和竞争来说都是令人愉快的。当你们交谈得起劲时,这种游戏就更有趣,许多公司正将这种多人参与游戏的想法推向一个新的层次。你可以一个人玩,和一些朋友玩,或者和成千上万的人玩。如果他们允许,你最终可能看见与你玩游戏的人。找到一个专家,观察他怎么做并向他学习,这是容易做到的。在信息高速公路上,你和你的朋友不仅能聚在游戏桌前,也能在一个真实的地方,像肯星顿花园,或在一个想象的场景"见面"。你们能在一个不寻常的地点按传统方式做游戏,或做一种新型游戏,其中探讨虚拟的场景也是这新型游戏的一部分。

因投资机智而著名的华伦·巴菲特是我的一位好友。多年来我一直尽力琢磨如何才能诱惑他使用个人计算机的办法。我甚至提出退位让他来干。他并不感兴趣,他后来之所以对计算机发生了兴趣,是因为有一天他发现可以用联机服务与全国的朋友玩桥牌。最初的六个月,他回家后连续玩几个小时。尽管他还竭力躲开技术和技术投资问题,可他一旦试用计算机,就着迷了。现在,有许多星期,华伦使用联机服务比我还多。现行系统不要求你输入真实形象、姓名、年龄或性别,然而,大多数使用者不是孩子就是退休的人——华伦不属于两者中的任何一类。该系统必须加的一个特性就是限度性,允许父母限制孩子们在联网上所花的时间(以及金钱)。

我认为计算机联网游戏会很大程度地风行起来。我们能从丰富多彩的游戏中选择,其中包括古典棋类、牌类以及冒险行动和扮演角色的游戏。将有人专为这一媒介发明新型游戏,会有有奖竞赛,时不时还会有名人和专家进入这个系统,其他人能够观看他们玩游戏，或报名要求与他们比赛。

当观看者的反馈被加上时，电视游戏表演就发展到一个新水平。观看者可以投票并马上看到结果，有点像老式电影里的用于现场观众的鼓掌器，比如在《做一天皇后》这部电影里就是那样。这种形式也可以给游戏者发奖。一些赞助的公司，如应答式电视公司，已经为交互式电视游戏专门设计和检测了多个系统。但由于该系统只有一种应用软件，目前它还不足以吸引到足够多的人以实现赚钱的目标。在信息高速公路上，你不必买特殊的硬件或软件来和一部电视节目发生交互作用。想象一下将来的《口令》或《危险》节目吧！它们能让观众呆在家里参与其中并赢得或是现金或是某种信贷。节目还能对它们经常拥有的观众予以记录并奖赏，或给他们发特殊奖品，或者在他们愿意加入游戏时给予点名表扬。

赌博将是信息高速公路上的另一种游戏，它在拉斯维加斯、里诺和大西洋城是巨头生意，甚至几乎维持了摩纳哥这个国家。赌场获取的利润非同小可。赌博者都相信尽管赌注下得于自不利，他们还是会赢的。我上大学时喜欢打扑克，我认为扑克是一种技巧性游戏。尽管我在拉斯维加斯时，有时也玩 21 点①，但极幸运的是赌博游戏并不让我很上瘾。也许是因为我在时间上比金钱上更受约束吧。如果他们有种赌博能给获胜者每天奖励几个额外的小时的话，我可能会投入的。

---

① 21 点，一种扑克牌游戏。——译者注

技术进步已对赌博产生影响了。电报的早期用途之一，及后期的自动收报器服务就是用来发送赛马的结果。卫星电视广播对非正规赌博作出了贡献。投币赌博机设计一直追踪着机械计算器的进步，最近，它正在追踪着计算机的进步。信息高速公路将会对合法及不合法赌博有更意义重大的影响。我们肯定会看到在每个服务器上时所下的赌注。电子邮件可作为一种打赌的工具，电子货币用来下赌注并清盘。

赌博是高度受限制的行业，很难预言信息高速公路上允许什么形式的赌博。也许坐在飞机上没有其他事可做的乘客们彼此才能互相赌博，也许赌博游戏不得不用全部赌注来对付你。技术使人们可以对所选的任何事物打赌，如果合法的话，肯定会有人建立这项服务。有可能把赛马、赛狗或任何其他种类的实况运动在同一时间传到你家里来。一些让人流动的竞赛或馆内赛也会传送到家里。许多政府通过奖券提高政府收入，它们将来会是能够上网的电子奖券。信息高速公路使将来的赌博比现在的赌博更难控制得多。

我们确信我们会利用信息高速公路独一无二的能力帮我们找到有共同兴趣者的社团。现在你可能是当地滑雪俱乐部一员，你可以与其他爱滑雪的人见面，你也可以订《娱乐滑雪者》杂志，那样就可以得到最新滑雪产品的信息。它不仅能立即给你提供最即时的天气情况的信息，还会成为让你与其他爱好者保持联系的一种方式。

加入电子社团的人越多，它就会对使用它的每一个人更有价值。全球大多数滑雪爱好者会参与进来，甚至偶尔为之的人也会加入进来。将来全世界关于滑雪者和滑雪运动的最佳信息将以电子化方式得到。如果你加入的话，你会在慕尼黑附近找到最好的山坡，在任何地方以最低的价格买一套滑杆，并得到所有与滑雪有关的产品的最新新闻和广告。如果人们已拍摄了比赛或旅途的相片或录像，他们还可以分享。对于有关滑雪的书，任何有想法的人都可写书评。人们将会对规则和安全措施进行讨论。指导录像会立刻提供给滑雪者。这些多媒体文件将免费地或收费地提供给一个人或数10万人。如果你对滑雪感兴趣的话，那么这种信息高速公路上的社团将是你要去的地方。

如果你在尝试攀登险坡前想让自己处于更好的身体状况，那么你要是能和十几个与你身高体重年龄相同，并和你有同样特殊的锻炼和减肥目的人保持密切的电子联系的话，你会发现训练更有趣。当任何别的人都进行与你相象的锻炼项目时，你自我意识的东西会减少。如果你仍然不舒服，你可以关掉你的摄像机。这个社团的成员可以聚在一起相互鼓励甚至同时工作。

滑雪者社团相当大而且很容易确定。在信息高速公路上会有应用程序帮助你找到与你兴趣相合的人和信息，无论你有多特别。如果你正考虑参观柏林，信息高速公路会提供大量历史、旅游和社会学信息，还会有应用程序让你找到兴趣相同的人。你会受邀把你的兴趣记入数据库以供应用程序分析，这些应用程序甚至会提示说某人可能是你喜欢会见的人。如果你收藏有威尼斯玻璃镇纸的话，你也许会选择做一个或更多由这一共同兴趣的人组成的全球社团的一员。这些人中一些人会住在柏林，会有他们很高兴让你看的收藏品。

如果你有一个十岁的女儿并要带她一起去柏林，你可以询问在柏林是否有人有十岁大的孩子，能讲你的语言，并愿意在你访问期间和你们呆在一起。如果你找到两三个合适的人，你就创建了一个小的兴趣社团——也许是暂时的。

我最近访问了非洲，拍了很多大猩猩的相片。如果信息高速公路现在能够使用的话，我会送出一条消息说任何从撒哈拉回来的人如果想交换照片，他或她可以把照片放在我放置我拍的大猩猩照片的电子公告板里，我能建立这个公告板，使得只有那些到过撒哈拉的成员们才能访问它。

已经建立在 Internet 上的数千家新闻组织和无数商业联机服务论坛，作为小社团分享信息的地方。例如，在 Internet 上有生动的基于文本的讨论组，这些组以农业·水果、动物·浣熊、亚洲电影、咖啡、生物·心血管、宗教·伊斯兰教以及谈话·哲学·音乐来命名。但这些几乎不如我期待电子社团将来会用的一些课题那么专门化。一些社团仅限于当地，另一些是全球性的。可选择社团数目之多不会比现在的电话系统更让人不安。你寻找一个大致让你感兴趣的小组，然后把它查找一遍，寻找你想加入的那一部分。我可以想象，诸如对每个城市的管理之类的事务，将成为电子社团的核心任务。

有时我对我办公室附近一交通灯感到恼火，因为它显示红灯的时间总是比我认为它应该显示的时间长。我可以写信到城里，告诉设计交通灯程序的人，灯的计时不合适，但那只会是一封靠不住的信。另一方面，如果我能找到和我开车走同一路线的人的"社团"所在地，我们就能给市里递一份强烈抗议。通过给我附近的人发消息，或给社团事务公告板发送一条消息，上面标着十字路口的地图，并附文"在早晨上班高峰期这个十字路口几乎没有人走左侧。还有别的人认为这个周期应被缩短吗?"我就能找到这些人了。任何与我意见相同的人都能在我的消息上加些什么，这就使向市政府抗争容易多了。

当联机社团重要性增大时，它们将渐渐成为人们寻求公众真正想法时所求助的地方。人们想知道什么流行，朋友在看什么电影，别人认为什么新闻有趣。我想和我今天要遇上的人看同样的报纸头版，这样我们就有了谈论的共同话题。你能看到网上哪些地方经常被查看。在最冷门的地方也会有种种"热门话题"。

电子社团能提供信息，但也会制造麻烦。有些机构将在联机社团强大起来时不得不做很大变化。医生和医学研究者正不得不与病人竞争，那些病人用电子方式查阅医学文献并与患同样重病的其他病人比较病历。在这些社团中，非正规的用语和未经许可的治疗传播得很快。一些接受药品试验的病人通过同其他参与试验的患者交换意见后，就能弄清他们接受的是安慰性治疗而不是真正的药物治疗，这一发现促使他们中的一些人退出试验，寻找另一种速效疗法。这就使研究工作搁浅，但很难责怪正在尽量挽救自己生命的病人。

不单单是医学研究者会受如此多的信息访问的影响。最让人焦虑的问题之一是孩子们能从家用信息装置中找到他们想要的任何东西，作父母的不得不与孩子们斗争。现在有人正在制定一些收费制，以便父母对孩子能得到的信息加以控制。如果信息出版商不适当地解决这一问题的话，它将成为一个主要的政治问题。

总的说来，其利处远远超过它带来的麻烦。信息供给越多，我们的选择也越多。现在，忠实的电视迷围绕着他们最喜欢的电视剧来安排他们晚上的活动；但一旦电视点播给我们机会，让我们在我们喜欢的时候看我们喜欢的东西，那么，将是家庭或社交活动，而不是电视台安排的播出时间，来控制我们的娱乐时刻表。在有电话之前，人们认为左邻右舍就是唯一的社区，电话和汽车使我们生活空间扩展了。我们见面会友的机会比一个世纪以前要少了，因为我们可以拿起话筒交谈，但这并不意味着我们被孤立了。这使我们相互交谈，保持联系变得更容易，有时人们要接通你好像太容易了。

十年后，可能不会再有任何陌生人拨错电话号码打到你家干扰你的情况了。移动式电话、寻呼机和传真机器已经使得商业人士有必要把过去的隐蔽性决定变成公开化决定了。十年前，我们不必做出是否我们想在家收到文件或在公路上接电话的决定。那时躲在自己家里或躲在汽车里是很容易做到的。使用现代技术你不得不决定你什么时候，什么地点需要信息。将来，当你能够在任何地方工作，从任何地方与别人联系时，或无论在那儿都能被接通时，你就能轻易决定谁或什么事能打断你了。明确指示允许的干扰范围，这样你就能在你选择的任何地方重建你的家——作为你的圣殿。

信息高速公路会帮忙：它提前显示所有即将到来的通信，不论是直拨电话、多媒体文件、电子邮件、广告甚至新闻回顾。任何已得到你允许的人都能接通你家中的电子邮箱或给你打电话。你可以让一些人给你发邮件，不要打电话；你也可以让另一些人在你表明你不太忙的时候给你打电话；还可以让另一些人任何时候都可以和你通电话。你不想每天收到不招自来的成千的广告，但如果你在找一场票已售完的音乐会的票，你就会希望你的询问会立刻获得答复。即将到来的通信将按来源和种类——如广告、问候、询问、出版与工作有关的文件或帐单，来标码分类。你会明确地制定信息投递方案。你可以决定谁在午饭时能接通你的电话，谁可以在你呆在车里时或度假时给你打电话，以及哪种电话和信息值得在深夜唤醒你。你可以制定你所需的各种标准，并且可以在任何时候改变标准。你不必给出你的电话号码，它将不以确定的方式使用和传递，而是把一个受欢迎的打电话者的姓名加到一个不断更新的名单上，这一名单将显示你收到他信息的兴趣程度。如果未列在你任何名单上的某个人要找到你，他就只好让你名单上的某个人给你捎个信。你总是能够把某一个人降到较低一级的名单上或者从所有等级的名单上删除。如果你那样做了，打电话的人为了引起你的注意，就不得不发一条附上赠款的信息，像第八章讨论的那样。

技术的变化将开始影响建筑。正如家庭已经变化的方式那样，建筑也会进化的。用计算机控制的不同尺寸的展览图将用于房屋设计中。在建造过程中，要安装联结各种构件的线路，要考虑到屏幕与窗子的设置关系，以便使反光和刺目感会降至最低限度。当信息装置与信息高速公路相连时，实物性东西的需求将会减少，像参考书、立体声收音机、CD盘、传真机、文件抽屉和存储记录和收据的盒子。许多占据空间的小东小西将转变成随时可调用的数据信息,甚至连旧照片也能够用数据储存并调到屏幕上,而不必呆在像架里。

我已对这些细节考虑了许多,因为我现在正在构建一所房子,我想尽量在这房子里面预见近期的未来。我房子的设计和建筑都有点领先于时代,但也许它预示着家庭未来的情况。当我描述这些计划时,人们有时会用"你确实真想做这件事吗?"那种眼光看我。

与任何盘算建房的人一样,我希望我的房子与周围环境和将要住进去的人的需要相和谐。尽管我想让它从建筑角度上吸引人,但我更希望它舒适。它将是我和家人的住所。房子是一个亲密伴侣,或用 20 世纪伟大的建筑家勒·考布什尔的话来说,是"为了居住的机器。"

我的房子用木材、玻璃、水泥、石头建成。它建在山坡上,大多数玻璃窗朝西,俯临通向西雅图的华盛顿湖,从那里可尽览日落和奥林匹克山的景致。

我的房子也是由硅片和软件建成的。硅片微处理器和内存条的安装以及使它们起作用的软件,使这房子接近于信息高速公路在几年内将会带入数百万家庭的那些特征。我要用的技术在现在是试验性的,但过一段时间我正在干的部分事情会被广为接受,并且价格也会降低。娱乐系统将是关于媒介如何起作用的十分接近的模拟,以致于我从中能对与多种技术生活在一起是什么滋味有所感知。

当然,要模仿信息高速公路的应用是不可能的,那需要联系很多人。个人信息高速公路仅仅有点像一个人拥有一台电话,真正有趣的信息高速公路应用将在几千万或几亿人的参与下才能形成。这些人不仅消费娱乐节目和其他信息，也会制作娱乐和信息。直到数百万人彼此之间能够联系，探讨共同利益的话题，贡献种种多媒体信息——包括高质量录像在内，才会有信息高速公路。

　　我正修建的这所房屋里的切边技术，不会仅仅是为了预见娱乐性应用程序而设的。它还有助于满足一般民用：加热、照明、舒适、方便、满意及安全。这一技术将取代我们现在视为当然的旧形式。还在不久以前，公众还会对房屋里有电灯、抽水马桶、电话、空调感到惊奇。我的目标是建一座拥有轻松、令人满意、受人欢迎的环境，并能提供娱乐而且刺

计算机模拟的盖茨未来的住所，从西北华盛顿湖对岸看到的景象

激想象力的房子。这些欲望与过去拥有冒险性房子的人的欲望没多少不同。我正尝试发现怎么做得最好，但这样做本身也具有悠久的传统。

在 1925 年，报纸业巨头威廉·兰通夫·赫斯特搬进他的加州城堡桑西梅瓮时，他想拥有现代技术中最好的一切。那时调收音机定台是让人尴尬又浪费时间的，所以他在桑西梅瓮地下室里安了好几个收音机，每个收音机调到一个不同的台，喇叭线接到赫斯特三楼的个人套间里，被排在一个 15 世纪橡木壁橱里，一按电钮，赫斯特就能听到他选的台。在他那个时代这是个奇迹，而如今这已是每辆汽车收音机的标准特征。

我当然绝不是把自己的房子和桑西梅瓮相比，那是西海岸一个极其奢侈的纪念碑。我认为唯一的联系，即我脑子里为我房子所想到的那些技术革新从本质上讲与赫斯特想要他房子具有的东西并没有真正的不同。我的确是这样做的。

我在 80 年代后期开始考虑建一幢新房子，我想要手工艺术品但不要任何浮华的饰物。我想要一所能采纳不断变化的尖端技术的房子，但其风格应是平易近人的，应当毫不含糊地显示出技术只是仆从而非主人。我不想要那种须用技术性质来定义的房子。最初，那房子被设计成单身汉小屋，但当梅琳达和我结婚时，我们改变了计划，把它变得更适合一家人住。例如，厨房被改进了，以便能更好地容纳一家人，然而与你在其他装备精良的厨房所见到的相比，我们的用具绝不具有更先进的技术。梅琳达也指出并纠正了下述事实：我有一个很大的书房，却没有给她设定一个可供工作的地方。

　　我发现在与微软公司联络距离不算太远的华盛顿湖岸边有些田产。1990 年，一项客房别墅工程开始兴建。之后在 1992 年，我们开始破土为主要住宅打地基。这是一项很大的工程，需要许多具体方法，因为西雅图是个地震区，至少和加州同样危险。

　　一个大房子的居住空间大约是平均水平，家庭客厅是 14×28 平方英尺，包括看电视和听音乐的地方。尽管会有能接待 100 人舒适地就餐的接待厅，那里也有供一两个人的舒适空间。我喜欢为新微软公司职员和夏季雇员举办聚会。房子里还将有一个小电影院、游泳池和弹簧床。在为滑水——我最喜欢的运动之一——而准备的埠口后边，靠近水边的树林里有一个运动场。计划开一个小河口由房后山里地下水来做水源。我们在河口撒些易游向海里的鳟鱼种，有人告诉我等着看河獭吧。

　　如果你来参观，你沿着曲曲弯弯的车道前行，穿过一大片布满枫树和赤杨的时隐时现的树林，林间还点缀着些零星的杉树，你就开到了房前。几年前，伐木区森林地面上的腐化的木屑曾被收集起来撒在这块田产后面。现在这里长着各种有趣的植物。几十年后，当树林长成了，杉树将成为这个场地上主要的树木，就像本世纪初这个区域首次被砍伐之前，大树是主要的树木一样。

　　当你把车停在半圆形转车道上时，即使你在门口，你也不会看到房子的大部分。那是因为你将进到屋的顶层。当你走进去时，所遇到的第一件事是有一根电子别针夹住你的衣服，这根别针把你和房子里的各种电子服务接通了。下一步，你或乘升降梯下降或沿着楼梯走下去。这楼梯通向由杉木支起的玻璃斜顶下的水边。房子有许多露在外面的横梁和竖直支持物。你能尽览湖景。我希望杉树是你朝第一层下降时最吸引你的东西，而不是电子别针。大多数木头来自哥伦比亚河上被关闭的有 80 年历史的维亚豪斯木材坊，这些大约 100 年前制成的木头由 350 英尺高的树制成，直径达 8 到 15 英尺。杉树由于其重量原因是世界上最结实的木材之一，不幸的是新长成的杉树在被锯成横梁时容易裂缝，因为 70 年的树木不如 500 年的树木的纹理结实。几乎所有老的杉树现在已被采伐了，所剩的应该保存。我很幸运找到旧的能被重用的木材

计算机模拟的盖茨未来的住所，从起居室楼梯上看到的情景

杉梁支持着你将会从上往下走通过的两层楼私人居住空间。个人隐私是重要的。我想要一个即使在客人们尽兴参观它的其他部分时，它仍让人感觉着像家的房子。

在楼梯底部右侧是剧院，左侧南边是接待厅。当你走进接待厅，你右边是一系列滑梯型玻璃门通向引向湖边去的一个平台。有24个视频监控器隐藏在东墙里，每架都有40英寸的显像管，摆成四行，每行六个。这些监控器会协同工作来展示艺术、娱乐或商业目的的大幅图像。我本以为监控器在不用的时候会真的隐进木器中。我想要屏幕上显示的木材纹理与它们周围环境相称。不幸的是，由于一个监控器会发光，而真正的木头只会反射光，我还不能用现行的技术做到任何超自然的事情，所以我让监控器不用时隐进木窗格后面。

凭你戴的电子饰针房子会知道你是谁，你在哪儿，房子将用这一信息尽量满足甚至预见你的需求——一切都尽可能以不强加的方式。有一天，取代电子饰针用带视觉认知力能的照相机系统将是可能的，但那超出了现今的技术。当外面变暗时，电子饰针会发出一个移动光带陪你走完这幢房子。空房子不用照明。当你沿大厅的路走时，你可能不会注意到你前面的光渐渐变得很强，你身后的光正在消失。音乐也会和你一起移动。尽管看上去音乐无所不在，但事实上，房子里的其他人会听完全不同的音乐，或者什么也听不到。电影或新闻将也能跟着你在房子里移动。如果你接到一个电话，只有离你最近的话机才会响。

你不会面临技术的问题，但技术会有准备地、很容易地

一个典型的居室控制板

提供给你。手持式遥控会让你掌管你的直接环境和屋里娱乐系统。遥感会扩大电子别针的能力。它不仅让房子承认你，安置你，而且，还允许你来发指令。你可以用控制器告诉一间房子里的监控器，让它显现出来并展示你要的东西。你能从数千张图片、录音、电影和电视节目中选择，你还会有各种选择来挑选信息。

　　在每间屋里都能恰到好处地让你见到键盘似的控制板，可让你发出各种具体指令。我想要的是这样的控制板，谁需要它，谁就容易发现它。不需要它，它也不惹人注意。容易确认的特征使得使用者留心这些控制板的类型和所处位置。电话已完成了这种过渡。它本身并不吸引特殊注意力；我们大多数人正舒适地把一台并不显眼的电话放在案头。

每一个计算机化的系统都应当制造得如此简单、自然、便于使用，以致人们不必多想就能用。但做到简单是困难的。计算机仍然在逐年变得更易使用，我房子里的尝试会有助于我们了解怎样创造一个真正简单的系统。你可以对你的指令和要求采取非直接的方式。例如，你不必用点歌名方式点歌，你可以让房子放最近的歌曲概略，或一个特定艺术家的歌，或在伍德斯托克表演过的歌，或18世纪维也纳创作的音乐，或歌名中有"黄色"这个词的歌。你可以按你用某一特定形容词分类的方式点歌，或在一个特殊人物参观这个房子时点以前没有放过的歌。我可以编一个程序，使古典音乐成为沉思时的背景音乐，或在我锻炼时有更现代更有活力的音乐。如果你想看获1957年最佳影片的电影，你就那样问它——你就会看到是《桂河大桥》。你也可以通过问由阿勒克·吉尼斯或威廉·荷尔顿主演的电影，或问关于监狱集中营的电影，来找到同一影片。

如果你计划很快访问香港，你可以让你房间里的屏幕显示这个城市的图片。在你看来好像这些相片到处被展览，事实上仅在你走进来之前图像才会在室内墙上形成，并在你离开之后就消失。如果你和我在欣赏不同的东西，我们中的一个人走进了另一个人所坐的房间，房子将会按照预先制定的规程来决定怎么做。例如房子会继续为先呆在里面的人放视听图像，或者把节目换成它知道我们两人都会喜欢的别的什么。

跟踪居住者，为满足他们特定需要的房子结合了两种传统：其一是非强入性服务，其二是我们负载的对象给了我们以某种形式被对待的权利。你已经熟悉了这种观点，即客体能够证明你自身。它能通知人们或机器允许你做诸如打开锁着的门、登上飞机，或用特定的你自己的信贷卡买东西这类的事。钥匙、电子帐目卡、司机执照、护照、姓名徽章、信贷卡和票据都是各种形式的证明。如果我把我车钥匙给你，车就允许你进入，发动马达，把车开走。你可以说车信任你，因为你拿着它的钥匙。如果我给停车场员工一把能引动我的汽车，但不能打开车尾箱的钥匙，他能开车但他打不开车尾箱。我的房子也没有什么不同，它可以基于你所持的电子钥匙是怎样的而向你提供各种环境。

这些观念没有一点是真正激进的，一些幻想家正在预言在下一个十年里，将用许多机器人到处来回走动，帮我们处理各种家务事。我当然没有准备接受那种观点，因为我认为在机器人实用之前会要过许多个十年。唯一我期望能看到的，不久将广泛应用的是智力玩具。孩子们能对它们编程序来对不同场景做答复，并且甚至用喜欢的角色的声音来答复。这些玩具机器人将能用有限的方式被编成程序。他们会具有有限的视力，知道在每个方向上离墙有多远，以及时间和照明情况，并接受有限的演讲输入。我认为有一辆玩具大小的、我可以跟它讲话并为它设计程序让它按我的指令作答复的车将实在是太棒了。除了玩具，我看到的其他机器人似的设施的主要用途是军事应用。我怀疑智能机器人在可预见的将来在实际家务中能提供帮助的原因，是它需要很强的视觉能力和灵巧度来准备食物或换尿片。清理池塘、割草，也许甚至是吸尘器的清洁都可用相对笨拙的系统去做，但当我们做超出把某个东西推走那种程度的工作时，很难设计一种能够识别，并对到来的意外做出答复的机器。

我正在建造的房子里的系统是为方便居住而设计的，但直到我搬进去前，我不知道它们是否真有价值。我一直都在试验和学习。设计小组使用过我已在修建这所房子之前就已建好另一间会客室，将之作为家庭设施的实验室。因为有些人比其他人喜欢的温度高一些，房舍软件根据谁在里面住以及一天的什么时间来调节温度。房舍知道在寒冷的早晨客人起床前把温度调的暖烘烘的，晚上，天黑下来时，如果打开了电视，房舍的灯就暗些。如果白天有人在房舍，房舍会把它里面的亮度与室外配搭和谐。当然，住在里面的人总能够明确地给出命令来控制场景。

这种设施的应用对节能很有意义，许多电力设施将用于检测网络并监视各个家庭能量的使用，这将结束让读计数表的人每两个月到家读表的昂贵费用的做法，但更重要的是，家用和公司用的计算机将能够处理好一天不同时间内每分钟能量要求。节能管理能以减少最高负荷的方式省很多钱，并有助环境保护。

并不是我们在房舍的所有的试验都是成功的。例如我曾安了一个在需用时能从天花板上降下来的扬声器。扬声器的音箱离墙悬挂在最佳声学位置上。但在房舍里试用之后，它最让我想起詹姆士·邦德的小玩艺儿，所以在主宅里我们已定下来安装隐蔽式扬声器。

房子试着猜测你想要什么，在一般情况下它必须猜得很准，免得你因为它猜错了而心中不快。我到安有计算机家用控制系统的房子里参加一个舞会，那里的灯被定在晚上10：30关，那是主人通常上床睡觉的时间。到了10：30晚会仍持续进行，但灯当然是灭了，男主人去了好长一段时间才让灯又亮了。一些办公建筑用运动测检器来控制每间办公室的照明，要是有几分钟没有任何重要活动，灯就熄灭，故坐在办公桌边几乎一动不动的人得习惯于不时挥舞手臂。

你自己去开灯关灯也不难。灯的开关极可靠并且很方便于使用，所以当你用计算机控制设施取代开关时，你是在冒险了。你不得不装上其工作时间占百分比极高的系统，因为一旦在可靠性或敏感性方面出故障，你花钱想买的方便省事就不存在了。我希望房子系统能让灯在合理程度上自动化，但为预防万一，每间屋子仍应有墙壁开关以便能先于计算机而控制照明。

如果你有规律地要光总是强或暗，房子就认为那是你多数时间需要的亮度。事实上，房子会记住它所了解的关于你嗜好的任何事。要是以前你要求过看亨利·马蒂塞的画或克利斯·约翰在《国家地理》杂志上的照片，你会发现他们的其他作品也展示在你走进的房间的墙上。如果你上次访问时听过莫扎特的小号协奏曲，当你再来的时候，你会发现这曲子又在播放了。如果你在正餐时不接电话，那么要是有找你的电话，话机也不会响。我们也能告诉房子客人喜欢什么。保罗·艾伦是吉米·亨得利克斯星迷，不管他参观哪里，都会有让人摇头晃脑的快速吉它曲跟着他。

房子里的装置能记录各种系统操作次数的统计数字，我们能调节这些系统来分析那些信息。

当我们都在信息高速公路上时，同种设施会被用来对各件事情做记数并跟踪。凡玩忽职守者，记录都会给他以惩罚。现在我们可见到这种制表程序的先驱。Internet 已传递关于当地交通模式的信息，这对决定更改交通路线极有利。电视新闻节目常用直升飞机上的照相机所看到的情况来显示交通，并同样用直升飞机估计交通高峰期高速公路的车速。

多亏几所高校学生程序设计者，出现了一件挺小但有趣的例子。他们把硬件与软件自动售货机的空箱指示灯相连，售货机不断地在 Internet 上提供信息。这是种不重要的工序，但每周全世界数百人可检查卡内基·迈隆大学自动售货机里是否还剩下七喜或减肥可乐。

信息高速公路能在报告自动售货机的同时，从许多公共场所给我们显示实况电视：每秒钟奖券数字，运动项目下的赌注，当前房地产抵押率，及某些种类产品的发明数字。我希望我们能从城市的各个地方调出实况图像，并要求覆盖物显示带有价码单和可以住进去的日子的出租空间、犯罪报告的计数、各地区冠军成就，以及任何其他种类的公众性或可能是公众性的信息，这些都是我们要问的。

我将是我房子里最不寻常的电子化特点的第一位使用者。这个电子产品是有一百多万静止图像的数据库，包括照片和图画的复制品。如果你是客人，你能把总统肖像、日落、飞机、在安第斯山滑雪，以及一张珍贵的法国邮票和 1965 年甲壳虫乐队的照片，或者是文艺复兴时期画的复制品，调到房子里到处可见的显示屏上。

几年前我创办了一个现在叫科比斯的小公司，目的是为了创立一个独一无二的各种图像的综合数据档案。科比斯是存储大量各种视觉资料的数据库——包括历史、科学、自然历史技术、世界文化和纯艺术。它用高质量扫描器把这些图像转化成数据形式。图像以高分辨率存储到用独创方式检索的数据库中，这种方式便于使人找到确切的图像。这些数据图像能提供给像杂志或书籍出版商那样的商业用户，以及个人阅览者。为图像拥有者保密。科比斯和博物馆、图书馆，以及大批个人摄影家、旅行社或其他档案处一起工作。

我相信信息高速公路上将需要大量质量好的图像。很明显，认为公众发现浏览图像值得做的假想完全没有得到证明，我想合理地划分界面会使它吸引许多人。

如果你不能决定你想看什么，你可以随意浏览，数据库会给你显示各种图像，直到有一张吸引了你，然后你就可以深入探讨相关图像。我期望能浏览并要求看"帆船"或"冰山"或"著名科学家"。

尽管一些图像是关于艺术作品的，那并不意味着我认为复制品和原件一样好，什么都比不上看真品。我相信那种便于浏览的图像库会让更多人对绘画和照相艺术感兴趣。

在我的商业旅行途中，我花时间去博物馆观赏一些伟大艺术的原作。我拥有的最有趣的一件"艺术"是科学笔记本，属于16世纪初的列奥纳多·达·芬奇。我很小时就佩服列奥纳多，因为他在那么多领域里有天才，而且远远超出他的时代。尽管我拥有的一本是写作和素描笔记本，而不是一幅油画，但任何复制品都难以真正显示出它的价值。

艺术，和许多事物一样，当你对它有所了解，就更有趣。你可以在卢浮宫走几个小时欣赏至多模模糊糊有点面熟的画，但当你有些知识再去看时，那种体验就更有趣了。多媒体文件可以在家或博物馆扮演向导的角色，它能让你听到一个著名学者就一件艺术品为话题的演讲的的一部分，它可以让你参照同一位作者的或同一时期的其他作品，你甚至可以拉近镜头细看。如果多媒体复制品使得人们更容易与艺术品接近，有了复制品的人就会想看原著。复制品的展示有可能提高而不是削减人们对真正艺术的崇敬，并鼓励人们走出家门，到博物馆和画廊去。

今后十年，我所描述的数百万图像和其他娱乐机会将使许多人家受益，并肯定比我1996年底搬进我房子时所拥有的更吸引人。我的这所房子只不过早一些得到其中一些这类服务而已。

我喜欢做实验，我知道我的一些有关房内设置的想法会比另一些想法效果更好。也许我会决定把监视器隐藏到传统的墙壁装别艺术后面，或把电子别针扔到垃圾箱里。或者我会习惯房子里的各种系统，甚至喜欢它们，并想知道没有它们我怎么过日子。这是我的希望。

第十一章

各展雄才夺金魁

每周似乎都有某家公司或财团郑重宣告，它在建设信息高速公路的竞争中已取得胜利。有关企业间超大规模的兼并和冒险性投资的大吹大擂无休无止，渲染出一种"淘金热"的气氛——个人和公司，都朝一个方向蜂拥而上，梦想着能越过终点线，为自己确立一项自以为能保证日后成功的地位。投资者们看来颇陶醉于与信息高速公路相关的股市报价中。各种传媒对这场竞争的报导之多，也是史无前例的，而尤其应注意的是，无论该项技术的本身还是市场需求，目前都尚未被证实呢。与个人计算机工业起步时那些未曾记录在案的日子不同，今天的狂热气氛有可能令人兴奋得忘乎所以，特别是对那些跃跃欲试渴望成为投标者的人们来说是如此。而事实上，这场比赛中几乎还没有哪位选手在起跑线上站稳脚跟。

当比赛终于开始后，赢家将会有很多，有些赢家会出人意料。加利福尼亚淘金热的一个后果就是西部经济得以迅速发展。1848 年中，到加州定居的仅有 400 人，其中大部分从事农业生产。而淘金热在一年时间里就吸引了 25000 名定居者。十年之后，制造业在加州经济中占据的比重已远远压倒黄金生产，该州的人均财富也已高踞全美国之首。

如果投资的战略无误，只需假以时日，财源必将滚滚而来。一大批各色各样、林林总总的公司正在挖空心思地活动，志在赢得他们预计中的那份地位。而他们之间的勾心斗角的情状，大部分正被当作重要新闻报导。在这一章里，我将尝试对正在发生的一切作一纵观描述。

在这场争夺信息高速公路建设权的比赛里，迄今为止还未有谁看见了熠熠闪光的黄金。真要看到它，还需等大量的投资工作完成之后。驱使人们投资的将是对未来市场需求的信心。只有到宽带网络进入大多数家庭和公司后，才会有完善的信息高速公路的存在，才会有市场的存在。而在此之前，种种构成信息高速公路的成份：计算机的软件平台、应用程序、网络、服务器及信息装置，都需要建设，需要布署。信息高速公路中的许多部分都只有在拥有了成千上万的用户之后才可能赢利。要达到那个目标，必须努力工作，在技术上创新，且有金钱作后盾。从这一点看，今天的狂热气氛是不无益处的，因为它鼓励人们去投资和实验。

还没有人确切地知道公众从信息高速公路中想得到的

是什么。公众自身不知道，因为它不曾与可视的交互式网络及其他应用设施打过交道。某种早期技术曾被实验过，但只实验了寥寥数次而已。它们提供的服务有电影、购物及许多昙花一现的新鲜花样。结果，说到底，从实验中真正学到的东西，只是"有限的交互式系统仅能取得有限的成果"而已。不到数十种新应用设施建好的那一天，是不可能对信息高速公路的真正的潜力做出正确的估计的。但是，另一方面，若没有对市场的信心，就很难说建设应用设施是应该的。只有到至少有一种可信的试验证实了系统的固定成本能很快从生产的利润中挣回来之后，人们才能坚持声称自己的公司要花数十亿建设一条与家庭相连的信息高速公路而不犯故作姿态之嫌。据我看，信息高速公路不会是一个突然的、革命性的创造，我们将在 Internet 的引导下，随着个人计算机及个人计算机软件的不断进化，一步一步走向一个完善的信息高速公路系统。

某些故作姿态的虚张声势过分地抬高了人们的期望，促成了对信息高速公路的极度狂热。有一批数量惊人之众正在揣测技术将向什么方向发展。而他们所做的某些臆测，要么无视实际可行性，要么无视公众早已表现出的喜好，要么在信息高速公路的各组成部分何时才能连为一体这一点上完全不现实。每个人当然都有推理、立论的自由，但那种认为信息高速公路对用户的全部重要的影响会在本世纪末之前来临的猜想，是完完全全站不住脚的。

目前正对信息高速公路投资的公司，充其量不过是在有情报根据的条件下做种种猜测而已。怀疑论者提出了些很好的理由，论证他们为什么认为信息高速公路不是如我所想的那么大，或那么早的一个机会。但我对这一事业有信心。微软公司目前每年在信息高速公路的研究与发展方面的投资不下一亿美元。几乎可以肯定尚需要五年，甚至更久的时间进行这样的投资，研究与发展才有可能取得成果，挣回与投资相抵的利润，这也就是说我们押下了五亿美元的赌注。也许这一赌，我们就损失了半个十亿。由于我们有过去成功的基础，股东们允许我们下这个赌注，但过去的成功不能保证这次也会如此。很自然地，我们预计自己能够成功，而且就和这场比赛的其他选手一样，我们有做这样的预计的理由。我们相信：有我们这样的软件开发技术，有我们这样的为个人计算机的发展事业献身的精神，我们一定能够从自己的投资中获得回报。

在那些愿意冒险，希望冒险的结果能使它们在角逐中领先一头的公司的赞助下，对个人计算机、电视机的宽带连接的综合性试验预计将在 1996 年于北美、欧洲、亚洲等地展开。这些试验中有一些可谓是"我也来一个"的努力，意在显示一下某某家特定的网络操作者有能力建设和运转一个高带宽的网络。但试验的主要目标应该是使软件开发者能利用一个平台作基础，在其之上建设及探索新的应用设施；应该是检验这些设施对公众的吸引力及它们在财务上的切实可行性。

当保罗·艾伦和我看到第一台阿尔塔计算机的外观图时，我们只能对它将带来的种种应用做些猜测。我们知道将会有应用程序随之产生，但我们不知道它们会是什么。有些是能预计到的——例如，那些能让一台个人计算机作为主计算机终端而工作的程序——但那些最重要的应用，如Visi-Calc电子表格，却是始料未及的。

即将出盘的试验将给予诸公司一个发现电子表格的等价物的机会——种种无法预计的，将捉住用户想象力的吸引人的应用程序和服务——以及一个在财政上证明有理由全面铺建信息高速公路的机会。想要猜算出哪些应用程序将对公众有吸引力，哪些没有，几乎是完全不可能的，因为用户的需要和愿望是如此因人而异。比方说，我希望我能通过信息高速公路洞察一切医学上的最新进展。我希望知道我这个年龄的人健康上可能会有什么危机，该如何避免它们。也就是说，我不仅想要一些能使我在自己感兴趣的其他领域内继续自我教育的程序，我还想要有关健康及医疗的程序。但那只是我个人的情况。其他用户也会想要医学忠告吗？还是新的电子游戏？与人会见的新方式？在家购物？还是仅仅要求再多几部电影就够？

究竟什么是最受人欢迎的应用程序和服务项目，将由试验给出定论。这些应用与服务有可能只是现存的通信功能的简单扩展，比如点播式电视、个人计算机间的高速连接等等。此外，也会有一些新的，类似异想天开的服务，它们捕捉住公众的想象力，激发人们进一步革新、投资和发展产业。这类服务正是我所热切期盼的。如果早期的试验未能令用户兴奋、激动起来，就不得不进行更多的试验，而一条完善的信息高速公路的建设就将推迟。在此期间，Internet、联网的个人计算机，及个人计算机软件将继续得到改善，进而甚至成为一个更好的建设基础。硬件与软件的价格也将继续下跌。

观察各个不同的大公司在这些机会面前如何反应是件饶有趣味的事。它们无一愿意承认事情的不确定性。电话公司和有线电视公司、电视台和电视网络、计算机硬件和软件公司、报纸、杂志、电影工作室，乃至个体的作家……都在制定各自的战略。远远看去，他们的计划似乎大同小异，但事实上其中的细节是有相当大的差异的。就好比那个关于盲人和象的古老的故事，每个人抓住了象身上不同的一个部分，并从他有限的信息出发，对象这种动物整体的模样作出全面的，然而错误的结论。在这里，我们却不是试图猜出一只大野兽的形状，而是在对市场的真正情况只有一个模糊的理解的基础上投资数十亿美元。

竞争给消费者带来裨益，但对投资者，尤其那些在尚未成形的产品上下赌注的投资者而言，竞争很有可能是严酷的。眼下就有这项尚不存在的生意叫做"信息高速公路"。它所产生的利润额是零美元。建设信息高速公路将是一个边做边学的过程，在此过程中会有一些公司输得倾家荡产。今天看来利润颇丰的地方，也许到头来成为竞争极为激烈的市场，没有多大赚头。或者它们也有可能根本就不受欢迎。"淘金热"趋于鼓励人们草率投资。某些投资会有收获，但当狂热消尽，事过境迁后，我们回顾那些失败了的冒险者留下的残迹，会感到难以置信，惊叹道："谁给这些公司提供的资金？他们当时怎么想的呢？仅仅是出于工作的狂热吗？"

企业界将对信息高速公路的发展起重大的影响，正如它当初深刻地影响了个人计算机生意的发展一样。只有少数原来生产主计算机软件的公司成功地完成了向个人计算机生产的转型。而且大多数成功者是开张不久的小公司，其经营者乐于考虑各种新的可能性。关于信息高速公路，情况也将会如此。与每一家成功地发展了一项新业务或服务的老牌大公司对应，都有十家新兴的公司繁荣昌盛起来，另外还有五十家闪电般成立，显赫一时，又转眼消声匿迹。

这正是一个发展中的企业家市场的标志；在许多前沿阵地上，出现了突飞猛进的革新。大多数革新，无论尝试者是家大公司还是小公司，都将是个失败。大公司一般不太冒险，但一旦它们翻了船，火烧眉毛之际，他们极端的自我意识，以及它们物力财力的浩大规模，就会使它们败得更惨。比较而言，一家新公司的失败通常不惹人注意。好在成功与失败都能使人学到一些东西，而最终结果就是迅速的进步。

通过让市场去决定各家公司、各种方法的输赢得失，我们得以同时探索多条道路。能最清楚地体现在市场力量趋动下进行决策的好处的地方，莫过于一个未被证实的市场了。在数百家公司试用种种不同的冒险的方法去探查市场需求的程度的同时，社会就得出了正确的解决办法，这比采取任何形式的中央计划要快得多。有关信息高速公路的不确定成份极多极广，但市场本身能设计出一个恰当的系统。

政府可以帮助确保一个竞争性极强的主框架，然后，如果在某些特定的领域市场调节不到时，它应当主动干预，但又不能过于热切。从试验中得出了足够的信息之后，政府可以订立"公路规则"——一些基本的、框架性的纲领，要求公司在其指导之下展开竞争。但政府不应该设计，或武断地制定信息高速公路的性质，因为政府不可能比竞争性市场更灵活，不可能控制市场，尤其在对顾客的喜好及技术的发展还存在疑问的情况下。

美国政府已深深地卷入到为通信公司制定规则中去了。当前的联邦条令禁止有线电视和电话公司提供通用网络服务，因为这种服务会使它们彼此竞争。如果想帮助信息高速公路起步的话，大多数政府必须做的第一件事就是废除通信中的这些规则。

在大多数国家，过去的方法是在电信的各种形式的服务中创立垄断。这种方法的理论依据是，如果没有成为唯一的供货者的可能性的激励，各公司就不会做出为把电话线连向每个人所必需的巨额投资。政府拟定的一整套制度约束着垄断者为公众利益服务、赚取有限的但基本上有保障的利润。于是结果就是一个极为稳定的、服务范围广泛的网络，只是很少有创新。其后制定的规章则不仅把这个概念推广到区域电话系统，而且把它推广到有线电视系统。联邦政府和各地区政府都向公司授予垄断权，削弱竞争，而换取规章的控制。

根据目前的美国法律，一条既提供电话又提供电视服务的信息高速公路是不允许的。经济学家和历史学家尽可以就1934年时授予由政府调节的电信垄断权是否是件好事争论不休，但今天，人们普遍认为：应该把规章改一改了。然而，到1995年上半年为止，政策的制订者们还不能就究竟在何时、在哪些方面改变达成一致。数十亿美元正濒临危境，而法规制定者们已发现自己很容易就在有关竞争应如何开始的种种复杂的细节中绕得晕头转向。面临的难题是：要寻找一条从旧制度转移到新制度的同时又能使绝大多数参与者满意的改革道路。这种为难的处境，正是多年来电信改革迈不开步子的原因。1995 年夏的许多时间，国会是在争吵得不亦乐乎中度过的，所争论的不是是否应废除管理电信产业的规章制度的问题，而是应该如何废除这些制度的问题。我希望当你读到这里的时候，信息高速公路在美国已是合法的了！

美利坚合众国之外，令事务复杂化的是这样一个事实：在许多国家，政府调节下的垄断集团正是政府自身所有的某些代理机构。它们被称为"PTT"，因为它们管理邮政（postal）、电话（telephone）和电报（telegraph）服务。某些国家允许自己的 PTT 展开发展信息高速公路的计划，但牵涉到政府组织时，事情往往进展缓慢。我认为，在今后十年里，全球范围的投资及撤销管制的速度会增大，因为政治家们正慢慢意识到，如果他们的国家想从长远来说保持高度的竞争性，这个问题是关键所在。在许多竞选活动中，候选人的政纲条目都会把让他们的国家在建设信息高速公路中领先的政策包括进去。政治利用了这些问题，又将使这些问题更昭彰显目，而这将有利于清除种种国际路障。

像美国和加拿大这样的很大一部分家庭拥有有线电视的国家颇有优势，因为有线电视公司与电话公司间的竞争能加快在信息高速公路基础设施上投资的速度。不过，走在最前头的还是英国，它事实上就已经是在用单个网络同时提供电视和电报服务。那里的电报公司于 1990 年获准提供电话服务。以美国电话、电报公司为主的外国公司对英国的光纤基础设施做了大量投资。如今的英国消费者可以选择从他们的有线电视公司处得到电话服务。这一竞争已迫使英国电信公司改善其收费与服务。

如果我们十年后再回顾今天的话，我想我们会发现，每个国家的电信改革幅度与其信息经济的发展状况之间清晰地存在一种伴随关系。很少有投资者愿意把钱投向通信基础设施不发达的地方。在这么多国家里，有这么多的政治家和院外活动家卷入到制定新条例的事务中，我敢肯定，各种不同的规章计划将会经受彻头彻尾的试验。在不同的国家，那个"正确"的解决办法也会多多少少有些不同。

有一处政府显然不应插手，那就是兼容性。有些人曾建议政府制定网络标准，以便保证网络间能互相合作。1994年，有一条法规被呈交给美国众议院小组委员会，呼吁所有的置顶匣都应为兼容之便按一个标准制作。对那些草拟这条法规的人来说，这听来是个绝妙的主意。它能确保贝茜姨妈在一个置顶匣上投资后，即使搬到美国的另一地区去也不愁它会无法正常运转。

兼容性是重要的，正是它使得消费者电子行业和个人计算机行业能够兴旺发达。在个人计算机工业才刚兴起时，许多机器出现后又被淘汰，如匆匆过客。先是阿尔塔8800被第一代苹果机取代。接着是第二代苹果机，最初的IBM个人计算机，苹果Mac机，IBM 386和486个人计算机，Power Mac机以及奔腾个人计算机。这些机器中每一种都与其余各种型号在某种程度上兼容。例如，它们都能共享简单文本文件，但同时也存在着大量的不兼容性，因为相承的每一代计算机都显示出了一些优点，而一些老一代的系统则无法支持这些根本性突破。

在某些情况下，与从前的机器可以兼容是个大优点。可兼容个人计算机，以及苹果 Mac 机，都能提供某种程度的逆向兼容性。但是，这两类机器彼此之间不兼容。而当个人计算机刚被引入市场时，它与 IBM 过去生产的机器也不兼容。类似地，Mac 机与苹果公司的早期机器也不兼容。在计算机世界里，技术是如此巨大的源动力，无论它要求什么新产品，所有的公司都应该有能力生产出来，再让市场决定这个物物交换是否做得正确。因为置顶匣从各方面来看都是一台计算机，那么顺理成章，它也将遵循那个曾驱动过个人计算机行业发展的、同一个迅速革新的模式。事实上，置顶匣将出售给一个比现在的个人计算机市场更不确定的市场，所以，更应该把它交给市场去调节。给一个尚未完成的发明强套上政府拟定的设计的枷锁，只能是愚蠢的行为。

美国最初的关于置顶匣兼容性的立法到头来于 1994 年被国会否决了，但是 1995 年里又出现了一些相关的问题。据我预计，其他国家也会进行类似的立法的努力。把一些听来合情合理的限制用法律形式规定下来似乎轻而易举，然而，如果我们不警惕的话，这些限制是有可能扼杀市场的。

在不同的社区，不同的国家，信息高速公路发展的速度也不同。我在国外旅行时，外国出版界经常问我，他们的国家比美国的发展要落后多少年。这个问题不好回答。美国的优势是它的市场宏大，家庭个人计算机极为普及，而且电话与电报公司之间为争夺目前及未来的利润竞争激烈。在将构成建设信息高速公路的一部分的各项技术领域,美国公司几乎毫无例外地居于领先地位:微处理器,软件,娱乐,个人计算机,置顶匣以及网络开关装置等等。仅有的两个重要例外是显示技术和存储器芯片。

其他国家也有各自的优势。人口密度和政治上对基础设施的强调使新加坡肯定能成为领先者。新加坡是个不一般的国家,如果政府做了决定要让某件事情发生的话,那就决不会是说说而已。那儿的信息高速公路基础设施已在修建中。法律很快就会要求所有的建筑公司给每间新房、新公寓装上宽带电缆,就好像从前要求他们装自来水、煤气、电线、电话线一样。当年我访问李光耀,这位 72 岁的高级官员、新加坡 1959 至 1990 年的政府首脑时,他对所面临的这个机会的深刻理解,他对目前最重要的事情就是全速向前发展的深信不疑,都给我留下了极深刻的印象。他认为他的小国家必须在亚洲继续保持在高附加值工业方面的主导地位。我相当直截了当地问李先生,他是否认为新加坡政府会放弃目前实行的通过对信息的严格管制来确保国民具有共同的价值,以抑制社会问题的方针。对此他回答说,新加坡意识到了将来它不得不通过审查制度以外的其他方式来继续维护一种牺牲了某些西方式自由但换取了强烈集体感的文化。

在法国,联机服务的先驱者,Minitel 已经形成了一个信息出版商的社团,并在普遍范围内促使人们对联机服务有了大致的了解。尽管无论终端还是带宽都受到限制,Minitel 的成功还是促进了革新,提供了经验。法国电信目前正投资于一个信息包切换数据网。

在德国，德国电信公司于 1995 年大幅度地降低了 ISDN 网服务费。由此引起了连接个人计算机的用户数目大增。降低 ISDN 服务费是聪明之举，因为低廉的价格能促进应用程序的发展，而应用程序的发展又能加快一个宽带系统的到来。

在北欧国家，个人计算机对商业渗透的程度甚至比美国还高。这些国家知道，通过与世界各地高速联网，将使他们受过高等教育的劳动大军受益匪浅。

尽管也许再没有什么国家比日本对高科技通信系统持更大的兴趣了，但要想预言信息高速公路在日本的命运，还是极难的。与其他发达国家相比，个人计算机在日本的商业界、学校和家庭中的应用远非那么广泛。这一方面是因为键盘输入汉字比较困难，但同时也是因为在日本纯粹文字处理的机器拥有广泛的、根深蒂固的市场。

在为建设信息高速公路的基本骨架及其内容而投资的公司的数目上，日本仅次于美国。许多日本大公司都拥有先进的技术，且有过在投资上放长线的历史。索尼集团下辖索尼音乐公司和索尼电影公司，而后者又包括哥伦比亚录音制品公司和哥伦比亚电影摄制公司。东芝集团在时代华纳公司上投了一大笔资金。而 NEC 公司于 1984 年打出的公司口号："计算机与通信"，则表明了该公司今后致力发展的方向，可谓抢先道出了信息高速公路的实质。

日本的有线电视产业长期以来被管制得过死，直到最近，才一下子发生了速度惊人的变化。日本的电话公司 NTT 是世界上所有国有公司中资金最雄厚的一家，它将在信息高速公路系统的每一个方面都起领导作用。

在韩国，尽管人均购买个人计算机数远低于美国，但这些机器中有 25％ 以上进入了家庭。这个统计数字表明，具有稳固的家庭结构、强调对孩子的教育为发展之本的国家，将成为具有教育优势的产品扎根的良壤。恰当地运用政府权威的一个方法就是设立奖赏，鼓励为学校作低成本的联网，保证信息高速公路同样能进入农村地区和低收入地区。

澳大利亚和新西兰也对信息高速公路有兴趣，部分原因是它们与其他发达国家在地理位置上隔得太远。澳洲的电话公司正处在私有化的过程中，市场也正向各竞争者开放，鼓励各种"向前看"的计划出台。新西兰的电信市场则是全世界上最开放的，它新近刚被私有化的电话公司已为我们竖立了一个榜样，表明私有化是多么卓有成效。

除非是政治决策作得太差，否则我怀疑在包括整个西欧、北美、澳大利亚、新西兰和日本在内的所有发达国家中，有哪一个最终能比它的对手们领先或落后不止一两年的。在每个国家内部，由于经济人口分布的不同，总有某些社区比其他社区更早得到服务。网络系统将首先进入更富裕些的地区，因为那里的居民极有可能花钱更多。地区立法人员甚至可能会竞相创造有利的环境，以便本地能更早地布署信息高速公路。在工业化国家，只要其法规是促进竞争的，那么修建信息高速公路根本无须用公民缴纳的税金。信息高速公路直接进入家庭的速度很大程度上是和一个国家的人均国民生产总值相对应的。但尽管如此，即使在发展中国家，各公司和学校的入网也会产生巨大的影响，并能缩小这些国家与

发达国家之间的收入差距。比如像印度的班加罗尔，中国的
上海、广州等地区，它们将在商业界建立高速信息联网，运
用这些网络向全球市场为他们的受过较高教育的职员提供
服务。

当今许多国家的高级政治领导人正在拟定促进向信息
高速公路投资的计划。有些国家试图在信息高速公路的发展
中领先，有些想要确保自己不落人后，由此产生的各国之间
的竞争正逐步聚成一股具极大的积极作用的动力。既然各国
各显神通，那么大家都可以拭目以待，看哪种方法最佳。有
些国家政府可能会这么推理：如果做出了他们必须立刻拥有
一个网络的决定，而私人企业却不愿意建网的话，那么他们
将不得不帮助建造或出资建造自己的信息高速公路的某些
部分。从理论上来讲，有政府的引导指令可能要比没有的情
况下使信息高速公路修建得更快，但这时也极有可能出现并
不受人欢迎的后果，因此事先要对此作仔细的考虑。如此行
事的国家，最后可能只做了无用功，它们的信息高速公路出
自与技术的迅速发展隔绝的工程师之手，昂贵而无实用价
值。

类似的事情在发展 Hi-Vision 高精度电视这个项目时在
日本曾经发生过。势力雄厚的 MITI（国际贸易及工业部），与
政府管辖的 NHK 电视广播公司，在日本消费者电器公司中
发起了一场建一个新的模拟式高清晰度电视系统的运动。
NHK 公司许诺每天要用新的格式播放几个小时的节目。不
幸的是，这个系统还没被配置好就已经过时了，因为这时数
字技术的优越性已表现得很清楚。许多日本公司发现自己陷

入一个困难的处境中。私下里他们知道这个系统不是一个好的投资项目，但它们又不得不维持自己对政府所赞助的格式的公开承诺。在我写这本书的同时，日本的"记录的计划"依旧在向这个模拟系统发展，尽管并没有谁真正希望它会产生。不过，在 Hi-Vision 项目推动下，在开发高精度照相机和高精度显示器方面所进行的投资，还是可以使日本从中受益的。

修建信息高速公路绝不会像说一声"让光纤遍及各处"那么简单，任何卷入的政府或公司都要跟踪最新的发展，时刻预备转向。要做到如此的灵活，需要有对技术的精通，而为了避免其他风险，最好还要加上工作中的敬业精神。

在许多战线上，私人公司间的竞争将极为激烈。有线电视、电话及其他一些公司将为提供光纤通信、无线通信和卫星通信的基础设施而竞争。硬件公司将向网络公司争售服务器、ATM 开关和置顶匣，将向消费者争售个人计算机、数据式电视机、电话及其他信息器材。与此同时，包括苹果，AT&T，IBM，微软，Oracle，太阳电子计算机在内的软件公司，将向网络公司兜售软件成份。最终，将有数百万家公司和个人，通过崛起的网络，出售软件应用程序及各种信息，包括娱乐。

我已经比较详细地讨论过，修建一套有形的基础设施以便为家庭提供宽带联网服务，是件多么至关重要的事。我已描述了一番美国国内的竞争，和两位主要的选手——电话与有线电视产业——各自的战略。有线电视公司比大型电话公司成立得晚，规模也比它们小，通常也更具有企业家独自的风格。有线电视网络通过同轴电缆，或者有时通过光缆，为客户提供单向宽带电视服务。尽管在世界范围内它的普及率不高——仅有189000000名客户——但美国家庭中近70%都装上了有线电视系统，总数为63000000户人家。有线电视系统已经在逐步向传递数字信号转化，而许多有线电视公司正忙于把个人计算机用户与Internet相连，为它们提供联机服务。他们在赌一个机会，希望许多习惯于用电话线以每秒28800比特的速率下传送信息的个人计算机用户会愿意花更多的钱，换用电视电缆，以每秒3000000比特的速率下传送信息。

至于电话公司，它们的财政实力要雄厚得多。美国电话系统是世界上最大的，提供点对点连接的交换式传送网络。每年能挣大约1000亿美元的综合性地区电话交换市场，显然要比200亿美元的美国有线电视生意有利可图得多。七个区域性贝尔操作公司（RBOC）将在长途电话、移动电话及其他新服务项目上与它们原先的母公司AT&T竞争。但是，和全球的电话公司一样，RBOC也是刚从它们严格调控的传统中挣脱出来，是竞争世界里的新客。

地区电话公司将被越来越激烈的竞争调动起积极性。它们处于防守地位，因为有其他的电话公司和有线电视公司打算在它们的地区提供包括电话在内的一些通信服务。新的规章制度将解开对这场竞争的束缚，而结果则仍然如我已提到过的，将是长途话音电话的服务费急剧下降。如果情况如此的话，电话公司将失掉很大一部分它们目前的丰厚的收入。

提供地区服务的公司已一直在慢慢地把先进的数字传

输能力引入它们的网络。它们还没有感受到催它们加快进程的压力，因为直到现在，阻碍别的公司进入市场的庞大的财政问题似乎还在保护它们，使它们免受竞争之苦。它们知道，自己潜在的对手要想在一个给定的社区与自己竞争的话，就不得不在设备上作双倍的投资，说不准高达一亿美元。但实际上，开关设备和光纤的成本每年都在减小。

这就意味着这些公司面临着所有曾考虑过购买个人计算机的人几乎都曾面临过的那类抉择。你是等到机器的价格下跌，性能改善之后再说呢，还是咬紧牙关，早早就开始使用这一设备？对某些网络公司来说，这实在是一个极为痛苦的两难处境。它们将不得不加速前进，不断提高。一个公司如果在等了足够久之后才在电缆和开关上投资，那它可以得到低廉的购买价格，但同时它肯定已被不那么小心谨慎的对手们夺去了部分市场，而且可能再也夺不回来了。

电话公司尽管有令人羡慕的收益，却还是有可能为缺乏建设这一费用昂贵、技术日新月异的新型网络所需的资金而困扰，因为监督电话公司的价格委员会可能不允许它们提高电话费，或者甚至不允许它们用现存的服务所得利润去赞助这一新业务。习惯了从 RBOC 处得到数量可观的红利的股东们，有可能要为拿出一部分赢利去建信息高速公路而犹豫不决，因为 100 多年以来，电话作为一项法定调控之下的垄断业务一直在默默地挣取利润，而今天突然间 RBOC 必须转变成一个快速发展的公司，这就差不多和把一辆拖拉机变成赛车一样激进了。做倒是能做（只要问问兰勃吉尼公司的雇员们就行，那儿既产拖拉机又产赛车），只是做起来太难了。

为个人计算机用户提供 ISDN 服务，对那些想要降低价格水平，建立大众市场的电话公司来说会是一个获得新进项的机会。我估计 ISDN 的应用将比个人计算机有线通信模式的应用更早开始。电话公司正在运用它们的聪明才智，试图找到一种既可在距家庭至少还有数百英尺的范围内继续使用它们的双绞线线路，又能依旧按宽带数据传输的速率通信的方法。随着市场对新服务的需要令赚钱的机会增多，电话公司和有线电视公司都可望成功。

有线电视和电话公司的野心决不仅限于提供一个传输信息比特的管道。假设你正经营一个信息发送公司，一旦你在一定区域里拥有了一个网络，网上连接了该区绝大多数家庭，接下来你该如何去挣更多的钱呢？可以让用户消费更多比特的信息，但是一天之中也仅有二十四小时可供人们看电视或坐在个人计算机边。要是你再没有更多的比特可传输了，那么另一种方法就是从你正在传输的比特上获取经济利益。许多人把信息高速公路看作一种经济食物链，其中比特的传输和发送是第一层，而种种不同的应用程序、服务和信息内容则一层层叠加在上面。从事比特发送生意的公司感受到了把自己在食物链上的位置向高处移这个想法的诱惑——这样就不仅仅可从传送信息中获利，还可从出售自己拥有的信息中获利。这就是为什么有线电视公司、区域性电话公司和消费者电器制造商，都争先恐后地要与好莱坞工作室、电视及有线电视广播公司，以及其他内容性业务公司合作的奥妙所在了。

有些公司之所以投资是因为它们不敢不投资。很长一段时间以来，信息的发送业务相当有钱可赚，这很大程度上是因为政府特许了垄断权。随着垄断的消失，竞争的开始，信息发送收益就有可能不如从前。那些希望参加应用程序和服务项目的创建，通过投资和/或影响力进入到内容性业务中去的公司，都趁着今日众多的机会，纷纷跃跃欲试。根据自己的选择，有些公司也许会放弃把电视机连成一体的置顶匣项目，而有些也许会向它投资赞助。它们的战略的一部分可以是向用户提供与信息高速公路联网、置顶匣以及相应的数据包编程、应用程序和服务等，而用户只需每月缴纳一笔固定的用费即可。有线电视系统就是以这种方式工作的，美国的电话公司在撤销条例以前也是如此。

把置顶匣的价格也纳入自己的标准服务费之中的网络经营者，将对那些有可能为花上数百美元买一个置顶匣而犹豫不绝的用户颇具吸引力。正像我所解释过的，在最初几年里，也许这种置顶匣真有可能迅速被淘汰，那么何必去买它呢？尽管供应这些置顶匣将使网络经营者所需的预先资金增多，但如果这样做能创造出一大批起关键作用的用户的话，那么这笔开支也是值得的。不过，政府制定条例的官员担心，如果允许网络经营者拥有置顶匣的控制权，那么就等于把它们置于一个可藉自己的特权牟利的位置上了。因为拥有置顶匣的网络经营者同时也可以竭力把那些在置顶匣上运转的软件、应用程序和服务都玩弄于股掌之间，而想出售自己的影片的电影制作公司就可能发现可供自己选择的余地非常有限。在废除原有的条例的进程中，不得不面对的难题之一就是：是否允许各种不同的服务项目有同等的机会通过电线和置顶匣展开服务。一种支持机会均等的理论是，如果多种服务可以共享同一条线路，那么政府就不必为这些服务及它们之间的交叉经营设立标准了。

零售商们会很高兴有机会卖给你置顶匣。毕竟，他们已经经销了电视机和个人计算机，那么何妨把置顶匣的生意也一块做呢？消费者电器公司也想加入到生产置顶匣的竞争中来。他们希望能够提供多种模型——你想，贵的可以卖给对机械装置有特殊爱好的人，简单些的就卖给其他人。但如果网络公司供应置顶匣的话，零售商就无利可图了。移动电话产业通过给一方提供部分补贴的办法解决了这种竞争：你可从任何一家零售商处购买移动电话，但费用中的一部分将由那家电话公司支付，因为你要惠顾的是它的服务。

有线电视公司和电话公司将是网络服务行业中最重要的两个竞争者，但不是仅有的两个。例如，日本的铁路公司就意识到了把它们因为铺设铁轨而拥有的道路通行权应用到长途光缆的铺设上将再理想不过。许多国家的电、煤气及自来水公用事业公司都指出，它们的线路也同样进入了家庭和各商业部门。它们中有些公司还争辩说，单单从家庭供热计算机化管理中节省下的能源开支就能抵消光缆连接的费用的一大部分了，因为对能源的需要降低了之后，对昂贵的新型发电厂的需要也就随之减小。在法国，大多数有线电视线路都为两家大自来水公司所有。不过，至少可说在法国以外的国家，传统公用事业公司作为建设信息高速公路候选人的地位并非那么显著。

你也许会奇怪，为什么我没有把直播卫星及其他一些技术作为电话公司、有线电视公司的主要竞争对手提出来。我早就说过，当前的卫星技术是很好的一个过渡性环节。它能发送极强的广播视频信号，但在没有大的技术性突破之前，它还不能向每台电视机和个人计算机提供一种独一无二的、视频带宽反馈信号。就美国市场而言，就算只有不到总数百分之一的各种显示器同时要求一个各异的反馈信号，那么现有的 300 信道/卫星系统也将不得不改成 30 万信道/卫星系统。

另外，因为如果要提供真正的交互式服务的话，这些卫星还面临一个如何把数据从用户家里发回到网络上（返回信道）的问题，所以诸如电视会议之类的应用就无法实现了。一个部分解决问题的方法是拿电话线作返回信道。一些直播卫星，比如休斯电子公司的直播系统，就是利用普通的家庭电话线路，把你所选的所有"有偿观看"的节目的记录，送回呈交给它们的记帐中心。加上一种特殊的插入式电路后，直播卫星就能不仅给电视机发送数据，也可以给个人计算机发送数据。对某些应用项目而言，数据广播是一种极有价值的过渡性途径。

Teledesic 公司是我和我的朋友，移动电话领域的前辈克雷格·麦考都进行了投资的一家公司。它目前正致力于研究使用大量的低轨道卫星来克服卫星技术的局限性的方法。它所设计的系统，规模相当浩大，牵涉到近 1000 颗卫星，它们在比一般的同步卫星距地球近 50 倍的轨道上运行。离地球更近，就意味着它们的能量消耗要减小到原来的 1/2500，而运用于双向信道的能源就得以增加。这就解决了反向信道的问题。另外，卫星传输中有较大的时间后延的问题也得到了解决。这些低轨道卫星在长途通信中所提供的传输速度可与光纤通信相比。Teledesic 公司在管理上、技术上和财政上都面临着挑战，究竟它能否把它们一一克服，还需几年以后才能见分晓。如果答案是肯定的话，那么 Teledesic 的或其他与它类似的系统，将成为使信息高速公路通往地球上许多地方的最早的、最廉价的、甚至也许是唯一的途径。亚洲和非洲的大部分人口，比如说，在今后的 20 年内，就不大有可能有在当地使用光纤线路的机会。

另一项迅速发展的技术是以地面为基地的无线通信技术。从前一直在空中通过甚高频（VHF）和超高频（UHF）传播的电视信号今后将主要通过光纤传播。这样改变的目的是为了使每个人都能够让自己的个人电视接收信息并作出回应。同时，话音线路及其他低速率数据传输线路也正由原来的有线式的基础设施传输转为无线式传输，以便支持已经增大的灵活性。我说过一个袖珍个人计算机应该具备个性化的、高质量的图像以及高度的灵活性，而一个理想的系统应该允许这两个特征存在。到目前为止，还没有任何技术能够把这两个特征结合在一起，因为无线系统不能像光纤网络那样提供个人电视信号反馈所需要的带宽。

在早期阶段，竞争者仍将抢夺最早在某个社区展开交互式服务的地位。但一旦所有的有吸引力的地区都已由这家或那家公司提供服务之后，竞争者们就需要侵入已有人捷足先登的市场，短兵相接的竞争宣告开始。很有意思的是，在有线电视行业里，虽然有寥寥几个地方建起了第二套系统，但

"上层施工者"从未赢利过。允许两套或者更多通用线路进入每个家庭将有助于竞争，但由此多出的额外开支也是惊人的。

信息高速公路上的服务器将必须由具有巨大的内存容量，一周能运转7天，一天能运转24小时的大型计算机来充任。为供应这些机器而引起的竞争将十分激烈。不同的公司对服务器应如何设计才合理有不同的见解，对服务器如何开发也有不同的战略。毫不奇怪，每个潜在的竞争者所持的观点都受它的专业领域的影响。要是锤子是你唯一的工具，那么不用多久所有的新问题都会变得貌似一个需要敲打的钉子。小型计算机公司，比如惠普公司，想象着用一群小型计算机作服务器。各种以生产个人计算机为主的公司相信只有把廉价的个人计算机大量地连接起来才会是最有成本效益、最可靠的方法。专营主计算机的公司，比方说 IBM，则正忙于把它们的大机器改装成服务器。它们都珍藏着一个甜蜜的希望，即信息高速公路将是大铁块（指主计算机、大型计算机——译者注）的最后一个堡垒。

软件公司很自然地认为自己的产品正是被寻找的那个答案。软件复制的费用如此之低，如果用它来代替昂贵的硬件的话将使系统的成本减少。另一个关于供应运转服务器的软件平台的竞争也正在逐步形成。Oracle，一家为主计算机和小型计算机制造软件的数据库管理公司，认为服务器应该是个其中运转着 Oracle 软件的超级计算机或小型计算机。在网络生意上经验丰富的 AT&T 公司则有可能试着把系统的大部分智能安插在网络的服务器和开关上，而让像个人计算机、置顶匣之类的信息装置拥有相对较少的处理功能。

　　而在微软，我们唯一的"锤子"就是软件。我们预计信息高速公路的智能将在服务器和信息用具两者间等分。这种安排有时被人称为"客户/服务器"计算法，它的意思是信息装置（用户）和服务器将携手合作，共同操作软件应用程序。我们认为庞大的超级计算机、主计算机，乃至小型计算机群并非必不可少。相反，与许多个人计算机制造商一样，微软公司认为服务器是一个主要由个人计算机组成，其网络数目从几十到好几百不等。个人计算机上将不会有我们所熟悉的机箱、监控器和键盘，它们也许会被全部置放在一个有线电视系统的总部或电话系统的中心办公室里的大型支架上。要想驾驭上千台这样的机器的计算功率非得用特殊的软件技术不可。我们的解决办法是，把信息高速公路的调控归结成一个软件问题，然后用那些体积最庞大（因此最廉价）的计算机来干活——在个人计算机行业中也同样使用了那些计算机。

　　我们的方法强调充分利用个人计算机行业内部正在进行的种种包括软件在内的进步。个人计算机将是信息高速公路上使用的主要设备之一。我们认为，置顶匣应该与个人计算机共享尽可能多的技术特性，这样开发者们要创造出在两者之上都能运行的应用程序和服务就不会那么困难了。这将使 Internet 以一种可兼容的方式向上发展最终进化成信息高速公路。我们相信，今天个人计算机上具有的工具和应用程序，可以被用来发展新的应用程序。例如，我们认为置顶匣应该有能力为将在今后十年内出现的个人计算机处理绝大多数的 CD-ROM 字幕。也许有人会驳斥说,我们总试图以个人计算机为基准来想象未来的世界,思维方式太狭隘了。然而,全世界范围内个人计算机的每年销售额超过 5000 万台。已投入使用的个人计算机的数目如此可观,预期开发任何一项应用程序或服务的公司,都可在这儿找到一个丰富的起步者的市场。

就算一夜之间突然有 100 万台同一型号的置顶匣被投入使用,与个人计算机享受多媒体特权的机会相比,它所代表的市场依然只不过如大海中的一滴水而已。一个开发公司至多只能把一小部分 R&D(研究与发展)的精力花在这些特种功能置顶匣的用户身上。能无视短期内观众群的规模,向新型应用程序投资的,唯有那几个数一数二的大公司而已。我们相信,大多数革新在出台之后都将扩充现存的市场,而扩充交互式电视与高速公路的市场可能性最大的途径,就是利用目前的个人计算机/Internet 市场。不过,类似的论据也可以用来为其他计算机平台或者甚至家庭游戏机说好话。

其他软件公司对他们的有关置顶匣软件的战略也同样自信。苹果公司建议使用 Mac 机技术,而 Silicon Graphics 公司打算改编一下自己的工作站操作系统,那实际上是 UNIX 网的一种形式。甚至还有一家小公司打算把一种目前主要应用于商业卡车的反锁定制动系统上的操作系统改装,以适应新的目的!

硬件制造商们就他们将如何对待置顶匣也做出了类似的决定。与此同时,消费者电器公司正在作关于它们将建造哪些种信息装置——从袖珍个人计算机到电视机——及它们将采用什么软件的决策。

软件体系结构之间的战斗将会持续很长一段时间，而且可能把一些尚未宣布立场的潜在的竞争者们卷入其中。由于当今所有的计算机系统都具有一定程度上的兼容性，所有的软件组成成份也将在一定程度上兼容。你几乎可以把任意一部计算机连入 Internet；或者把它连入信息高速公路也一样不会有问题。

有些问题尚未有答案，比如说计算机平台可以在什么程度上共享一种个性或用户界面。若能只用一个公共用户界面是再好不过了——除非你恰好偏偏不喜欢这样。是否妈妈、爸爸、奶奶、学龄前小朋友，乃至第 X 代人都有同样的口味呢？一定要有某种最最灵活的媒介，放之四海而皆适用吗？在这一点上，也是众说纷纭，各执一词，而界面就成了另一个需要实验、创新、最终由市场来决定的领域。

类似地，有待市场下最后定论的决策还有一些。比如，是否广告要在支付信息费用与娱乐费用中起重大作用呢？还是由用户直接为大多数服务付钱？当你刚打开电视或其他信息装置时，是由你来控制所有你看到的图像呢，还是让你的网络提供者占据你最开始的屏幕的一部分，向你显示它所控制的信息呢？

市场也将影响网络设计中技术方面的问题。大多数专家认为交互式网络将采用异步传输模式（ATM），然而今天 ATM 成本太高，以致无法使用。如果各种 ATM 设备的价格的行事方式类似其他与芯片有关的技术的话，它们也将会迅速下跌。但是，如果由于某种原因它们持续高价不变，或者下跌得不够快，信号在进入一个用户的家庭之前就将不得不先被转成某种别的形式。

为了能构成一条完备的信息高速公路——完备得足以开始一个大众市场——需要来自各种不同的公司的各种不同的技术。对一个以这些必需的领域中的一项或几项为自己的强项的公司来说，尽力找到一种包容所有的部分，以一己之力起动市场的途径，是个颇诱人的想法，但依我之见这将不是个明智之举。

我一直都相信，只有致力于少数几项中心技术的公司才有可能干得最出色。计算机行业给人的启迪之一——那也是生活给人的启迪之一——就是什么都干几乎是不可能的。IBM、DEC 以及旧的计算机行业中一些其他的公司都试过大包大揽，提供包括芯片、软件、系统及咨询在内的一切服务。然而当技术发展的步伐因为微处理器和个人计算机的标准更新而大大加快的时候，兼营的战略就被事实证明是容易失败的了，因为，从长远来看，专攻某一领域的竞争者可能有更出色的表现。一家公司生产一流的芯片，另一家拥有一流的个人计算机设计，而再有一家其离散与集成技术为一流。每一家获得了成功的新公司，都是选择了一块狭窄的领域，然后在其上投入自己的全部人力物力。

要保持警惕！对那些试图把信息高速公路专业技术中各个方面纳入一个统一的组织下的合并企业，应该持怀疑态度。新闻界对信息高速公路的报导很多正是与这些大规模的商业交易有关。传媒公司正在彼此吞并，而且正在尝试种种不同的配置方式。某些电话公司正在购买有线电视公司。麦考移动无线通信公司已被以有线通信为基础的 AT&T 买下。迪斯尼公司已买下了资本城——ABC 公司，而时代-华纳公司已提出要收购特纳广播公司。大约还要等很长一段时间之后，这些做了如是投资的公司才能对自己明智与否有个评价。

不过，对也好，错也好，这类的交易总是令公众倾倒。例如，当计划中贝尔大西洋公司与 TCI 之间的 300 亿美元的合并项目未能实现时，新闻界纷纷猜测这是否会是信息高速公路发展的障碍。答案是否定的。两家公司都依然有它们非常积极的，关于建设信息高速公路的基础设施的投资计划。

信息高速公路的最终来临将有赖于个人计算机、Internet 及新应用程序的发展。公司正在合并，或没能合并，并不意味着信息高速公路取得了或没取得进展。那些交易就好像背景噪音：不管有没有人倾听它们一直吵吵嚷嚷个不停。微软公司计划与数百家包括电影制片厂、电视网络、报刊出版商在内的公司携手合作。我们希望通过合作，大家可以一起把它们各自的内容性资产集中起来，建立起针对 CD-ROM，Internet 及信息高速公路的应用程序。

我们相信合作的力量，并热切地希望参与到合作中去。不过，我们的核心使命是开发信息高速公路所需的大量软件。我们在为许多建设新应用程序的硬件公司提供软件工具。全球各地许多媒体及通信公司将与我们合作，一起观察用户对种种应用程序的反应。聆听用户的反馈将是至关重要的。

你也将能够读到各种信息高速公路试验的结果。人们正对新型的多人玩的电子游戏着迷吗？他们正以新方法参加社交活动吗？他们通过网络在一起工作吗？他们在新的市场里购物吗？有没有什么你永远想象不到的，激动人心的应用程序出现了？人们愿意出钱购买这些新功能吗？

这些问题的答案正是理解信息时代的发展之路的钥匙。观察合并者与狂热者是很有意思的。不过，如果你想知道争建信息高速公路的角逐真正进行得怎么样，你应该注意连入Internet 的个人计算机，注意在信息高速公路试验中受人欢迎的那些软件应用程序。至少，我本人将这么做。

第十二章

举足轻重的问题

这是信息时代一个激动人心的时刻。这正是一切初始的时候。无论是去对一群人演讲，还是去和朋友一道进餐，几乎不管走到哪里，我总会遇到关于信息技术将怎样改变我们的生活的提问。人们想要弄明白究竟它将怎样使得未来不同于现在。它将使我们的生活更好呢，还是更糟？

我已说过我是个乐观主义者，而且我对这种新技术将带来的影响很乐观。通过扩大信息量的传播，它将增加人们生活中的悠闲时光，丰富人们的文化。它将使人们可以在家里，或在位置偏僻的办公室里办公，从而帮助减轻城区所受的压力。它还将减轻自然资源受到的压力，因为有了它，越来越多的产品会不再以生产出来的货物的形式出现，而以比特的形式出现。它还将使我们对自己的生活有更大的控制权，使我们可以根据自己的利益"订购"适当的经历和产品。信息社会的公民们将享受生产、学习和娱乐的新的机会。那些大刀阔斧地前进，并与彼此密切配合的国家将在经济上得到丰厚的回报。许多完备的新市场将会出现，而无数新的就业机会也将随之创造出来。

如果以每十年为单位来衡量的话，经济上的骚动不安似乎从未停止过。从过去的数百年以来，每一代人都找到了比前人效率更高的工作方式，而由此逐渐积累起来的益处已经多得不计其数。今天的一个普通人所享受的生活都要比几世纪以前贵族的生活好得多。像一个国王那样拥有疆土自然很好，但谁能想象他遭受的虱虫吸血之苦呢？仅仅医学上的进步一项就已极大地延长了人类的寿命，改善了生活的水准。

在 20 世纪上半叶，亨利·福特本人就是汽车产业。但如今你的车比他所开过的哪一部车性能都好，不仅更安全、更可靠，而且肯定有更优越的音响系统。这种不断改善的模式将持续下去。逐步提高的生产力推动着社会向前发展，直到终有一天，一个发达国家中的随便某个普通人将会在许多方面比今天任何一个人都更"富有"。

虽然我很乐观，但这并不意味着我不为某些事情而忧虑，这些事将降临到我们大家头上。任何重大改变在带来利益的同时也要人们付出代价，信息社会也不例外。在某些业务部门会出现人员断层，因此有重新培训工人的必要。通信与计算都确实可以免费实现，这将改变各国之间的关系及各国内部社会经济团体之间的关系。数字技术能力高、应用广，但它的这些特点却将引起一些新的，关于个人隐私、商业秘密及国家安全的忧虑。此外，必须考虑到的还有平等问题。一个信息社会应该为它的全体公民服务，而不是仅为一部分技术上发达，经济上富裕的人服务。一言以蔽之，我们面临着许多关系重大的问题。虽然我未必有解决问题的妙法，但是，正如我在本书开头时所说的，现在正是一个展开充分讨论的好时机。技术上的进步将迫使整个社会直面一些新出现的严峻的问题，而我们所能预见到的不过是其中的几个而已。技术变革的步伐是如此之快，以至有时令人感觉世界每日都将大为改观。它自然不会真的日新月异，但是，我们的确应该为迎接变化做好准备。在诸如大众使用权、教育投资、规章管理、个人隐私与社会安全之间的平衡等领域，社会将不得不做出艰难的抉择。

我们要开始考虑未来，这是很重要的。但同时，我们也应该保持谨慎，切勿凭一时冲动而草率行事。今天，我们所能提出的只是最一般化的一些问题，因此制订详细、具体的规章制度没有什么意义。我们还有好些年的时间可以用来观察这场即将到来的革命的进程，我们应该好好利用这段时间，做出明智而非简单地反射性的决策。

也许，最普通、又最与每个人息息相关的忧虑莫过于这个问题："在这样一个不断发展的经济状态下，我将会有怎样的处境呢？"男人、女人都同样担心自己的工作会被时代淘汰，担心他（她）们不能适应新的工作方式，担心他（她）们的孩子要从事的产业将来会不复存在，或者担心经济上的变革将造成一大批人，尤其是年纪偏大的工人的失业。这些担忧都是有道理的。有些行业和产业可能会整个地消失。但又会有新的兴旺起来。这样的变化将在今后二三十年内发生，按历史的标准来说是够快的了，但事实上它也许并不会比最近十年里微处理器革命在车间引起变化和在飞机、卡车运输及银行产业中引起巨变的速度更快，更具爆炸性。

尽管微处理器以及由此而生的个人计算机已经改变甚至淘汰了某些工作、公司，但事实上很难找到经济上有哪个大的部门受到了消极影响。主计算机、小型计算机及打字机公司的规模都有所减小，但从总体上来说计算机行业得到了发展，在雇员数目上也有相当可观的纯增长。一方面，像IBM、DEC 这样的大计算机公司裁减了一些人员；另一方面，那些工人中有许多仍在计算机行业内部找到了工作——通常是在生产与个人计算机有关的某些产品的公司中安顿下来。

在计算机行业以外，同样很难找到哪个商业部门受到了个人计算技术的全面损害。的确有些排字工人被台式出版程序而取代——但与每一个因此而失业的工人对应，都有好几个工人在台式印刷业中得到了工作。并不是所有的变化都能给所有的人带来益处，但随着变革一步步推进，个人计算机所引发的变化一直都是对公众大有裨益的。

有些人担心的是：世界上的工作数量有限，每一个工作消失，就会有某个人陷入困境，无所事事。但所幸的是，这并不是经济运转的方式。经济是一个宏大的、充满内部联系的系统，其中任何被释放的资源都会被另一个经济领域认为极有价值而加以利用。每淘汰一份工作，那个原来做这份工作的人就被解放出来去做别的事。最终的结果就是越来越多的事务得以完成，而总体生活水平也慢慢得以提高。当经济呈现出一个总的下降趋势时——经济衰退或经济危机——会发生循环性失业，然而迄今为止技术进步引起的种种变化，如果说将产生什么趋势的话，就只是趋向于创造更多的就业机会。

在一个经济不断发展的社会里，工作的种类总在变化。曾有一度，所有的电话都要通过接线员才能打通。在我童年时，从我家打长途电话得先拨"0"，然后把要拨的号给接线员。到我十来岁的时候，许多公司依然雇佣为机构内部服务的电话接线员，他们的任务是通过把电线联入插座，为电话安排传送的路线。到今天，虽然电话的数量比以往任何时候都多，但相对而言电话接线员却寥寥无几。自动化已经取代了手工操作。

产业革命以前，大多数人在农场上生活或劳动。生产食物，是人类专注的主要目标。如果那时候就有人预言说，不出几个世纪全部人口中将只有微乎其微的一部分需要从事食物的生产，那些农民一定都会为人们将靠什么谋生而忧心忡忡。美国人口普查局 1990 年认可的 501 种工作中，绝大多数五十年前根本不存在。尽管我们无法预言新的工作种类，但它们之中大多数肯定会与教育、社会服务及人们的休闲这些领域中不曾得到满足的需要有关。

我们知道，信息高速公路把买方和卖方直接联系在一起之后，将对目前扮演中间商的人们造成压力。一些大众化商店，像 Wal-mart，Price-Costco 及其他一些向顾客推销极为有术的公司，它们对经营方法更传统的商店也正施加着同一种压力。当 Wal-mart 进入某个农村地区后，当地村镇的商人们就感到局势吃紧。他们中有的在竞争中生存了下来，有的没有，但这对这个地区总的经济影响并不显著。我们也许会为其中的文化后果感到遗憾，但批发商店和快餐店还是一派欣欣向荣的气象，因为用美元来投票的顾客们总是偏爱那些把从销量中获得的厚利表现为更优惠的价格的商店。

减少中间商数目的是另一种降低成本的方法。这也将引起一些经济上的变动，但变动的速度决不会比最近十年里零售业内变化的速度快。要等到很多年以后信息高速公路才会被广泛地用来购物，并导致中间商的数目大大减少。因此，有充分的时间做好准备。那些被淘汰的中间商转而要从事的工作可能迄今为止甚至还没人想到过呢。究竟在新的经济形势下会出现哪些创造性的工作，我们将不得不拭目以待。但是，只要社会还需要帮助，每个人就肯定会有足够的事情可做。

生产率提高将带来的广阔利益，对那些面临失业危险的人来说却不会是什么安慰。当一个人接受了从事某项工作所需的训练，而这项工作却不再为人们所需时，你不能简简单单地建议他出去再学点别的什么就了事。调整，虽然最终还是必要的，决不会那么轻而易举，也不可能一蹴而就。为下一个世纪做准备不是件容易的事，因为就算那些我们能预见到的变化，要揣测它们的副作用也几乎不可能，更不用说那些预见不到的变化了。100 年前，人们看到汽车正崭露头角。这一行业无疑要赚大钱，也无疑要淘汰某些工作和产业。但真要预测具体情况就很困难了。你可能会提醒在顶尖马鞭公司工作的朋友们好好润饰一下个人的简历，可能还会提醒他们学点关于发动机的知识，但你难道还可能预先知道要在不动产业为狭长的树荫路进行投资？

一种强调通用的解决问题的技巧的教育制度将比以往任何时候都更重要。在一个不断变化着的世界上，接受教育是人们为了能适应社会所能做的最好的准备。每当经济转型，那些受到了适当的教育的人们和社会总是表现得最出色。社会给予有技能的人的奖赏将越来越高，因此我建议大家要接受一个良好的正规教育，并且这之后还要不断地学习。穷此一生，都要不断地发展新的兴趣，新的技能。

许多人将被赶出他们原来舒适的领域，但这并不意味着他们原来知道的一切不再有价值了。确切含义是，个人、公司，都将不得不积极地重新创造一个自我——而且可能将不止一次这样做。公司和政府可以帮助培训及重新培训职员，但最终还得靠个人来为自己的教育承担主要责任。

学会与计算机和谐共处将是必须迈出的第一步。在尚未理解计算机的时候，计算机几乎令每个人都感到紧张。儿童则是最大的例外。第一次使用计算机的人总是担心一步之差会毁了整台计算机，或使得储存在里面的全部信息丢失。而事实上，虽然人们的确偶尔丢失数据，却极少造成不可挽回的损失。为了能使数据的丢失更困难，错误的纠正更简单，我们曾颇费苦心。大多数程序都有"取消"这一指令，它使得试做某件事然后又很快收回这个行动极为简单。在用户看到犯错误不会是灾难性的之后，他们就会自信起来。然后他们就会开始试验。个人计算机提供了尝试的各种各样的机会。

人们与个人计算机打交道越多，就越明白哪些他们能做，哪些不能做。然后个人计算机就不再是威胁，而变成了工具。像拖拉机、缝纫机一样，计算机是一种能为我们所用，帮助我们以更高的效率完成某些任务的机器。

人们流露出的另一种担忧是，计算机将变得如此"聪明"，以致最后它们占据了主导地位，把人脑变成无用的废物。我虽然相信技术发展到最后，会出现能再创造人类智能的某些成份的程序，但我认为在我有生之年这几乎是不可能的。数十年来，研究人工智能计算机的科学家们一直在努力开发一种具备人类的理解力和常识的计算机。1950年艾伦·图灵提出了后来被称为图灵测试的一种见解：要是你能与在你视野之外的一台计算机或一个人对话而无法确信哪个是机器，哪个是人，那你就称得上拥有一台真正有智能的计算机了。

有关人工智能领域内重大进步的所有预言都已被证明过于乐观。就连最简单的一些学习任务，都不是当今世上最有能力的计算机所能企及的。有时计算机显得颇有智能，那是因为它们受特殊的程序控制，能以一种直截了当的方式处理某些任务——比如为了进行大师级的国际象棋比赛它把数十亿种走法一一试遍。

计算机具有某种潜力，使得它在可预见的未来里成为一种能影响人类智能的工具。但是，不到几乎人人都是计算机用户的时候，信息装置就还不能成为发布信息的主要手段。要是所有人——不论贫富老幼，城市农村——都有使用计算机的机会，那真是妙极了。可是，对大多数人而言个人计算机仍然过于昂贵。信息高速公路要想完完全全成为社会中的一部分，就得首先能真正为每个公民，而非仅仅一部分高层人士所利用。不过这并不是说每个公民家中必得有一样信息装置。一旦大多数人家里都安装了系统，那些没有装的一小部分就可以通过图书馆、学校、邮局以及公用电话亭里的公共设施满足自己的通信需要。关于在信息高速公路上进行普遍访问的问题只有在这一高速公路极为成功——比许多评论家预计中的更为成功——的情况下才会出现，记住这一点是很重要的。令人惊异的是，有些评论家抱怨说信息高速公路会过于受人欢迎以致造成一些问题，而另一方面同样还是这些评论家却又抱怨说它根本不会受人欢迎。

　　发展完善的信息高速公路应与公众的消费能力相当——几乎光看公路这个术语本身就可以明白这一点。一个连接少数几个大公司及有钱人的昂贵的系统绝对不会是信息高速公路——它大可被称为信息高速"私"路。一个网络，如果只有社会里最富有的10％的人愿意使用，那它将无法吸引足够充实的内容而兴旺发达起来。创作各种材料是有固定成本的，因此如果要使它们在大众购买力之内，就需要有大量的观众。如果大多数可以加入信息高速公路中的人们不愿意加入，那么广告收益也将不够支付信息高速公路的成本。在这种情况下，联网费将不得不降低，或者不得不暂缓网络的布署，重新设计系统以使它更有吸引力。信息高速公路如果无法实现大众化，就毫无价值可言。

　　发展到最后，计算和通信的费用将如此低廉，竞争环境将如此开放，以至于信息高速公路上提供的许多娱乐和信息几乎不花什么钱就能享受到。广告赚来的收入使得许多内容都可以免费。不过，大多数服务的提供者，不管他们是摇滚乐队顾问工程师，还是书籍出版商，依然会要求用户付钱。因此，如果明智地使用的话，信息高速公路将是用得起的，但不会是免费的。

在未来，你花在信息高速公路服务上的钱，其中有一大部分是你今天花在同样的服务上的，只不过形式不一样而已。过去，你也许有过把原来买磁带的钱转为买CD唱盘，或把原来购电影票的钱转为租录像带的经验。不久，你用来租录像带的钱就会转而用在看点播式电影上。你将拿出一部分现在花在订阅印刷好了的杂志上的钱，把它花在交互式信息服务和社团上。目前用于本地电话服务、长途电话服务及有线电视服务的开支，将来绝大多数会被用在信息高速公路上。

对政府信息、医疗忠告、电子公告板及某些教育材料的利用将是免费的。一旦人们上了信息高速公路，他们就将享受对各种重要的网上资源的完全平等的使用权。20年之内，随着商业、教育及大规模的通信服务都驶入信息高速公路，一个人能否成为社会主流中的一部分将取决于——至少在一定程度上取决于——他（她）对信息高速公路的使用情况如何。到那时社会将不得不决定该怎样出资赞助广泛使用权的实现，以便使所有的用户，不论其地理位置、社会经济状况，都享有平等的权利。

教育并不是信息时代提出的种种挑战的全部答案，但它是答案中的一部分，正如教育是一系列社会问题的答案的一部分一样。赫伯特·乔治·威尔士想象力的丰富和对未来充满希望的程度决不亚于任何未来主义者，而早在1920年他就对此做了总结。"人类的历史，"他说，"正日益成为一场教育与毁灭之间的赛跑。"教育是社会中伟大的、令一切归于平等的力量。教育上的任何提高都能在很大程度上促进机遇平等的实现。而增加利用教育性材料的人数，却基本上无需任何额外的费用，这正是电子世界如此美丽的部分奥妙所在。

你在个人计算机上受到的教育可能会不太正规。我曾说到过，我对计算机的痴迷起于玩游戏，而数年之后华伦·巴费特也有同样的经历。我父亲有一次使用计算机帮助自己预备税金，从此他就迷上了计算机。如果在你看来计算机似乎颇有些令人生畏，为什么不试着做件与此性质相同的事呢？找一件个人计算机能做，并会使你的生活更简单，或更有乐趣的事，然后坚持做下去，以此作为与计算机进一步打交道的方法。写一出电影脚本，在家里往银行存钱，帮孩子做家庭作业。为建立一种面对计算机时很舒服的感觉而做这些努力是值得的。只要你给它们一个机会，它们就很有可能赢得你的好感。但如果个人计算机看来似乎还是过于困难，令人糊涂，这并不是说你不够聪明，而是意味着我们为进一步简化计算机还有工作要做。

你越年轻，适应计算机对你而言就越重要。如果你现在50岁，或者年纪更大些，那么也许在你需要学习使用计算机之前，你就已经不是劳动大军中的一员了——虽然在我看来，你要是不学的话，就会失去一次传奇性体验的机会。但如果你现在才25岁，而不习惯使用计算机的话，无论从事什么工作，你几乎都要冒事倍功半的危险了。最起码，要是你能把计算机当作一种工具熟练地使用，找工作就会容易一些。

说到底，信息高速公路不是为我这一代人，更不是为我的前辈们服务的。它是为我们的后代服务的。那些最近十年内在个人计算机陪伴下成长起来的孩子们，及那些今后十年内将在信息高速公路陪伴下成长起来的孩子们——他们将把这项技术推向它的顶峰。

对纠正性别差异的问题，我们应该给予特别的关注。在我年轻的时候，似乎只有男孩被鼓励多与计算机打交道。今天的女孩们在计算机上的积极性比 20 年前要高得多，但从事技术性职业的女性还是远远少于男性。通过确保男孩、女孩，都能在幼年时期就熟练使用计算机，我们就能保证将来，在所有能从计算机专业技术中受益的工作岗位上，他（她）们能发挥自己应有的作用。

从我自己幼年时的体验，及今天我的朋友们抚养孩子长大的经验中，我发现一个孩子一接触计算机，他（她）就会对之着迷。但是，我们必须创造这么一个接触的机会。学校应该为学生们提供使用费用低廉、与信息高速公路联网的计算机的机会，而老师们则必须能熟练操作这一新工具。

信息高速公路的美妙处之一是，虚拟平等远比现实世界中的平等容易实现。给每个贫困地区的每所小学提供像贝佛里山市内的学校所拥有的那样的图书馆，将耗费数额庞大的一笔资金。而你让这些学校联网之后，它们就都有了同等的利用信息的权利，无论信息本身被储存在何处。在虚拟世界里我们都是生而平等的，我们可以利用这种平等性来帮助处理一些现实世界中还未能解决的社会学问题。网络不会彻底消除偏见与不平等的障碍，但它将是朝着清除障碍的方向前进的一股强大的力量。

该如何为像娱乐性材料、教育性材料这样的知识产权定价，是个很有意思的问题。经济学家们对种种传统的，被厂商生产出来的货物的定价方式有很多的了解。他们能论证合理的定价应该怎样以一种极为直接的方式反映成本结构。在一个有许多合格的厂商参与竞争的市场里，产品的售价通常会跌到仅比生产两个所售产品需要的最低成本稍高一点的水平上。但是这个模式却并不适用于知识产权。

有一门经济学基础课程描述了供、需曲线。这两种曲线总是在适合于某种产品的价格处相交。然而，谈到知识产权时，供需经济学就遇到了麻烦，因为有关生产成本的普通的规则在此并不适用。对知识产权而言，典型的情况常常是为开发产品预先耗费了巨大的成本。不管这项产品卖掉了一份还是 100 万份，它的那些固定成本是不变的。无论到底有多少人花钱去看，乔治·卢卡斯的《星球大战》系列里的下一部影片还是要花数百万美元的制作费。

知识产权的定价比大多数定价都更复杂，这是因为比较而言制造大多数智力产品的拷贝在今天是费用不高的。而今后，在信息高速公路上，发送一样产品的拷贝的成本——发送拷贝文件与生产产品本身得到的结果是相同的——甚至会更低，而且还会根据莫尔定律逐年下跌。当你购买一台新机器时，你主要是在为化工公司的研究、开发和测试费用付钱。就算生产每片药的边际成本是微不足道的，医药公司可能还是要以不低的价格出售每片药，尤其是在市场不大的情况下。从平均每个病人处得到的收益应该能充分支付开发费用中的一部分，并且还要能创造足够的利润，这样投资者们才会为当初冒了极大的经济风险投资开发新药而高兴。当一个贫穷的国家需要药物时，制造商就陷入了一个道德上的难题。如果制药公司不肯放弃，或者不肯大幅度降低它的专利申请费用，贫穷的国家就用不起这种药物。但是，如果制造商想要有能力在研究及开发项目中投资的话，就必须有用户愿意出比成本更高的价钱。不同的国家里药物的价钱有天壤之别；在富裕的国家里，除非政府交付医药费，否则价格对穷人总是不利的。

一种可能的解决问题的办法是，设计一个有钱的人得付更多的钱才能买台新机器、看场电影或读本书的方案。但这种方法看来也许不够平等，不过，它其实和现行的一种制度完全一致——即纳税制度。通过交纳所得税及其他税，收入高的人们为道路、学校、军队及所有其他的政府设施交的钱要比平常人多。去年，为了得到以上各项服务我花了一亿美元还不止，就因为我出售了一些微软的股份之后得付一笔高昂的资产卖出所得税。我并非对此有怨言，但这确实是一个同样的服务，收费却有天壤之别的例子。

对信息高速公路使用权的定价，也许不应从成本的角度，而应从政治的角度来考虑。"解放"边远地区的人民将是所耗不菲的，因为把电线铺到非常遥远的家庭，甚至小型社区去的成本极为昂贵。公司可能会不大情愿作必要的投资，而那些从地理位置上讲还未获"解放"的人们可能无力为自己做这笔投资。可以预计，在是否政府应该出钱资助农村地区联网，或是否政府应该制定条例让市区用户赞助农村用户的问题上将会有热烈的争论。这件事的先例是一条被称为"全民服务"的原则，当年制定它的目的是为了赞助美国境内农村地区的邮政、电话和电气服务。这条原则要求，无论你住在哪里，邮政、电话和电气服务的价格都是唯一、不变的。尽管在居民、商业分布都比人口集中的地区远为分散的农村地区，提供服务的成本费更高，但还是要执行这一原则。

在报纸的发送，广播、电视的接收上，并没有一条与之等效的政策。不过，这些服务已是极为普及，因此很明显在这种情况下不需要政府的干预来保证大多数人都能得到这些服务。美国邮政服务局是作为政府的一部分建立起来的，因为人们认为这是唯一能提供真正的全民服务的办法。不过，UPS（联合包裹服务局）与联邦快运局也许不同意这一点，因为它们的服务已遍及广阔的领域，它们也已从中获利。为了保证大多数人能够使用信息高速公路，政府是否应该进行干预，干预到什么程度为适宜？关于这两点的争论肯定会沸沸扬扬地持续许多年。

信息高速公路将使那些住在偏僻地区的人们可以与世界上其他地方的人们讨论、合作乃至打成一片。因为许多人都认为农村的生活方式与城市的信息量结合在一起很有吸引力，所以，网络公司将会有把光纤线路连入偏僻但高收入的地区的动机。某些州，某些社区，甚至某些私人的房地产开发公司，都有可能通过提供高度联网性来促销它们的地皮。随之而来的结果就是有些人所谓的国内部分地区的"白杨化"。那些生活质量高、风景优美的乡村社区会有意识地做各种努力来吸引一个新的、思想成熟的城市居民阶层。从总体上来看，城市地区一般会比乡村地区更早加入网络。

信息高速公路还将越过国界，把信息和机会播入发展中国家。价格低廉的全球通信能把各地的人们卷入世界经济的主流。一位在中国能说英语的哲学博士将可以和他在伦敦的同行们竞争一项咨询性工作。从某种意义上讲，工业化国家里的白领工人将面临新的竞争——就好像工业化国家里的蓝领工人在过去十年里已经经历了来自发展中国家的竞争一样。这将使信息高速公路成为推动知识性商品和服务的国际贸易发展的一股强大的力量，其道理与从前相对廉价的空运及集装箱运输的实现帮助推动了物质商品国际贸易的发展如出一辙。

最终结果将产生一个更富足的世界，这将是有利于社会安定的。发达国家及这些国家中的工人很可能继续在经济上领先可观的一段。但是，"享有"和"未享有"国家之间的差距将越来越小。起步较晚有时反倒会成为一种优势。那些较晚采用某些技术的国家可以跳跃前进，而且可以避免前人的错误。有些国家永远不会经过工业化阶段，它们直接进入信息时代。欧洲接受电视要比美国晚好几年，其结果却是它能享受更高质量的图像，因为到它设立标准时已经有了一个更好的选择。于是，数十年来欧洲人一直享受着更好看的电视图像。

电话系统是另一个起步晚而转化为优势的例子。在非洲、中国及发展中世界的其他一些地方，许多有电话的人用的是移动设备。由于不需要连接铜导线，移动电话服务在亚洲、拉丁美洲和其他发展中地区得到了迅速的普及。移动电话产业中的许多人预言说，技术上的进步将意味着这些地区可能永远不需要发展传统的、建立在铜导线基础上的电话系统。这些国家将永远不需要砍倒百万棵树来制电线杆，不需要拉上 10 万英里的电话线，到头来却又只好把它们都扯下来，把整个电话网络埋葬。这些国家的第一个电话系统将是无线电话系统。那些无法支付一个完整的宽带网络的国家，将得到越来越好的移动电话系统。

先进的通信系统的存在将令国与国之间更相似，国界将不会再那么重要。传真机、便携式摄像机和有线新闻网络是令专制体制和冷战时代结束的各种力量中的几种，因为它们使消息透过所谓"铁幕"进行传播成为可能。

如今，通过商业卫星广播，使一些较封闭国家的人们能对外面的世界多一些了解，这些了解本是未必为他们的政府所允许的。这种新的接近信息的机会能增进人们对其他文化的了解，并因此令人们更加团结。有些人认为当封闭的人们得到了有关另一种生活方式的充分信息并拿它与自己的生活方式对比时，将造成不满情绪；甚至更糟，造成一种"期待革命"的心理。在个体社会内部，当人们通过信息高速公路接触到更多更广的可能性之后，传统经验与现代经验之间的平衡就会打破。当人们更多地注意全球问题或全球文化，而减少对传统的、地区性问题或文化的关心时，也许有些文化就会感到面临着威胁。

"同一个广告能同时吸引纽约市一间公寓里、爱荷华州一个农场里和非洲一个村庄里的三个人，而这个事实并不能证明这三种环境是类似的，"比尔·麦吉本评论道。在他看来电视有用调和过了的人类共同经验掩盖地域差别的倾向，对此他颇有不满，"它仅仅能证明生活在这三种环境里的人们有一些共同的感情，而正是这些最简单、最基本的共同点构成了地球村的内容。"·

然而如果人们愿意看广告或广告赞助的节目，难道应该不给他们这种权利吗？这是每个国家都要独立回答的一个政治问题。而要想给信息高速公路网络装上一个过滤器，让它选择接收仅仅一部分信息，这是不容易做到的。

美国的大众文化是如此的有影响力，以致于现在美国之外的一些国家正试图把它限量配给自己的人民。它们希望通过每周只允许播放一定小时的外国电视节目的手段来保证国内题材的电视制作人能够生存下去。在欧洲，人们可以利用卫星和有线电视收看节目，这就减小了政府控制的可能。信息高速公路将打破国界，并有可能推动一种世界文化的发展，或至少推动一种文化活动、文化价值观的共享。对那些极为关注他们自己的民族团体的命运的爱国者，甚至流亡国外者来说，信息高速公路将使他们更易于与志同道合的人们联络，无论他们可能居住在何处。这也许可以促进文化多样化，以与那种单一的世界文化发展趋势相对抗。

而要是人们真的只关心他们自己的利益，回避更广阔的世界——要是举重运动员只与其他举重运动员交流，拉脱维亚人只愿意看拉脱维亚的报纸——那么共同的体验、共同的价值观就要有分崩离析之虞了。这样的排外态度将产生令社会分裂的后果。我怀疑这样的情形不大会出现，因为我认为人们需要一种同时属于许多团体的感觉，世界性团体也是其中之一。我们美国人有时会共有一些美国式经验，那通常是因为我们都同时在电视上收看种种事件——无论它是"挑战者"号发射升空后的爆炸，还是超级杯橄榄球赛、总统就职典礼、对海湾战争的报导，或驾车追捕Ｏ·Ｊ·辛普森。在这些时候，我们是"在一起的"。

人们的另一个担心是，多媒体娱乐是如此容易获得又如此吸引人，我们中有一些人将会过度地用这套系统为自身的利益服务了。当对虚拟现实的体验成为一件普通的事时，这有可能变成一个严重的问题。

将来有一天，一个虚拟现实游戏能让你进入一个虚拟酒吧，在那儿与一个"不一般的人"目光相遇，那人意识到你对他（她）有兴趣，就走过来与你交谈。你滔滔不绝地说话，用你的魅力和机智给这个新朋友留下深深的印象。也许你们两个，当时当地，就决定要一起去巴黎。嗯——嘘！你们就在巴黎了，两人一块儿注视看巴黎圣母院的彩色玻璃。"你有没有在香港坐过'星海渡船'？"你也许会问你的朋友，以邀请式的口气。嗯——嘘！模拟现实当然要比所有曾经有过的电视游戏更吸引人，也更令人上瘾。

要是你发现自己逃避到这些诱人的世界里去的次数过于频繁，或时间过长，并且开始为此而忧虑的话，你可以试着拒绝给自己娱乐，方法是告诉系统，"不管我给什么口令，不要让我每天玩游戏的时间超过半个小时。"这可以算是一个小小的阻速器，一个让你暂缓与某样你认为非常有意思的东西打交道的警告。它能起到的作用，大概和你把某个极为肥胖的人的照片贴在冰箱上来抑制自己吃零食差不多。

在可能造成日后后悔的行为方面，阻速器有很大的帮助。要是有人愿意把他（她）的空闲时间花在审视模拟的巴黎圣母院的彩色玻璃上，或者花在与一个人工合成的朋友坐在一个模拟的酒吧里聊天上，他（她）只是在行使自己的自由。今天有许多人每天花好几个小时坐在电视机前。从我们用交互式娱乐取代了一部分消极娱乐这个角度来说，观看节目者的处境可能还有所改善。坦率地讲，我本人并不太为世上有人要把他的时间浪费在信息高速公路上而忧心忡忡。我想，最糟也不过就像玩电视游戏或赌博一样吧。各种扶助团体会聚会在一起帮助那些想改邪归正的上瘾者。

一个比个人过度沉迷于信息高速公路更严重的问题是：当社会过于依赖信息高速公路时，可能导致它很容易就陷入困境。

这个网络，以及与它相连的以计算机为基础的种种机器，将形成社会的新的游乐场、新的工地和新的教室。它将取代有形的货币。它将吞并绝大多数现存的通信形式。它将成为我们的影集、我们的日记、我们的闹钟。它的多功能性就是它的力量所在，但这也意味着我们将极度依赖它。

依赖可能是危险的。1965 年和 1977 年纽约市实行灯火管制的那段时期里，数百万人陷入了困境——至少有几小时陷入了困境——就因为他们对电气的依赖。他们的光、热、交通、安全，都来自于电力。一旦停电，人们被困在电梯里，红绿灯停止工作，电力水泵也罢工了。没有电时任何真正有用的东西也找不到了。

信息高速公路的完全瘫痪是值得人们为之担忧的。因为这个系统的功能是彻底分散的，任何一个地方出了故障，都不会造成很大的影响。如果某一个服务器坏了，可以换一个，把数据重新存储进去。但是系统本身也有可能受某些冲击的影响。随着它的重要性日益增大，我们不得不在设计中加入更多的重复部分。系统的一个弱点是它对密码技术的依赖——那些保证信息安全的数字锁。

现存的种种保护系统，不管是舵盘式锁还是钢制保险箱，没有一种是万无一失的。我们顶多能做到的，不过是使盗贼的闯入尽可能的困难。虽然大众的意见正好相反，但计算机的安全性确实有一个极好的记录。计算机能够非常严密地保护信息，使得纵然最聪明的计算机犯罪者也不能轻而易举地得到它——除非保管信息的人犯了错误。草率是计算机安全会被破坏的主要原因。在信息高速公路上会出现错误，而太多的信息就可趁此机会在掩护下被偷出去。有人会发布最终证明是伪造的数字式音乐会门票，然后会有过多的人出现在音乐会上。无论什么时候发生这种事情，系统都将不得不被修正，法规也可能必须得到修改。

由于系统的保密性和数字式货币的安全性都取决于加密，那么数学上或计算机科学上的一个能摧垮密码系统的突破就可能是一次灾难。很明显，数学上的那个突破可能是一种简单的，分解大质数的方法的发现。任何拥有这个能力的个人或组织都可以伪造货币，透视随便哪个个人、公司或政府的文件，甚至还可能破坏国家安全。这就是我们在设计这个系统时必须如此小心的原因。我们必须能够保证，一旦某种特定的加密技术被证实为不可靠，我们有办法立刻转用另一种技术。要想达到这一完美的地步，我们还有一些创造性工作要做。保证那些你想要令其十年或甚至更长时间不为人知的信息的安全将尤其困难。

保密性的失去，是有关信息高速公路的另一个主要问题。私人公司和政府机构已经收集了大量的关于我们每个人的信息，而我们常常对它被怎样利用，它是否准确等等一无所知。人口普查局的统计数字中蕴涵了大量的细节。医药记录、驾驶记录、图书馆记录、学校记录、法庭记录、信用卡记录、纳税记录、经济记录、雇佣史记录，以及户头卡的帐单记录，它们一起勾勒出了你的形象。你给许多摩托车商店打电话，并有可能受摩托车广告的影响这一事实就是商业信息，从理论上讲电话公司可以出售这一信息。有关我们的种种信息正被依照惯例编入直销商的邮寄名单和信用报告。对这些信息的误用和滥用已经引起了管理对这些数据库的使用的法规的制订。在美国，你有权看到某些被储存起来的、关于你自己的信息，当有人看有关你的信息时，你也有权要求观看者事先通知你。信息的分散性以一种不正式的方式保护了你的隐私，但当所有这些"仓库"都一起被连到信息高速公路上之后，使用计算机让信息连成一体是可能的。关于信用的信息可以与雇佣史记录、销售交易记录结合在一起，构成一幅描绘你的私人活动的、精确得让你感觉受到侵犯的图画。

随着越来越多的生意通过信息高速公路来进行，随着储存在信息高速公路中的信息日积月累，政府将有意识地制定一些有关信息的隐私权和使用权的政策。那时网络本身就将执行这些政策，以确保大夫不能探访病人的纳税记录，政府查帐员不能查看纳税者的学术成绩记录，而老师不能浏览学生的医药记录。潜在的问题是对信息的滥用，而不是信息的存在本身。

目前，我们允许人寿保险公司在决定是否给我们的寿命保险之前查看我们的病历。这些公司可能也会想知道我们是否沉溺于任何危险的消遣，如鸢式滑翔运动、吸烟、赛车等等。那么是否应该允许保险公司的计算机检查信息高速公路上关于我们购物的记录，看看其中有没有什么表明我们可能做出危险的行为？是否应该允许一个有意雇人的老板用计算机检查我们的通信或娱乐记录，给我们的心理勾勒一幅肖像画？一个联邦、州立或市立机构，应该允许它看多少信息呢？一个可能做你房东的人，应该允许他了解你什么情况呢？一个可能成为你的配偶的人，又应该有权知道些什么呢？我们将需要对隐私的法律界限和实际界限都做一个定义。

这些有关隐私的担忧是围绕着有人正在跟踪搜集你的情况这个可能性产生的。但是，信息高速公路也将使一个人记录他（她）自己的行踪成为可能——让他（她）过一种可谓"通盘为文件所记录的生活"。

你的袖珍个人计算机将能够为你所遇到的每一件事记录声音、记录时间、记录地点，最后甚至记录图像。它将能记录你说的每一个字和别人对你说的每一个字，同时它还能记录体温、血压、气压，以及各种不同的有关你自己和你周围的环境的数据。它将能跟踪你与网络间的交互活动——你发布的所有指令、你送出的报文信息、你打电话找的人或打电话给你的人。最终得到的记录，要是你想要一个的话，将是一本无出其右的日记和自传。就算没有别的作用，至少在你整理你家的数字式影集时，你能精确地知道每一张照片摄于何时何地。

这所要求的技术并不难。把人的话音压缩成每秒数千位的数字信息应该很快就能做到，它意味着一个小时的谈话将被转化成大约 100 万字节的数字信息。就连用来备份计算机硬盘的小型磁带也已经能储存 100 亿甚至更多字节的信息——足够记录大约 10000 小时的音频压缩信号了。用于新一代数字式磁带录像机上的磁带将能保存 1000 亿字节以上的信息，这就意味着，仅仅一盘价值几美元的磁带，竟可以记下一个人十年里，甚至可能一生里的所有谈话——这取决于他究竟有多健谈。这些数字只不过是以今天的容量为基础推算出来的——将来储存信息的成本将低廉得多。录音今天已很容易，但几年之内一个完整的视频记录系统将同样成为可能。

我感觉通盘为文件所记录的生活这样一个前景颇有些令人不寒而栗，不过有些人会热衷于这个想法。把生活记录在案的一个原因是自卫。我们可以把袖珍个人计算机作为一个证明不在犯罪现场的机器，因为加密了的数字式签名将保证是一个无法伪造的，不在犯罪现场的证据，令任何虚假指控不攻自破。任何时候要是有人指控你干了什么，你可以反驳道，"喂，老兄，我的生活统统有文件记录。这些比特的信息都存放起来了。我说过的任何话，我都可以重放一遍。所以别跟我玩花样了。"另一方面，要是你真犯了什么罪，文件里也将会有它的记录。任何试图窜改的行为同样也会被记录下来。理查德·尼克松对白宫里的谈话偷偷录音的行为——以及随后人们对他企图窜改那些磁带的怀疑——促成了他的垮台。他选择了过一种为文件所记录的政治生活，而这之后只要他活着一天，他就要为此后悔一天。

罗德尼·金案件显示出了录像带作为证据的力量及局限。不久，每辆警车或每个警察，也许都会装备上一个数字式摄像机，它记录的图像上将有不可伪造的时间和地点特征。公众可以坚持要求警方在执行公务时自录。而警方也可能正求之不得呢，因为藉此一方面可以避免被指控有残忍或虐待性行为，另一方面可以帮助自己收集更好的证据。一些警务人员已经在给每次逮捕录像。这一类的记录将影响的不仅仅是警方。对那些记录下外科手术的各个程序，或者甚至连门诊也记录的医生来说，医疗事故保险费也许可以便宜些，或者甚至只有这样的医生才能得到医疗事故保险。公共汽车、出租车及卡车公司显然对它们的司机的工作表现很有兴趣。有些交通公司已经安装了记录里程和平均速度的设备。我能想象出这样的建议：每辆汽车，包括你我的在内，都不仅要装上一个录音机而且要装上一个能表明车的主人是谁和车的位置在哪的无线电发射机——一个未来的汽车牌照。毕竟，今天的飞机上有"黑匣子"，一旦成本降低，它们没有理由不同样进入我们的汽车。如果有人报告汽车被盗，车的位置将可以立刻被查到。在发生了有人肇事后逃跑，或驾车枪杀行人的事件之后，法官将被授权进行一次查询，"在这 30 分钟以内，下列两个街区的范围内都有些什么车辆？"黑匣子将记录下你的速度和位置，由此将保证限制超速行驶的法规得到最完美的执行。我愿意对这一项投反对票。

在一个日益工具化的世界中，也许会有那么一天，摄像机把公共场合里发生的大部分事情都记录下来。电视摄像机在公共场所相对而言已经比较普遍了。它们常被隐密地放在银行、机场、自动收银机、医院、高速公路、商店、旅馆和办公楼的大厅及电梯等处周围。

如此多的摄像机总在注视着我们——这样一个前景 50 年前可能会令我们抑郁不快，就像它令乔治·奥维尔抑郁不快一样。但今天它们并无什么不同寻常之处。在美国和欧洲的一些居民区里人们正欢迎这些摄像机来到街道和停车场的上空。在摩纳哥市，街道犯罪已经真正消声匿迹了，因为在这个小小的城市范围里已四处安放了数百台电视摄像机。不过，摩纳哥市的面积是够小的了，仅 370 英亩（150 公顷），几百架摄像机就足以覆盖它的全部领域。许多家长会欢迎在校园周围设置摄像机之举，希望藉此令贩毒者、骚扰儿童者，甚至游戏场上的土霸王胆怯收敛。城市里的每盏街灯都代表着一个社区为公众的安全所作的一笔可观的投资。几年之后，将只需再加上相对而言不大的一个数目，就能添购与信息高速公路联网的摄像机，用它来工作。十年之内，计算机将能够扫视录像带的记录，寻找某个特定的人或特定的动作，而且费用极为低廉。我能很容易地想象，会有人建议要在几乎每一根路灯柱子上装一台或者更多的摄像机。这些摄像机摄下的图像可以只在出现了犯罪的情况下被查看，而且纵然在那时也许也只能在法庭发布命令之后才允许查看。有些人可能会争辩说，每台摄像机摄下的每个图像，应该是任何人在任何时候都有权看的。在我看来这涉及到严肃的隐私权问题，但提倡这种做法的人也许会理论说：如果摄像机只置于公共场所，就没有任何不妥之处。

　　几乎每个人都愿意接受一些限制以换取一种安全感。从历史的角度来看，生活在民主制度中的人们已经在一种整个人类历史上前所未有的程度上享受着个人隐私权和自由权。如果，与信息高速公路相连的无处不在的摄像机，经过在某些社区的实验后被证明可以极大地降低重大罪行的数目，那么一场关于人们究竟更害怕被监视还是更害怕犯罪的真正的辩论就将拉开帷幕。根据美国的种种政策，想象一个为政府所批准的实验将有怎样的命运是很难的，因为它牵扯到隐私权的问题，并且有可能与宪法发生抵触。但是，意见也是可以改变的。也许只消在美国境内再发生几起类似俄克拉亥玛市炸弹案的事件，原来倾向于保护隐私权的强硬态度就会开始动摇。也许有一天，今天看来好像事事都要插手的数字"老大哥"，在人们不选择它就会落入恐怖分子和罪犯之手时，将成为正常现象。我并非在倡导两种立场中的任何一种——科技的发展将使社会能够作出一个政治性抉择。

　　在科技令制造录像日益简单的同时，它也使所有关于你个人的文件和信息的完全保密成为可能。加密技术软件是任何人都能从 Internet 网络中心远程装入自己的终端的，它能把一台个人计算机转变成一台几乎无法攻破的密码机。当高速公路布署完善之后，安全服务将被应用到各种形式的数字式信息上——电话、文件、数据库，随你点。只要你不把口令泄露出去，储存在你的计算机上的信息就好似在世上从未曾有过的最坚固的锁匙的保护之下。这就保证了任何公民所从未曾有过的最大程度的信息隐私权。

政府中有许多人反对这项加密技术，因为它限制了他们搜集信息的能力。但对他们来说很不幸的是，这项技术他们无法阻挡。美国国家安全局是美国政府国防情报部门中的一部分，它的存在是为了保护本国的秘密通信、破译外国的秘密通信，以便搜集情报。国家安全局不希望包含先进的加密技术的软件传到美国国界之外。然而，这个软件已是世界各地都能找到的，并且能在任何计算机上操作。任何政治决策也无法使各国政府重新获得它们过去拥有的窃听能力。

当前，阻碍携带先进加密技术的软件出口的法规有可能损害美国软件公司和硬件公司的利益。这些限制使得外国公司与它们的美国对手竞争时具有同样的优势。美国的各家公司几乎一致认为：当前的加密技术出口限制规定是行不通的。

传媒上的每一进步，都对人民与政府之间的对话有极大的影响。印刷出版业以及其背后发行极广的报纸改变了政治辩论的性质。广播，还有接下来的电视，使得政府领导人可以直接地、亲切地和大众交谈。类似地，信息高速公路也将对政治起到独特的影响。政治家们将第一次可以立刻看到对公众意见的有代表性的调查。投票者将可以在家里或通过他们的袖珍个人计算机直接投票，从而减小了统计错误或有意欺骗的危险。信息高速公路对政府的意义将和它对工业界的意义同样重大。

纵然作政治决策的模式不会明显地改变，高速公路可以给那些想要组织起来为某项事业或某个候选人作宣传的公民团体以力量。这可能造成各种有特殊兴趣的团体，甚至政治团体的数目越来越多。在今天，就某一事宜组织一项政治运动需要各方面大量的协调和配合。你如何去发现那些与你观点相同的人们呢？你如何把他们发动起来，如何与他们交流呢？电话与传真机是令人们彼此之间联系起来的绝好的工具——但你还得首先知道究竟与谁联络呢？电视提供了让一个人接触好几百万人的机会，但它很昂贵，而且如果大多数收看者不感兴趣的话，那就变得极浪费财力。

政治组织要求参加者们自愿贡献出几千小时的时间。各种通过直接邮寄发出的呼吁需要被塞进信封里，而且自愿者们还必须走出门去，用各种可能的方式与人们接触。仅仅少数一些问题——环境问题是其中之一——具有足够的影响力来克服种种困难，发展充分多的自愿者，使一个政治组织得以有效地运转。

信息高速公路使所有的通信都更方便。电子公告板及其他联机论坛使人们可以以极高的效率进行单对单、单对多，或多对多的交流。兴趣爱好相投的人们可以在线路上聚会和组织活动而不必支付任何有形的管理费。组织一次政治运动将变得如此轻而易举，以致再没有什么规模太小，或太涣散的事业。我预计1996年美国大选时，Internet 将首次成为所有候选人及政治行动团体投注精力的一个重要焦点。最终，信息高速公路将成为进行政治对话的一条主要途径。

在美国，当某一州要对某些具体事宜作公民表决时，所用的手段已是直接投票。由于准备工作上的原因，这些投票的提案只有在某个重大选举已正在进行时才能出现。信息高速公路使频繁得多地安排这样的投票成为可能，因为那时它们所需的费用将是极低的。

毋需置疑，有些人一定会提议实行彻底的"直接民主"，所有问题都通过投票来解决。在我个人看来，直接投票不会是一个管理政府的好办法。在政府的治理中是有一个供代表们——中间人们——作价值计算的位置的。他们是这样一些人：其工作就是花时间去理解各种复杂的问题之中的所有细微之处。政治总是涉及到让步，而让步，如果人们不选出相对而言数量较少的一部分人当代表并让他们为自己作决策的话，几乎是不可能的。管理的艺术——无论是管理社会还是管理一家公司——是围绕着就资源的调配根据各种情报作明智的决策而存在的。一个专职政策制定者的工作就是培养自己在这方面的专长。这使得他们中最优秀的那部分人可以想出、并认真地执行一些无法由直接民主中产生，并非显而易见的解决问题的方案，因为投票者可能不理解为了长远的成功起见必须牺牲某些暂时的利益以作交换。

和新的电子世界中的所有中间人一样，政治代表们不得不证明自己的存在是有正当理由的。信息高速公路将令他们比以往任何时候都更惹人注目。投票者们将得到一个远为直接的，对他们的代表正在做些什么及将怎样选举的了解，——而非仅仅照片和一鳞半爪的声音而已。一个参议员收到 100 万份关于某一个论题的电子邮件，或能够让他的寻呼机宣布在他的选民中搞的实时民意测验的结果的那一天已经不远了。

尽管信息高速公路也提出了种种问题，但我对它仍有无尽的热情。信息技术已经开始深深地影响我们的生活，正像我在报上的专栏利益一位读者于 1995 年 6 月发给我的一份电子邮件表明的那样。"盖茨先生，我是一个患有诵读困难症的诗人，这基本上就意味着我拼写单词的能力差得一塌糊涂，而要不是有这台'拼写检查'（Spellcheck）计算机的话，我的诗或小说绝没有希望发表。我也许会是一名不成功的作者，但多亏了您，我将会因为我有天赋或没有天赋而成功或失败，而不是因为我的病残而失败。"

我们正注视着一件有历史意义的大事的发生，它将震撼整个世界，像科学方法的发现、印刷术的发明及工业时代的到来那样震撼我们。如果信息高速公路能够增进一个国家的公民对其邻国的了解，并因此缓和紧张的国际关系，那么这一点本身，自然而然地，就足够证明建网的开支是值得的了。假设信息高速公路只被科学家们利用，供他们更有效地合作，为仍然无法治愈的疾病找到良方，那么单这一点其价值也将是无法估量的。假设这套系统只供孩子们使用，以便他们在课堂内外根据自己的兴趣发展，那么单这一点也足够令人类的处境改观了。信息高速公路不能解决所有的问题，但它将是许多领域里的一股积极的力量。

但它不会根据一个预先制定的计划自动在我们眼前铺

展开来。将会有挫折，会有始料未及的障碍。有些人会抓住这些挫折不放，宣称信息高速公路事实上永远不过是一个宣传出来的骗局而已。但在信息高速公路上，那些早期的失败将只是供人们从中吸取教训的经历。信息高速公路终将实现。

过去，巨大的变化总是要等几十年或几百年才能完成。这一次，变化不会在一夜之间发生，但它的步伐会快得多。到2000年，信息高速公路最初的表现将会在美国一览无遗。十年之内，其影响将遍及各地。如果让我来猜一猜这个网络的哪些应用软件会迅速被人们接纳，哪些要等很长一段时间的话，我肯定会猜错一些地方。在20年之内，我在这本书里谈及的几乎每一样事物都会在发达国家及发展中国家的商业和教育领域中变得极为普遍。硬件将被装好。接下来就只是一个人们用它来做什么的问题了——也就是说，人们将采用什么软件应用程序的问题。

如果有一天你因为从网络上无法找到某种信息而对它忿恨不止时，你就会明白信息高速公路已成为你生活中的一部分。有一天，当你为修你的自行车到处搜寻修理手册，你会因为它只是一份纸做的文件，很容易被你放错地方而恼火万分。你会希望，它要是一份交互式的电子文件，带生动的图像说明和录像指导，随时可从网上查取，那多好！

这个网络可以把我们紧密地联在一起——如果这是我们的选择的话；或者它也可以让我们把自己分散成100万个由媒介物相连的小团体。最重要的是，信息高速公路将给我们提供各种与娱乐、信息及彼此接触的机会，任我们选择，而且它是以无数崭新的方式为我们提供这些的。

安德·圣·埃克絮佩利在他的书中如此雄辩地讨论了人们对火车内燃机车和其他形式的技术的态度是怎样逐渐转变为友好的。我想，他将会欢迎信息高速公路的到来，并把那些抵制它的人看作观念落后而不屑一顾的。50 年前他写道，"邮件的传输，人类语音的传输，闪烁着的画面的传输——这个世纪和其他世纪一样，我们最高的成就仍是以令人们汇集在一起为唯一目标。难道我们的梦想家们认为，写字、印刷术和航船的发明败坏了人类的精神吗？"

信息高速公路将会通往许多不同的目的地。我已经享受了就其中的某些进行猜测的乐趣。无疑，我作出了些愚蠢的预言，不过我希望它们不至于太多。无论如何，我为自己正在这次旅途之中而激动。

跋

在未来的岁月里，信息高速公路将对我们每个人的生活产生重大的影响。正如我在第九章所指出的，它最大的益处将来自于它在教育——正规教育和非正规教育——中的技术应用。为了能给加速这一进程略尽绵力，我将把我本人从这本书中得来的经济收益都用来资助那些正在把计算机引入课堂的老师。通过美国国家教育改善基金会及全世界性质相似的机构，这笔资金将帮助教师为学生创造机会——就像当年湖滨中学的母亲俱乐部使我能够在计算机领域中第一次探险一样。

为写这本书我曾夜以继日地工作。我之所以如此努力，是因为我热爱我的工作。我并不是一个工作狂，而且我也喜欢做许多别的事情，但是我认为我的工作极为振奋人心。我的目标是通过不断创新使微软公司能保持其领先地位。一个有点令人不安的事实是：随着计算机技术不断向前发展，还没有哪一家公司能连续两个时代独占鳌头。在个人计算机的时代，微软已荣居群雄之冠。因此，从历史的角度来看，我想微软在信息时代的信息高速公路领域内恐难再领风骚。但我想向历史传统挑战。未来的某一时刻是划分个人计算机时代与信息高速公路时代的门槛。我希望当那一时刻来临时，我能跻身于第一批跨过此门的先行者之列。我认为成功的公司不能创新的倾向无非是一种倾向而已。如果你过于把精力集中于当前的业务上，就很难变革和刻意创新。

对我来说，大部分快乐一直来自于我能聘请到有才华的人并与之一道工作。我乐于向他们学习请教。我们现在招聘的许多聪明的雇员比我年轻许多。我羡慕他们能伴随着先进的计算机一道成长。他们一个个才智超群，必能百尺竿头、更进一步，拓宽我们的视野。如果微软能够利用他们睿智的眼光，同时广纳用户的忠言，那么，我们就还有机会继续独领风骚。毫无疑问，我们能够持续不断地提供精益求精的软件，使个人计算机成为一个举世无匹的强大工具。我常常说，我从事的工作是世界上最好的工作。我的话绝非虚言。

我认为，这是一个绝妙的生存时代。从来也没有过这么多的机会让人去完成从前根本无法做到的事情。这确是一个从未有过的最佳时代，人们可以创办新公司，推进种种科学（例如改善人们生活质量的医学），同时又能和亲朋故友保持联系。重要的是，我们应对于技术进步的优缺点都加以广泛探讨，以便让社会作为一个整体，不仅仅借助于工程技术人员，也能自己为自己把握方向。

现在要请读者注意，我在前言里曾解释过，我写此书是为了帮助展开一场对话，让人们注意到个人、公司以及国家即将面临的一系列机遇和问题。我的希望是，你在读完此书后会分享我的乐观精神，会和我一道探讨这样一个问题：我们应如何塑造未来？

汉英术语对照表

A

ASCII 码　ASCII

阿尔塔 8800 微型计算机　Altair 8800

阿帕网络　ARPANET

艾尔·戈尔　Al Gore

艾伦·图灵　Alan Turing

安全　security

　网络与～　network and security

生物测量～系统　biometric security system

澳大利亚　Australia

B

BASIC 语言(初学者通用符号指令代码)　Beginner's All-purpose Symbolic Instruction Code (BASIC)

百科全书　encyclopedia

版权　copyright

　出版的～　copyright to publishing

鲍勃·弗兰克斯顿　Bob Frankston

鲍勃·诺依斯　Bob Noyce

保罗·艾伦　Paul Allen

贝尔实验室　Bell Labs

北欧国家　Nordic Country

比尔·洛　Bill Lowe

比尔·麦吉本　Bill McKibben

比特,位　bit

D

dBASE 数据库语言　dBASE

《大众电子学》杂志　*Popular Elec-*
　　tronics

带宽　bandwidth

代理者(程序)　agent

单电子晶体管　single-electron tran-
　　sistor

丹·布里克林　Dan Bricklin

导航辅助程序　navigational aid

盗版　piracy

　软件～　piracy of software

稻盛和夫　Inamori Kazuo

德国　Germany

德州仪器公司　Texas Instruments

登记　license，licensing

　知识产权～　licensing of intel-
　　lectual property

蒂姆·帕特森　Tim Parterson

点播式电视　video-on-demand

电　electricity

电话　telephone

　～屏幕　screen for telephone

　～线　line for telephone

　～应答机　telephone answering
　　machine

　蜂窝式～，移动～　cellular tele-
　　phone

电缆　cable

　同轴～　coaxial cable

　电视～　cable for television

电视　television，TV

　～会议　videoconferencing

　点播式～　video-on-demand tele-
　　vision

　有线～系统　cable television
　　system

　在家购物～网络　home-shopping
　　network

电影　movie

电子公告板　bulletin board

电子表格　spreadsheet

电子书籍　e-book

电子数字集成计算机electronic nu-
　　merical integrator and calcula-
　　tor（ENIAC）

电子文件交换　electronic docu-
　　ment interchange（EDI）

《电子学》月刊　*Electronics*

电子邮件　e-mail

多媒体　multimedia

E

EDI(电子文件交换)　Electronic
　　Document Interchange（EDI）

二进制　binary

　～表达式　binary expression

　～记数制　binary system

　～数　binary number

~信号　binary signal

F

发送　delivery

信息的~　delivery of information

发送冲突　distribution friction

低~　low distribution friction

法国　France

反馈　feedback

~周期　feedback cycle

负~　negative-feedback

正~　positive-feedback

访问,存取　access

信息~　access to information

《风·沙·星》　Wind, Sand and Stars

冯·诺侬曼体系结构　von Neumann architecture

服务器　server

G

GLOBE（保护环境的全球性学习与观察）　Global Learning and Observations to Benefit the Environment (GLOBE)

高清晰度电视(HDTV)　high-definition television (HDTV)

戈登·莫尔　Gordon Moore

个人计算机(PC)　personal computer (PC)

~软件　software for PCs

~市场　market for PCs

袖珍~　wallet PCs

雇佣问题　employment issue

管理　management

管理信息和文本系统　management information and text system (MITS)

光盘　compact disc, CD

广播　broadcast

~信道　broadcast channel

工作　job

硅　silicon

国际互联网络　Internet

~的建立　foundation of Internet

~的电子邮件　e-mail on Internet

~的利润　revenue from Internet

过滤器　filter

H

韩国　South Korea

赫伯特·乔治·威尔斯　Wells, H. G.

黑客,计算机犯罪者　hacker

黑斯配件公司　Health Kit

华伦·巴菲特　Warren Buffett

画面　picture

　　～纵横比　aspect ratio

惠普公司　Hewlett Packard

会议　meeting，conferencing

　　～安排　scheduling of meeting

　　电视～　videoconferencing

I

IBM（国际商用机器公司）　International　Business　Machine（IBM）

　　IBM 个人计算机　IBM PC

　　IBM PS/2 计算机　IBM PS/2

　　IBM OS/2 操作系统　IBM OS/2

J

基础设施　infrastructure

激光唱盘　compact disc，CD

机器人　robot

　　家庭～　robots in home

集成电路　integrated circuit

加密　encryption

技术　technology

　　过渡性～　transitional technology

　　卫星～　satellite technology

计算机　computer

　　～的容量　capacity of computer

　　～的应用　applications of computer

　　～平台　platform

　　笔记本式～　notebook computer

　　笔式～　pen-based computer

　　个人～　personal computer（PC）

　　膝上式～　laptop computer

　　智能化～　humanized computer

　　主～，主机　mainframe computer

计算器　calculator

　　电子～　electronic calculator

　　机械～　mechanical calculator

家庭　home

　　～个人计算机　PCs in home

　　～管理　management of home

　　～教育　education in home

　　～设计　design of home

　　～通信系统　communication system in home

　　～艺术　art in home

　　～作业　homework

家族战略　family strategy

兼容性　compatibity

　　系统～　compatibility of system

交互式的　interactive

交互式探索　interactive exploration

交互性　interactivity

交通数据公司　Traf-O-Data

教育　education

旅行　travel
　～用膝上机　laptop for travel
螺旋　spiral
　负～效应　negative spiral
　正～效应　positive spiral

M

Mac 计算机　Mac，Macintosh
MITS（管理信息和文本）系统
　　MITS（Menagement Information and Text System）
米奇·卡帕　Mitch Kapor
密码术　cryptography
模拟　simulation
　～信息　analog simulation
　～音乐　analog music
莫尔定律　Moore's Law

N

内部设计　home design
内置式附件卡　accessory add-in card，add-in card

O

OS/2操作系统　OS/2
欧洲　Europe

P

PageMaker 排版软件　PageMaker

PS/2微机　PS/2
配置　configuration
　～的清除　elimination of configuration
苹果公司　Apple
苹果里萨机　Apple Lisa
屏幕　screen
扑克（游戏）　poker
普雷斯普·艾克特　J. Presper Eckert
普通载体　common carrier

Q

乔纳森·萨克斯　Jonathan Sachs
桥牌（游戏）　bridge
切斯特·卡尔森　Chester Carlson
全球定位系统（GPS）　globe positioning system（GPS）
全球信息网络（WWW）　world wide web（WWW）
全息照相存储器　holographic memory

R

人工智能　artificial intelligence
日本　Japan
日历　calendar
容量　capacity
软件　software
　～成本　cost of software

斯蒂夫·约勃斯　Steve Jobs

算盘　abacus

T

台式印刷,台式出版　desktop publishing

堂·埃斯特吉　Don Estridge

体系结构　architecture

　～与内部设计　architecture and home design

　可裁剪～　scalable architecture

调制解调器　modem

通信　communication

　～的预筛选　prescreening of communication

　～基础设施　infrastructures for communication

　～费用　costs of communication

　～管理　regulation of communication

　～网络　networks of communication

　电子～　electronic communication

　家庭～系统　home systems for communication

　全球～　global communication

　同步～　synchronous communication

　无线～　wireless communication

异步～　asynchronous communication

同步　synchronous

　～通信　synchronous communication

同轴电缆　coaxial cable

铜导线　copper wires

图灵机　Turing Machine

图灵测试　Turing Test

图像　image

　～电影　movie

　～存储　storage of image

　～清晰度　evidentiary value of image

　～压缩　compression of image

　合成～　synthetic image

　可视电话～,电视电话～　image with telephone

　艺术～　art image

图形计算　graphical computing

图形适配器　VGA

图形用户界面　graphical user interface

托马斯·爱迪生　Thomas Edison

托马斯·华生　Thomas J. Watson

U

UNIX 系统　UNIX

下载　downloading

小托马斯·华生　Thomas J. Watson

小型计算机，小型机　minicomputer

新加坡　Singapore

新闻组　newsgroups

新西兰　New Zealand

芯片　chip

信道　channel

　广播～　broadcast channel

　微～　microchannel

信号　signal

信息　information

　～包　packets of information

　～处理　information processing

　～传输　transmission of information

　～存储　storage of information

　～公布　distribution of information

　～过载　information overload

　～共享　sharing of information

　～时代　Information Age

　二进制～　binary information

　访问～,存取～　access to information

　模拟～　analog information

　数字～　digital information

　无限～　limitless information

　线性～　linear information

袖珍个人计算机　wallet PC

虚拟　virtual

　～平等　virtual equity

　～现实　virtual reality

许可权　licensing

询问,查询　query

Y

压缩　compression

亚当·斯密　Adam Smith

研究与发展　research and development（R & D）

约翰·冯·诺依曼　John von Neumann

约翰·毛赫利　John Mauchly

约·谷登堡　Johann Gutenberg

医疗记录　medical record

伊泰尔公司　Itel

异步　asynchronous

　～传输方式　asynchronous transfer mode（ATM）

　～通信　asynchronous communication

艺术　art

音频　audio

隐私（权）　privacy

印刷（术）　printing press

英特尔公司　Intel

应用,应用程序,应用软件　application

硬件　hardware

硬盘　hard disk

用户　user

尤金·安达尔　Eugene Amdahl

游戏　game

邮箱　mailbox

有线电视　cable TV

语言　language

　BASIC ～　BASIC

　工业标准～　industry standard
　　language

语音　voice

　～识别　voice recognition

　～数据通信　vioce-data commu-
　　nication

Z

詹姆斯·伯克　James Burke

招人喜爱的应用程序　killer appli-
　　cation

真空管　vacuum tube

政府　government

　～控制　government control

　～干预　government interven-
　　tion

政治　politics

知识产权　intellectual property

直播电视　DIRECTV

直接民主　direct democracy

只读光盘存储器　CD-ROM

指令　instruction

指数(几何级数)增长　exponential
　　growth

智能卡　smart card

质数　prime, prime unmber

置顶匣　set-top box

制式,格式　format

　磁带录像机～　VCR format

中国　China

主机,主计算机,大型机　main
　　frame computer

主页,起始页　home page

专业服务　professional service

字节　byte

总线　bus

　～电路　bus circuitry

　微信道～　microchannel bus

综合性服务数据网(ISDN)　inte-
　　grated services digital network
　　(ISDN)

译者后记

两点间的任何线，不论是直线，还是曲线，都是路。宇宙中有无限的点，因此若以人心之线连缀其间，则宇宙中当有无限的路。路贯通一切。然而路各有各的不同。有凡尘之路，有心灵之路；有上达天堂之路，有下窥地狱之路；前通远古，后接未来——因此有这《未来之路》。

然而这里的未来之路不是由砂、石、泥土等构成，而是由信息构成，谓之信息高速公路。我们有幸通过一定的门径进入这条浩荡无垠之路。门在英语中叫做 GATE。饶有兴味的是，这本《未来之路》的作者比尔·盖茨的英文名字就叫GATES（一道道的门）。所以通过一道道的门（GATES），我们就可以进入信息高速公路，从而在未来之路上纵横驰骋，周游八极。

　　但是比尔·盖茨的书是用英文写成的，不谙英文的中国人还难以看懂它。因此，要达到那些门，还得修新的路——中文之路——才行。我们——本书译者——就是这样一批架桥修路者。

　　我们希望，经由这条由译者修成的路，不仅可以接通各式各样的门（GATES），而且可以登上未来旅途，借助于弥漫环宇的电子信息进一步和世界各国的人民在文化、在心灵上互相交流、互相往来。

　　人类的想象力从来不像现在这样既超越存在，又执着于存在。当我们读到那些有关虚拟现实的篇章时，我们由衷地感到惊奇与振奋：数千年来人类所欲达到的所谓悄焉动容，视通万里的境界，而今只需一键在手，即可天上地下，神往心驰。现实与神话交互织入而成一否定之否定式太极图；人类的想象能力与科学的实现潜力的坐标图上似乎画出了一幅完整的互构互补正弦曲线。回到远古与走入现实将是21世纪人类语汇中的同义词。

　　《未来之路》，通俗易懂，然而充满睿智、远见，确实可以作为当代中国读者了解信息高速公路乃至21世纪人类生活新貌的最佳入门书。

　　然而，仅仅数个月前，我的看法并不完全如此。那时，北京大学出版社刚出版了拙译英文版《老子道德经》。在该书前言中，对于科学与现代文明的关系问题，我曾表示出某种程度的忧虑，我指出："随着人类文明的高度发展，尤其是随着科学的日新月异的大跃进，人类社会自身的矛盾也相应激化，作为个体的人与社会、与自然界之间的矛盾也日益难以弥合。'回到自然'曾一度成为近代若干哲学家的口号。越来越多的思想家认识到，科学是一把双刃剑，它极大地为人类谋福利的同时，也对人类造成极大的损害。像任何事物一样，科学的每一个发展过程中，利和弊总是孪生兄弟。问题在于，人类是否有能力使它的利永远大于弊？如果对这一点没有把握，那么，重新估价、借鉴老子的社会历史观无疑是有现实意义的。"（《老子道德经》，辜正坤英译，北京大学出版社，1995年版，第20页）

现在，比尔·盖茨的《未来之路》横在我面前，向我展示出另一幅全新的人类文明画图。我的忧虑或许只是多余的。按照比尔·盖茨所描述的虚拟现实图景，人类只消坐在家里，就可以极为逼真地畅游天下。这样一来，人类就无须"回到自然"，倒是自然以某种形式回到了我们身边，随时连接于我们桌上的个人电脑中。我们无须像远古的和尚道士两袖清风地云游四海，也无须像梭罗或爱默生那样在瓦尔登湖畔搭一个窝棚，以便亲聆自然的低语。我们可以进而推论，当虚拟的现实无限地仿真现实时，真真假假之间的界限就变得模糊起来。梦境、存在、神话、现实互动互构，融为一体。那时你可以是我，我可以是你，上下左右，古今未来，全可以共时和历时的方式存在。人与物的界限将最后打破，天人合一将不只是上古真人玄鉴、静观宇宙幽微奥秘时的呓语，而成为新时代儿童可利用手中袖珍个人计算机助人转瞬成佛的亲身体验。

从一定的意义上来说，远古神话是现代科学的潜在形式，或者说现代科学是远古神话的物理印证。在我看来，凡人类可以想象得出的事物，都有实现的可能性。因为人的想象力先天地受制于人体心理或物理的客观条件，人类无法想象出没有某种客观依据的东西。

　　比尔·盖茨在《未来之路》中频频提到"正螺旋循环"和"负螺旋循环"。我不能断定他曾经读过《老子》或《易经》，但我可以强烈地感到他这种提法上的阴阳意味。我曾一度将这两个术语分别译成"阳螺旋循环"和"阴螺旋循环"。但为了避免过分的归化用语会埋没原文的洋味道，我最后仍旧译成正负字样。但是，一种东西文化同根异趣、互补互彰的感觉始终洋溢在心头。当一串串计算机术语流过笔端的时候，我总是情不自禁地想，在一定的意义上，它们其实原本来自中土。众所周知的事实是，欧洲计算机的创始人莱布尼兹就是受《易经》、《老子》的阴阳理论而创立二进位制的数学及计算机的。《易经》的阴爻"--"相当于计算机二进位数中的"0"，可表示关；《易经》的阳爻"—"则相当于计算机二进位数中的"1"，可表示开。《易经》64卦，每卦有六爻共384爻，用之可演绎出宇宙万物的一切动静变化。又，遗传学上的64个遗传密码与《周易》64卦圆图如出一辙，更显示出《易经》八卦原理的普遍意义。一些中国学者还提出遗传密码及八卦中的中极学说，即遗传密码及八卦三联体的第三个密码为中性，变异不改变氨基酸的性质，生动地体现了老子"道生一，一生二，二生三，三生万物，万物负阴而抱阳，冲气以为和"的理论。与此相类，信息高速公路上的一切信息，不论它们看起来多么复杂，追根溯源，不过都是与阴阳状态"--"、"—"相对应的"0"、"1"状态之排列组合而已。

　　当然，东方文化在这种抽象理论上的超前性质并不能保证它在实践上总是走在全球文化的前沿。事实上，从16世纪开始，它就渐呈衰落，徒有高妙的理论，而少具体的建树，这确实令所有华夏志士难免慷慨生哀。计算机原理发轫于东方，结果于西方，现又借翻译之路回归东土。虽令人感叹欷嘘，毕竟又带来新的希望。随着世界各国风起云涌的信息高速公路建设热潮，中国的信息高速公路建设蓝图亦必顺应此大潮而迅速诞生。正像一位记者指出的那样：长期以来，西方人总是把中国称为 CHINA（陶瓷）。而今天，中国高速信息网计划的英文缩写碰巧也是 CHINA（CHINESE HIGHSPEED INFORMATION NETWORK APPROACH）。这种文字上的巧合或许正预示着，有朝一日，以想象力著称的中华民族会以阴阳八卦为基础的计算机技术崛起东方，成为信息世纪的一代枭雄。

　　一条未来之路将横贯南极与北极、大西洋与太平洋，连通四海五洲。人类文明发展史上的另一场惊天动地的技术大革命就要开始了。我们将兀立在东方的地平线上，翘首以待天际喷薄欲出的朝阳。

　　本书各译者翻译章节情况如下：辜正坤、赵宏译前言、致谢辞、第一、二、三、七、八章，辜正坤撰写译者后记；刘晓莉译第四、五、六章；阮江平译第十一、十二章和书后索引；马育新译第九、十章。全书由辜正坤博士负责统校。在翻译过程中北京大学计算机科学系朱冰博士和北京大学计算中心的辜松先生亦多次通读译稿并协助厘定若干计算机术语的译法，使本书避免了若干疏漏，译者于此谨表谢忱。

辜　正　坤

1995年11月于北京大学中关园

著作权合同登记　图字:01-95-886号

THE ROAD AHEAD

BILL GATES

WITH NATHAN MYHRVOLD
AND PETER RINEARSON

书　　　名:未来之路

著作责任者:比尔·盖茨

责 任 编 辑:王明舟　王　原

标 准 书 号:ISBN 7-301-02974-8/G · 333

出　版　者:北京大学出版社

地　　　址:北京市海淀区中关村北京大学校内　100871

排　印　者:一二○一印刷厂

发　行　者:北京大学出版社

经　销　者:新华书店

　　　　　　850×1168毫米　32开本　12印张　250千字

　　　　　　1996年1月第一版　1996年3月第二次印刷

定　　　价:20.00元

**本书第二次印刷的图书正文用 52g 凸版纸,封面全部贴有北京
大学出版社激光防伪标签。未贴防伪标签的图书,不得销售。**

Microsoft 图书出版信息

经 Microsoft 出版社授权，本社已出版或即将出版 Microsoft 下列图书：

Windows 95 实用指南
Windows NT 资源指南（3.1版）
Windows NT 消息库（3.1版）
Windows NT 优化（3.1版）
Windows NT 资源指南（3.5版）
Windows NT 网络指南（3.5版）
Windows NT 消息库（3.5版）
Windows NT 优化（3.5版）

敬告读者：

为维护《中华人民共和国著作权法》的尊严，保护著作权人及出版者的合法权益，对非法盗印者，我们将给予严厉打击。为方便读者举报，特将下列电话公布如下：

全国扫黄打非办公室：010—5231138
北京市版权局：010—3467110
北京大学出版社：010—2752032
  010—2752024
  010—2752021
北京大学出版社传真：010—2556201

对举报经查证属实者，将给予奖励。

北京大学出版社

严 正 声 明

　　《未来之路》（中文简体版）由美国微软出版社代表著作权人比尔·盖茨先生授权北京大学出版社独家在中国大陆出版。任何出版单位及图书发行单位未经美国微软公司及北京大学出版社同意，均不得以任何方式出版发行本作品。

　　本作品已在北京市版权局办理著作权合同登记。北京大学出版社委托北京同和律师事务所律师魏振赢、周旺生教授受理法律事务。对一切形式的侵权行为，美国微软公司及北京大学出版社将依法追究侵权者的法律责任。

　　特此声明

美国微软出版社

北京大学出版社